La vipère

Editions J'ai Lu

GUY DES CARS	ŒUVRES
L'OFFICIER SANS NOM	*J'ai Lu*
L'IMPURE	*J'ai Lu*
LA DEMOISELLE D'OPÉRA	*J'ai Lu*
LA DAME DU CIRQUE	*J'ai Lu*
CONTES BIZARRES	
LE CHATEAU DE LA JUIVE	*J'ai Lu*
LA BRUTE	*J'ai Lu*
LA CORRUPTRICE	*J'ai Lu*
LES FILLES DE JOIE	*J'ai Lu*
LA TRICHEUSE	*J'ai Lu*
AMOUR DE MA VIE	*J'ai Lu*
L'AMOUR S'EN VA-T-EN-GUERRE	
CETTE ÉTRANGE TENDRESSE	*J'ai Lu*
LA MAUDITE	*J'ai Lu*
LA CATHÉDRALE DE HAINE	*J'ai Lu*
LE BOULEVARD DES ILLUSIONS	
LES SEPT FEMMES	*J'ai Lu*
LE GRAND MONDE	*J'ai Lu*
SANG D'AFRIQUE	*J'ai Lu*
DE CAPE ET DE PLUME	
LE FAUSSAIRE	*J'ai Lu*
(De toutes les couleurs)	
L'HABITUDE D'AMOUR	*J'ai Lu*
LA VIE SECRÈTE DE DOROTHÉE GYNDT	
LA RÉVOLTÉE	*J'ai Lu*
LA VIPÈRE	*J'ai Lu*
LE TRAIN DU PÈRE NOËL	
L'ENTREMETTEUSE	
UNE CERTAINE DAME	
L'INSOLENCE DE SA BEAUTÉ	
LE DONNEUR	
J'OSE	*J'ai Lu*

En vente dans les meilleures librairies

GUY DES CARS

La vipère

L'AUTOBUS DE CANTON

Devant la porte de l'antique cité, protégée par des remparts vétustes et dérisoires pour notre époque, l'homme de Dieu attendait. Il était vêtu d'une soutane usagée, qui avait dû être noire, comme s'il voulait marquer par le port de ce vêtement son ignorance de l'autorisation papale permettant, depuis quelques années déjà, à tous les ecclésiastiques du culte catholique de porter le même pantalon que les pasteurs protestants ou les rabbins.

Un solide gaillard, ce religieux, dont le crâne et la nuque puissante, striée de plis, évoquaient plutôt la haute silhouette de quelque moine bouddhiste et dont les lunettes teintées dissimulaient le regard. La peau du visage et des mains était d'un gris jaunâtre rappelant la couleur triste et uniforme des terres d'Asie. Il se tenait debout, immobile, semblant regarder obstinément le ruban de la longue ligne droite de route défoncée, silencieuse et poussiéreuse, au bout de laquelle devait apparaître la vie sous la forme d'un véhicule ou même d'un seul être humain. Il ne portait aucune attention aux autres personnages qui attendaient, immobiles eux aussi, à quelques pas derrière lui comme s'ils cherchaient à marquer une certaine déférence à l'égard d'un prêtre. Ceux-là constituaient un groupe d'hommes, de femmes et d'enfants en guenilles, dont les visages anguleux aux pommettes saillantes et les yeux bridés reflétaient toute la passivité des fils et des filles de ce qui avait été autrefois le Céleste Empire. Comme le prêtre, tous regardaient la route : la seule de la région qui s'enfonçait, à perte de vue, dans le pays de l'Homme sans Visage.

La porte, datant du XVIIIe siècle, devant laquelle ils se tenaient, faméliques et tristes, marquait la frontière, plus symbolique que réelle, séparant la Chine de l'enclave encore laissée aux Portugais : Macao... Une ville qui, après avoir été florissante et heureuse aux temps des exploits des navigateurs portugais, était tombée, depuis l'avènement de la Chine populaire, dans une sorte de léthargie désespérée. Et pourtant! Le nom même de *Macao* ne signifiait-il pas que cette ville était encore la « Cité du Saint Nom de Dieu »? N'était-ce pas de cette étroite tête de pont que les missionnaires, et plus particulièrement les fils spirituels d'Ignace de Loyola, étaient partis à la conquête pacifique et culturelle du pays le plus mystérieux du monde?

Depuis combien de temps déjà durait l'attente? Nul ne s'en souciait, le temps ne comptant pas plus à Macao que dans tout le reste du continent jaune. Si l'un de ces personnages, cessant pendant quelques instants de regarder la route, s'était retourné, il aurait aperçu, se dressant derrière les remparts, les toits des vieux monuments et les innombrables clochers d'églises ou de couvents édifiés trois siècles plus tôt par une Europe conquérante. Mais nul n'avait envie de contempler une fois encore ces vestiges d'un passé dont personne ne se souciait. Macao, pour tous, s'était transformée — sans changer cependant de visage — en une plate-forme libératrice qui permettait de s'évader de l'enfer voulu par Mao Tsé-toung.

La chaleur était pesante, l'une de ces canicules étouffantes qui précèdent un orage que l'on attend désespérément parce qu'il ne fond jamais sur la terre qui meurt de soif. Le ciel était uniformément gris, fait d'une accumulation de nuages plombés derrière lesquels se cachait un soleil qui brûlait d'autant plus qu'il ne se montrait pas. Aucun de ceux qui attendaient devant la porte n'en paraissait cependant incommodé. N'étaient-ils pas, depuis des siècles, habitués à tout ce qui peut être odieux : le climat, le mutisme, la résignation?

Mais, brusquement, il sembla que tous ces visages figés s'irradiaient d'un contentement secret jaillissant peut-être de ce qu'il restait encore de cœur et d'âme à des êtres bafoués et trahis par l'existence depuis qu'ils étaient sur terre. Le seul, parmi eux, sur le masque de qui aucun sentiment de satisfaction ne s'exprima fut l'homme de Dieu : impassible, il continua à observer l'horizon de la route d'où parvenait, encore très faible, le ronronnement irrégulier d'un moteur... Moteur qui peinait à coup sûr, haletant, exhalant sa plainte dans des explosions sonores ponctuées par des silences inquiétants. Mais, malgré ces secousses, la machine se rapprochait. A certains moments — bien qu'on ne la vît pas encore — on avait l'impression qu'elle était déjà toute proche, à d'autres au contraire qu'elle était encore très loin : le moteur essoufflé donnait alors l'impression d'être à l'agonie, crachant un dernier vrombissement. Puis il repartait, cahin-caha, miraculeusement revigoré.

Au bout du ruban de route un nuage de poussière jaunâtre commença à s'élever, encerclant un point noir qui grossit lentement et prit peu à peu l'apparence d'une masse cahotante roulant dans un bruit de ferraille qui finit par couvrir celui du moteur : écho qui se répercutait à des kilomètres dans le silence de la plaine. Arrivé à deux cents mètres de la porte de la Cité, le véhicule s'arrêta et, presque aussitôt, surgirent des bas-côtés de la route — comme s'ils s'étaient tapis dans des caniveaux — des hommes armés en tenue kaki. Aucun des observateurs silencieux n'avait pu les repérer pendant la longue attente. Et pourtant, tous savaient par expérience que ces soldats étaient dans les parages, se cachant et se confondant avec le chaos du sol où ils avaient pris l'habitude de ramper. C'étaient les soldats honnis : ceux de la Chine rouge. Avant même que le vieux moteur eût cessé de tourner, le véhicule délabré avait été complètement encerclé par ces hommes, prêts à tirer au cas où l'un des occupants de ce que l'on appelait pompeusement dans tout le delta « l'Autobus de Canton » tenterait de s'enfuir pour éviter un dernier contrôle.

D'un geste tranquille, l'homme de Dieu avait extrait de l'une des grandes poches de sa soutane une paire de jumelles. Il les appliqua contre ses yeux après avoir relevé sur son front, d'un autre geste rapide, les lunettes teintées. Et il observa.

Ce qu'il vit, grossi par les lentilles, ne parut pas l'étonner outre mesure : c'était un spectacle qu'il connaissait par cœur depuis le temps qu'il venait attendre devant la porte de la Cité du Saint Nom de Dieu. Spectacle qui se renouvelait tous les jours à la même heure, quand l'autobus stoppait.

Étrange autobus en vérité, de marque incertaine, et tenant le milieu entre le camion, le char blindé, la roulotte foraine et le fourgon sanitaire ! Du capot, entrouvert pour permettre une meilleure ventilation pendant la longue route, s'échappait une telle fumée que l'on pouvait croire que le moteur allait exploser. Mais il n'en était rien : c'était une machine familiarisée depuis des années avec toutes les intempéries.

La masse de voyageurs, entassés les uns sur les autres à l'intérieur, dépassait toutes les limites de la compression humaine : ce n'était qu'un enchevêtrement de corps, de torses plus ou moins nus et de jambes dont beaucoup passaient par-dessus les vitres baissées pour pendre à l'extérieur dans le vide. La carrosserie — en admettant que l'on pût affubler d'un nom aussi prestigieux l'assemblage de tôles constituant l'armature de l'immense véhicule — était badigeonnée d'une couleur brune tirant sur le jaune et s'harmonisant avec celle des uniformes des soldats. Comme sur ces derniers — qui les portaient sous forme d'écussons cousus au ras du col — des étoiles rouges, gigantesques et reluisantes, étaient peintes sur les flancs de l'autocar. Juchés sur le toit et protégés par une galerie rectangulaire en acier, destinée à les empêcher d'être précipités à terre sous l'effet des cahots de la route, trois gardes rouges, venus de Canton et constituant l'escorte militaire du triste convoi, se tenaient accroupis derrière une mitrailleuse. Prêts à toute éventualité, ils auraient tiré à la plus petite tentative de fuite des occupants enfermés à l'intérieur. Parmi ceux-ci, seuls le chauffeur et quelques voyageurs étaient revêtus d'un vulgaire bleu de chauffe; les autres étaient pratiquement nus, cachant ce qu'ils pouvaient de leur anatomie squelettique sous des hardes à la teinte douteuse.

Après un ordre bref, lancé par le sous-officier qui commandait la patrouille surgie du sol, l'unique porte arrière de l'autobus s'ouvrit pour déverser le contenu de chair humaine. Au fur et à mesure qu'ils sortaient du véhicule, « les voyageurs » venaient se ranger l'un derrière l'autre sur la route en une file misérable pour subir une dernière fouille faite par la soldatesque. Grâce à ses jumelles, l'homme de Dieu pouvait détailler les visages ravagés de chaque nouveau voyageur et ses lèvres esquissèrent un sourire de satisfaction presque imperceptible lorsqu'il en vit un, sensiblement plus grand que tous les autres mais assez voûté, qui venait de s'agglutiner à la file attendant, docile, que toutes les opérations de contrôle fussent terminées.

Un nouvel ordre fut donné et cette file se mit en marche pour franchir à pied les deux cents mètres de route qui la séparaient de la porte de Macao. Ce fut une étrange procession qui s'avança, avec une extrême lenteur, talonnée par les gardes rouges qui poussaient sans aucun ménagement les traînards en leur enfonçant dans le dos les canons de leurs fusils et de leurs mitraillettes. Le spectacle de ce bétail humain, fait de miséreux et de vieillards dépenaillés, d'êtres boitillants qui s'appuyaient le plus souvent sur l'épaule de celui qui les précédait et qui trébuchaient à la moindre pierre sur la chaussée défoncée, avait quelque chose d'hallucinant. C'était comme si, telle une marée qui déferle, toute la misère du monde jaune s'approchait de l'ancienne Cité du Saint Nom de Dieu. C'étaient des lambeaux de refoulés dont la République populaire se débarrassait parce qu'ils constituaient des bouches inutiles qu'elle ne pouvait plus ou ne voulait plus nourrir. Désormais ces déchets humains seraient tout juste bons à être parqués dans les camps d'accueil du « capitalisme décadent » dont Macao était, avec Hong-Kong, l'un des deux derniers bastions avancés en terre jaune.

Mais, alors que la luxueuse ville britannique et protestante était florissante — regorgeant de toutes les richesses accumulées et de tous les plaisirs de la vie — la possession portugaise et catholique était pauvre de tout, suintant la misère qui s'y accumulait chaque jour davantage. Les Chinois qui voulaient fuir la République de Mao et qui avaient la double chance d'être encore à peu près valides et surtout de posséder quelques moyens financiers, se débrouillaient pour monter dans le « Train Rouge » dont le terminus se trouvait à Sham-Chung. Ensuite, ils n'avaient plus qu'à traverser à pied, et en se tordant parfois les chevilles sur les traverses des rails rouillés, le pont désaffecté de ce qui avait été un chemin de fer international pour atteindre la gare anglaise de Lowu, située dans l'enclave britannique. Là ils s'entassaient, satisfaits, dans les pullmans confortables du train capitaliste qui les amenait rapidement au paradis de Hong-Kong. Ces voyageurs-là avaient reçu le droit de franchir la frontière parce qu'ils avaient payé très cher — et que l'argent est toujours efficace, même en Chine populaire — ou parce qu'ils pouvaient continuer à servir la cause rouge dans le monde occidental. Ils étaient presque tous des agents d'affaires ou des propagandistes déguisés.

Ceux qui, au contraire, abandonnaient le misérable autobus en pleine route, à deux cents mètres de Macao, n'étaient plus que des débris — les exclus d'une population nouvelle qui voulait évoluer sans eux. Seule une civilisation imprégnée de plusieurs siècles de charité chrétienne acceptait encore de les accueillir. Les deux cents mètres qu'ils parcouraient en se traînant sous les nuages de plomb représentaient pour eux le suprême effort, le plus grand peut-être. C'était l'ultime sursaut de morts-vivants qui voulaient connaître la joie précaire de rendre leur dernier souffle dans un monde à l'apparence encore libre. Ils étaient et ils seront encore pendant longtemps plus de dix mille qui, chaque année, ont passé et continueront à franchir, en claudiquant sur des béquilles, l'étape pitoyable séparant un monde d'un autre. Et n'est-ce pas la façon la plus logique de passer d'un communisme totalitaire à un capitalisme chancelant ?

Pas plus aujourd'hui qu'hier, ou que demain, dans cette file qui s'avançait, il n'y avait d'êtres jeunes ou vigoureux : seuls des vieillards parcheminés, des vieilles femmes usées, des aveugles et des tuberculeux sans espoir, des boiteux au bord de la paralysie complète, avaient eu le droit de s'entasser dans l'autobus libérateur. Et celui-ci repartirait à vide vers Canton pour y charger dès le lendemain, tel un camion-benne de nettoiement, une autre cargaison pourrie qui ne pouvait être pour la nouvelle Chine qu'une entrave à la progression continue du « Grand Bond en avant ». Cargaison qui n'aurait même pas pu être enterrée dans un cimetière puisque la République populaire les avait supprimés.

Cela, l'homme en soutane — qui avait cessé d'observer dans ses jumelles ceux qui se rapprochaient à une allure désespérante et qui venait de replacer ses lunettes teintées devant son regard impénétrable — le savait. Et, pour la première fois depuis sa longue attente en ce lieu, il se retourna vers l'entrée de la Cité où il put contempler une tout autre fresque qu'il connaissait également depuis longtemps. Vision pouvant évoquer un certain visage de « l'autre civilisation » : celle qui héberge les épaves humaines au lieu de les rejeter. Elle était d'abord faite, cette civilisation, de policiers portugais — armés eux aussi, mais vêtus de blanc au lieu de kaki et tous gantés, déjà prêts à procéder à leur tour à une nouvelle fouille et à un nouveau filtrage de la horde famélique —, de religieuses, également tout de blanc vêtues, et de quelques coolies au teint safrané qui portaient des brancards de fortune sur lesquels, après les opérations de contrôle, seraient étendus les malheureux qui n'auraient plus la force de franchir le seuil d'espérance.

Quand la file ne fut plus qu'à une cinquantaine de mètres du groupe de Blancs et de coolies, qui incarnait pour eux un reflet vivant du capitalisme, les gardes rouges cessèrent de pousser le troupeau humain et s'arrêtèrent, armes levées, dans une attitude de défi méprisant. Ils laissèrent les miséreux franchir les derniers mètres tout seuls et, dès que ceux-ci eurent atteint le cordon de police blanche, les soldats en kaki firent demi-tour pour rejoindre, au pas cadencé, leurs repaires, d'où ils pourraient continuer à surveiller la route. Très vite leurs silhouettes disparurent comme si elles avaient été aspirées par le sol : tout se confondit dans la grisaille du paysage. Dans le même temps, l'autobus étoilé de rouge avait accompli une manœuvre pour tourner et pour reprendre, dans le fracas de son moteur poussif et de sa ferraille, la route de Canton. Quand le bruit s'estompa à l'horizon dans un dernier nuage de poussière, ce fut à nouveau le silence.

L'homme de Dieu attendit que les policiers eussent terminé leur travail pour s'approcher du vieillard, plus grand et plus voûté que tous les autres « voyageurs », celui qu'il avait déjà repéré de loin aux jumelles lorsqu'il s'était joint à la file encore immobile sur la route. Et il sembla que c'était pour ce seul personnage qu'il fût venu : les autres, il paraissait les abandonner bien volontiers au sort que leur réserveraient les religieuses et les brancardiers. L'homme, vers qui il se dirigea sans hâte apparente, donnait l'impression, lui aussi, de ne se soucier qu'assez peu de toute la foule qui s'agitait devant la porte de la Cité. Il était resté immobile, un peu à l'écart des autres, s'appuyant sur un bâton qui lui servait de canne. Comme tous ceux qui avaient été déversés par l'autobus, il était de race jaune, mais certainement d'une classe très supérieure à celle de ses compagnons de route.

Il n'était pas vêtu de loques et portait le bleu de chauffe traditionnel des habitants de la Chine évoluée : vêtement simple, usagé, mais correct. Son chef était recouvert d'une petite calotte de soie noire d'où s'échappaient, sur les tempes et dans la nuque, des mèches abondantes de cheveux blancs qui lui donnaient une apparence de vieux prophète de l'antique Asie. Les yeux, peut-être un peu moins bridés que ceux de ses compatriotes, regardaient tout ce qui se passait avec une sorte de détachement serein : un regard qui s'était familiarisé depuis longtemps avec les visions les plus déprimantes et les plus sordides, des yeux sans flamme et sans éclat, qui avaient vu sans doute trop d'horreurs. Le visage, aux pommettes osseuses et très émacié, se prolongeait en une barbe peu fournie, blanche également et curieusement taillée en pointe. Toute l'attitude du vieillard était digne, imposant le respect. L'ensemble de la maigre silhouette faisait penser à certains de ces personnages dont les admirables artisans d'une Chine en voie de disparition avaient su agrémenter les panneaux laqués de paravents à la beauté impérissable. Ce vieil homme courbé sur son bâton, mais dont le port savait quand même conserver une réelle noblesse, semblait être venu d'une autre époque, déjà lointaine : celle des empereurs déchus, des pagodes légères, des temples mystérieux, des jardins fleuris et des matins calmes, une époque imprégnée de sagesse dolente. N'ayant cependant pas l'allure d'un bonze, il faisait plutôt penser à quelque vieux mandarin échappé d'un monde qui n'avait pas cherché à comprendre sa philosophie.

Sans lui avoir dit une seule parole de bienvenue et sans même l'avoir salué d'une inclinaison de tête, l'homme en soutane lui avait pris le bras gauche pour l'aider à continuer sa route. Tous deux se dirigèrent ainsi, à pas lents, vers la porte de délivrance qu'ils franchirent pour se retrouver dans la principale artère de la ville. Là, à quelques mètres de la porte, stationnait une jeep. Le prêtre aida le vieillard à prendre place dans le véhicule : ce fut une opération longue et difficile, le Jaune paraissant avoir un mal infini à accomplir ce nouvel effort, tellement ses longues jambes semblaient se refuser à tout mouvement. Le religieux fit ensuite le tour de la voiture pour venir s'installer au volant et la jeep démarra doucement dans la direction des bas quartiers de la ville.

Ils traversèrent Macao, sans plus parler qu'au moment où ils s'étaient retrouvés. Il semblait assez improbable, pourtant, qu'ils n'eussent rien à se dire... Sans doute devaient-ils avoir, au contraire, trop de choses à se confier : des choses qu'on ne peut livrer dans le tohu-bohu d'une agglomération dégoulinante de foule hébétée et dont chaque bâtisse un peu importante s'est transformée en une nouvelle cour des miracles où tous les parias de la Chine rouge — les évadés, les expulsés ou les refoulés — se sont groupés selon leurs infirmités ou leurs tares héréditaires. La jeep passa ainsi successivement et toujours à allure réduite, à proximité du tunnel où se terraient les aveugles, devant le hangar où s'entassaient les boiteux et derrière le cloaque où pourrissaient les mendiants... Il arriva pourtant, mais ce fut assez rare, que la voiture croisât des Asiatiques à l'apparence moins misérable : c'étaient des bourgeois qui avaient dû être « rachetés » grâce à l'aide capitaliste. Macao, plus encore que Hong-Kong l'opulente, n'est-elle pas devenue le plus authentique marché d'hommes et de femmes vendus par les communistes ? Le prix d'un gros propriétaire terrien des environs de Canton, d'un trafiquant de Shanghaï ou d'un marchand de Pékin peut y dépasser plusieurs dizaines de milliers de francs actuels, alors que celui d'un intellectuel déviationniste ou d'une bonne sœur chinoise n'excède guère trois mille francs. L'homme que le prêtre ramenait dans la jeep avait-il été racheté lui aussi ?

La voiture côtoyait maintenant un camp, très improvisé, où avaient été rassemblés en hâte les quelques centaines de réfugiés arrivés au cours des derniers jours. Camp plus que misérable, rappelant les pires des ghettos et la barbarie de tous les refuges pour « personnes déplacées », où l'on retrouvait cependant quelque peu l'aspect des villages surpeuplés de l'ancienne Chine... Des villages qui auraient ressuscité avec une stupéfiante rapidité, prouvant qu'en Chine, comme partout dans le monde, tout n'est que perpétuel recommencement. Les réfugiés s'étaient déjà regroupés dans des huttes, édifiées de leurs pauvres mains calleuses, et où réapparaissaient les statuettes de Bouddha, proscrites de l'autre côté de la frontière... Bouddhas qui trônaient à nouveau sur de petits autels improvisés devant lesquels se consumaicnt, vingt-quatre heures sur vingt-quatre, les bâtonnets d'encens, ou *jossticks,* qui purifiaïent la vie en remettant à l'honneur le culte sacré des ancêtres.

Au camp succéda, dans l'étrange randonnée de la

jeep, un vaste bâtiment. C'était le tout dernier refuge de ceux qui croyaient encore aux bienfaits de la chance et du hasard prodigués par le jeu. Là agonisait, avant de disparaître tout à fait, la légende qui avait fait la fortune des romanciers et des cinéastes d'entre-les-deux-guerres : celle de « *Macao, l'enfer du jeu* »... On ne jouait plus que très peu — et des sommes dérisoires — dans la bâtisse tristement bétonnée. Le cri guttural des croupiers annonçant les numéros sortants du loto, jeu favori des Jaunes, parvenait à peine à la ranimer : l'argent n'est plus à Macao où la misère a réussi à mater le vice majeur d'une race.

La tristesse de la maison de jeu se retrouvait, décuplée, tout le long du port que la jeep commençait à contourner après être sortie de la ville haute. Ce port avait cependant été l'un des plus grands orgueils des Portugais après qu'ils l'eurent reçu, en 1557, des Chinois qui avaient enfin compris l'impérieuse nécessité pour eux de s'ouvrir une porte qui leur permettrait de commercer avec l'Occident. Les plus nobles caravelles, les plus hauts voiliers long-courriers y avaient mouillé avant que la boue gluante et pestilentielle de la Rivière des Perles eût peu à peu paralysé le trafic, parachevant en cela le travail de long enlisement qu'avait voulu la Chine rouge. Ne fallait-il pas, pour rompre à l'avenir tout contact avec le monde chrétien honni, étouffer Macao ?

Les Anglo-Saxons s'étaient d'ailleurs joints à la curée, pour activer l'œuvre de destruction, en anéantissant le potentiel économique de la seule cité qui aurait pu rivaliser avec Hong-Kong. Et les Portugais n'avaient rien pu faire contre ce dernier assaut du commerce qui avait été, de loin, le plus meurtrier.

La seule petite chance qui reste encore à l'antique Cité

du Saint Nom de Dieu — en admettant que ce soit une chance! — est d'être beaucoup plus accessible que la puissante Hong-Kong, encerclée de pics et de montagnes. C'est pourquoi les pauvres, les vieillards et les moribonds jaunes, qui n'ont plus la force de franchir les obstacles de la nature ajoutés à ceux des hommes, l'ont choisie. Là, entourés d'une foule décharnée, ils peuvent dissimuler plus facilement leur propre détresse et se donner l'illusion d'un semblant de vie.

Enfin la jeep s'arrêta devant un portail, surmonté d'une immense croix en pierre et pratiqué dans un mur très élevé rappelant l'enceinte extérieure d'une forteresse ou d'une prison. Sans que le conducteur eût actionné l'avertisseur, les deux lourds battants de fer du portail s'ouvrirent, juste le temps nécessaire pour permettre à la voiture de s'engouffrer dans une cour intérieure, puis ils se refermèrent avec la même célérité, comme s'ils avaient été actionnés par un mécanisme ou même par des mains invisibles. Après avoir traversé la cour pavée de gros blocs irréguliers, la jeep stoppa devant une porte basse, en bois — dont l'ogive était surmontée, elle aussi, d'une croix plus modeste —, et qui paraissait être la seule voie d'accès pour pénétrer dans une grande maison rectangulaire aux murs entièrement blanchis à la chaux. La monotonie de la façade uniforme et sévère n'était rompue que par la présence de petites fenêtres, grillagées de barreaux en bois, qui s'alignaient au rez-de-chaussée de chaque côté de la porte et tout le long des deux étages. L'ensemble du bâtiment donnait une impression de caserne, de clinique ou de couvent. Et il était permis de pencher plutôt pour cette dernière hypothèse quand on apercevait, traversant silencieusement la cour et le plus souvent deux par deux, des religieux dont les soutanes noires offraient un curieux contraste avec l'éclatante blancheur de la façade : c'était la maison du demi-deuil d'une civilisation sur son déclin ou celle du renoncement complet. Aucun de ces religieux ne parut d'ailleurs s'intéresser à l'arrivée de la jeep et de ses occupants. Après le fourmillement de la ville surpeuplée, il était assez surprenant de retrouver un tel calme à l'abri des hauts murs. Dans cette cour silencieuse on se serait cru très loin de l'Asie, à des milliers de kilomètres de la frontière de Chine, quelque part dans le sud du Portugal...

Aidé une fois encore par son compagnon, le vieillard s'extirpa de la voiture avec les mêmes difficultés que pour s'y installer. Et, soutenu à gauche par le bras secourable, à droite par la solidité de son bâton, il entra dans le vestibule dont l'austérité monacale s'harmonisait avec celle de la façade extérieure. Les quelques meubles s'y réduisaient à des banquettes en bois d'ébène, aux dossiers droits et sans coussins, qui s'alignaient contre les murs blanchis à la chaux. Le seul ornement décoratif, placé au centre sur le dallage de pierre, était une natte grège et rectangulaire en paille de riz. Les deux arrivants ne firent que traverser ce lieu d'accueil relatif pour s'engouffrer dans un couloir étroit tout le long duquel se succédaient, des deux côtés, des portes sombres et closes. Chacune d'elles comportait, au centre du panneau supérieur, un petit judas grillagé dont les barreaux, plus frêles cependant, rappelaient ceux des fenêtres donnant sur la cour.

Dans le couloir, ils croisèrent le premier être humain qui parût remarquer leur présence puisqu'il se plaqua discrètement contre le mur pour leur laisser le passage. C'était un autre homme de Dieu, portant également la soutane noire et auquel le guide du vieillard dit rapidement, en portugais et à voix basse, après avoir désigné son compagnon :

— C'est cet ami que nous attendions depuis longtemps.

Le deuxième religieux répondit aussitôt sur le même ton confidentiel et dans la même langue :

— Qu'il soit le bienvenu ici où il peut se considérer comme chez lui.

Il s'éloigna après avoir incliné la tête à l'intention du nouveau venu.

Ce dernier, toujours appuyé sur le bras charitable, ne parut pas avoir remarqué le geste de déférence et n'avoir pas entendu, ou compris, les quelques mots rapides qui venaient d'être échangés dans une langue sans doute inconnue de lui. Et il continua sa marche.

Arrivés au fond du couloir, ils se trouvèrent devant une porte, également de teinte sombre. Le religieux aux lunettes noires l'ouvrit, ainsi qu'une deuxième porte, et ils se retrouvèrent dans une pièce aux proportions modestes, blanchie à la chaux elle aussi, mais où quelques efforts avaient été faits pour améliorer le confort. Cela se traduisait par la présence d'une table basse et ronde, placée au centre et recouverte d'une pièce de soie brodée sur laquelle de petits personnages vêtus d'or faisaient une curieuse farandole sur un fond uni rappelant l'admirable azur de la mer de Chine. Autour de ce meuble étaient disposés trois fauteuils en rotin, assez spacieux et agrémentés de coussins dont l'apparence moelleuse ne pouvait donner au visiteur, épuisé par une longue route, que l'envie immédiate de les essayer. Ce que fit le vieillard : aidé par son hôte, il se laissa tomber dans l'un de ces sièges aux profondeurs douillettes.

Le religieux revint alors vers les deux portes restées entrouvertes qu'il prit bien soin de fermer intérieurement à double tour. Il n'y avait pas, dans la petite pièce, d'autre issue, à l'exception cependant d'une fenêtre en ogive, et grillagée de bois, entrouverte sur un jardin dont l'exotisme rappelait un décor cher à Rudyard Kipling et dont les senteurs étaient merveilleusement indéfinissables. Malgré ce régal, l'homme en soutane s'approcha de la fenêtre et la ferma avant de baisser un rideau fait de lamelles plates de bambou qui constituaient le plus sûr des écrans. La lumière du jour ne pénétra plus dans la pièce que diffuse, en obliques discrètes qui striaient curieusement les visages des deux hommes.

Fut-ce l'effet de cet éclairage tamisé ? Il se passa alors un étrange et double phénomène... L'homme en soutane se débarrassa enfin de ses lunettes sombres qu'il posa sur la table puis il resta debout, contemplant en souriant sans contrainte celui qu'il avait devant lui, assis, et qui, dans le même moment, après avoir lancé sur le sol son bâton avec une vigueur qu'il ne semblait pas avoir quelques secondes plus tôt, fit un effort musculaire comme s'il cherchait à détendre tout son être. Et, brusquement, il fut debout, immense, dominant son vis-à-vis, dont la taille était cependant respectable, d'au moins une demi-tête. La courbe voûtée du dos avait disparu : l'homme se tenait droit — bien planté sur ses jambes qui donnaient l'impression de s'être encore allongées — tel un prodigieux contorsionniste qui se serait redressé pour saluer la foule après une série d'acrobaties défiant les lois de l'ossature humaine. Le visage, glabre et ridé, avait changé d'expression : il s'était épanoui en même temps qu'une lueur de malice commençait à filtrer dans le regard qui, jusqu'à cet instant, était resté amorphe. Ce ne fut pas avec un sourire, mais par un véritable éclat de rire, sonore et voluptueux, qu'il répondit au religieux : rire qui déferla dans la petite pièce et qui, en élargissant la bouche, fit remonter curieusement la pointe de la barbe en la nimbant d'insolence. D'un geste presque théâtral il retira de son chef la calotte de soie noire : la chevelure, abondante et olympienne, se répandit alors dans une splendeur désordonnée. Seule la maigreur extrême de la silhouette demeura, mais ne convenait-elle pas à ce géant dont on pouvait tout à coup se demander s'il était un authentique vieil homme ou seulement un grand artiste qui se serait complu à jouer les vieillards ?

Cette transformation faite, l'homme s'exclama dans un français fleurant bon la Métropole :

— Vous ne trouvez pas qu'ainsi j'ai tout à fait l'allure d'un Don Quichotte qui serait allé pourfendre des moulins à vent du côté de Pékin ?

— J'avoue que cette métamorphose est des plus réussies.

— Vous aussi, cher ami, vous êtes exceptionnel sous la soutane... Vous avez cependant bien fait de ne pas vous séparer trop tôt de ces lunettes qui, en dissimulant le bleu un peu agressif de vos yeux, masquent vos origines germaniques. Et mes yeux, à moi, comment les trouvez-vous ?

— Quand vous m'êtes arrivé de l'autobus, il m'a semblé qu'ils étaient plus bridés que d'habitude.

— C'est très possible. Il y a deux raisons à ce changement : d'abord une légère opération qui m'a remonté la peau vers les tempes et ensuite l'étrange loi du mimétisme par laquelle on finit par acquérir le visage qui convient au pays où l'on est condamné à vivre pendant un certain temps...

— Vous n'avez cependant pas tellement de mérite à avoir réalisé cette performance puisque, d'après ce que j'ai cru comprendre il y a quelques années, votre mère était d'Asie ?

— Chinoise... Tout ce qu'il y a de plus chinoise! C'est exact. Admettons quand même, sans trop nous vanter, que nous ferions tous les deux d'excellents acteurs de composition... Je vous ai déjà connu tant et tant de professions différentes et de visages! D'abord légionnaire... Mais cela, c'était vrai et ça vous convenait, comme à beaucoup d'Allemands... Ensuite, après votre entrée dans « nos » services, je vous ai aperçu en vieux rat de bibliothèque à Saïgon, entrevu en paisible représentant de commerce dans un compartiment du chemin de fer du Yunnan, admiré enfin en ingénieur russe prêté au Viet-minh : le très distingué camarade-colonel Feyguine qui nous rendit d'appréciables services tout en paraissant s'occuper de la construction de barrages hydrauliques dans la région de Lao-Kaï... Dans tous ces rôles, vous avez atteint la perfection!

— Et vous? N'avez-vous pas été aussi sublime en faux antiquaire à Saïgon qu'en tenancier de bar louche dans cette même ville de Lao-Kaï où nous nous vîmes pour la dernière fois? Notre destin n'était-il pas, Serge Martin, de nous séparer à une ville frontière comme il est de nous retrouver aujourd'hui, après tant d'années, dans cette autre ville frontière où nous sommes?

— Mon cher Klein, ne parlons pas des années, voulez-vous? Pour moi, comme pour vous, elles ont compté double! J'en arrive même à ne plus savoir exactement l'âge que j'ai!

— L'avez-vous seulement jamais su?

— Non. Je dois être aussi vieux que la Chine...

— C'est pourquoi vous ne pouvez plus vieillir! Quand je vous ai retrouvé tout à l'heure, je me suis demandé si cette longue habitude du silence, que vous vous êtes imposée, ne vous avait pas fait perdre définitivement l'usage de la parole.

— J'ai toujours pensé que je ne pourrais véritablement la retrouver qu'en entendant à nouveau la langue de mon père qui, lui, était français... Grâce à vous, Klein, c'est fait. Je vous dis merci ! Et je puis vous confier que je viens peut-être de jouer l'un des personnages les plus difficiles de ma longue carrière de transformiste : celui d'un sourd-muet... Mais je ne regrette rien ! Ce nouveau rôle m'a permis de vous revenir... Pour être autorisé par les Rouges — après des semaines d'attente — à monter à Canton dans l'autobus qui ne transporte, à destination de Macao, que des êtres inutiles ou improductifs pour la Chine nouvelle, je n'ai trouvé que ce moyen... Moi aussi, il fallait bien que j'aie une infirmité, sinon on m'aurait encore gardé là-bas jusqu'à la fin des siècles ! Pour être sûr de réussir, il fallait l'infirmité congénitale et rédhibitoire : n'avoir jamais pu entendre, jamais pu parler... « Ils » ont fini par y croire, eux aussi ! Mais ce ne fut pas aisé de les mener progressivement à la compréhension de mon lamentable état ! Ils ont quelques médecins, et même des oto-rhinos, qui ont fait leurs études en Europe ou aux États-Unis... Cette vieille chance, qui ne me quitte que rarement, a voulu que je n'aie eu affaire à chacun des examens que l'on m'a fait subir qu'à des subalternes ou à des élèves de ces spécialistes. Et comme ceux-ci étaient jeunes ils étaient convaincus de posséder la science infuse : ce fut ainsi, si je puis dire, qu'ils se sont enfin décidés à me « réformer » et qu'ils m'ont jugé « bon » pour le dépotoir de Macao... J'ai ajouté, bien sûr, à ma double infirmité quelques suppléments spectaculaires et émouvants tels qu'une vieillesse croulante m'obligeant à me voûter ou une jambe récalcitrante me contraignant à me servir de ce bâton dont je viens de me débarrasser avec délice! Seulement ce ne furent là que les fioritures inspirées par ma passion instinctive du « travail » fignolé... A un certain moment, avant d'opter pour le mutisme et la surdité, j'avais pensé à jouer les aveugles, mais, la réflexion aidant, je me suis dit qu'il y en aurait certainement déjà un bon nombre dans l'autobus. Il s'en trouve à chaque voyage! Et trop d'aveugles dans un même véhicule, ça risque d'attirer l'attention... Vous avez pu constater vous-même, mon bon ami, que, dans « ma fournée », j'ai eu l'honneur d'être le seul sourd-muet!

— Félicitations!

— Je les accepte... Et puis l'aveugle — qu'il n'est guère plus difficile d'imiter que le sourd-muet de naissance — offrait quand même pour moi un risque supplémentaire : leurs services de renseignement ne sont pas encore près d'oublier celui qui, étant devenu véritablement aveugle, pendant une période de sa vie, sut accomplir pour nous une admirable besogne aussi bien au Sud-Vietnam qu'au Nord-Vietnam et qu'ils ont réussi finalement à avoir grâce à la perfidie d'une femme... Pauvre Burtin!... A propos, Klein, sa tombe est-elle toujours en place au cimetière français de Hanoï où vous et moi l'avons fait inhumer selon le désir formulé par sa mère (1)?

— La tombe y est toujours, fleurie chaque semaine, depuis des années, par des mains anonymes...

— J'ai été tenu au courant de ce détail pour le moins étrange... Mais je puis vous affirmer aujourd'hui que ce ne sont plus les mains de celle qui l'a fait assassiner qui continuent à remplir ce pieux office.

(1) Du même auteur, dans la même collection, lire *Le Grand Monde,* n° 447 ** et 448 **.

— Ngô Thi Maï Khanh ? Celle qui croyait être « la fille de Bouddha » ?

— Elle-même... Rien ne prouve d'ailleurs qu'elle ne se considère pas encore actuellement comme un être de cette essence supérieure...

— Ce qui voudrait dire qu'elle est encore vivante ?

— Elle l'est, Klein ! N'en doutez pas !

— Serge Martin, vous me stupéfiez... Il n'y a pas un seul membre de notre réseau qui n'ait, depuis longtemps, la conviction absolue que vous lui avez réglé son compte après la mort de Burtin.

— Ce qui vous prouve que, même dans le réseau le mieux organisé, on peut se tromper ! Il est certain, notez-le, que j'aurais pu agir ainsi si j'en avais reçu l'ordre. J'en ai eu plusieurs fois la possibilité... Et l'immense estime que j'ai toujours conservée pour cet excellent adjoint, doublé d'un authentique ami, que fut pour moi Pierre Burtin, m'incitait à le venger, mais malheureusement Paris ne m'en a jamais donné l'autorisation.

— C'est incroyable !

— C'est pourtant ainsi, bon ami... Et croyez que ce fut pour moi un terrible combat intérieur, partagé que j'étais entre ma soif de vengeance et le devoir d'obéir à mes chefs : ils m'ont ordonné de continuer à surveiller les activités de cette femme sans cependant l'abattre. J'ai été long avant de comprendre l'attitude de Paris et puis, avec les années, j'ai bien été contraint de me rendre à une évidence qui est peut-être la règle de base de notre métier : il ne faut jamais liquider les gens trop vite car on peut tout attendre de la patience... Même ceux qui nous ont fait le plus grand mal peuvent nous être utiles un jour ou l'autre. Je ne sais pas trop pourquoi, mais j'ai comme le pressentiment que bientôt cette redoutable créature va nous servir.

— Qu'est-ce qui vous fait dire cela ?

— Le seul fait que j'ai maintenant la preuve irréfutable qu'elle n'est plus au Nord-Vietnam, ni même en Chine d'où elle est partie il y a exactement une année.

— Pour où ?

— Je l'ignore. Quand j'ai informé Paris de ce départ, la réponse m'est parvenue quarante-huit heures après à Shangaï : « *Sommes au courant. Ne bougez pas. Restez où vous êtes jusqu'à nouvel ordre.* » J'ai obéi comme vous l'auriez fait, Klein. J'ai continué à glaner et à expédier tous les renseignements qui m'étaient demandés en attendant toujours l'ordre de départ qui ne venait jamais ! Je sais bien que les événements du printemps dernier ont bouleversé beaucoup de choses en France et fait déplacer beaucoup de gens... Mais quand même ! Enfin l'ordre est arrivé m'enjoignant de rejoindre Macao où l'on m'attendrait et ceci « *le plus rapidement possible, tout en faisant preuve d'une extrême prudence* ». Ce qui voulait dire — vous le savez comme moi — que j'avais dû être repéré et que je ne devais pas être loin d'être « brûlé ». Pour atteindre Macao il n'y avait qu'un moyen. Vous le connaissez : l'autobus des estropiés. Une fois de plus j'ai donc changé de profession en quittant Shangaï.

— Quelle profession exerciez-vous là-bas ?

— Cuisinier dans une cantine populaire où l'on servait par jour dix mille repas ! Mais quels repas ! Apprenez que la cuisine communautaire n'a plus aucun secret pour moi : je dois d'ailleurs reconnaître qu'elle est excessivement simple et frugale, cette cuisine préconisée par les ukases de Mao ! « La soupe chinoise » — sans porc laminé, sans poulet et sans langoustines — y domine sous forme de brouet incolore et on ne trouve jamais sur les tables de canard laqué! C'est d'ailleurs ce qui m'a permis comme vous pouvez le constater en déplorant ma maigreur extrême, de conserver la ligne... « la ligne chinoise »!

— Les semaines qui se sont écoulées entre l'heure où l'ordre de repli vous est parvenu et aujourd'hui sont celles pendant lesquelles vous vous êtes adapté à votre nouvelle « profession » de sourd-muet de naissance?

— On ne peut rien vous cacher! Étant donné le résultat obtenu qui se traduit par nos sympathiques retrouvailles, j'estime que je n'ai pas mis trop de temps pour changer ainsi complètement de peau!... A propos, ce religieux que nous avons croisé tout à l'heure dans le couloir et devant lequel j'ai continué à jouer l'infirme, c'est bien le supérieur de cette Mission?

— En effet : le révérend père Cataneo.

— Portugais comme tous ceux qui sont ici?

— Portugais. Il est de Lisbonne. Un homme d'une intelligence remarquable, qui comprend vite.

— Comme la plupart des fils spirituels d'Ignace de Loyola... J'ai le plus grand respect pour les jésuites dont l'armée offre le double avantage d'être la plus évoluée et la plus secrète du monde parce qu'elle est peu nombreuse. J'ai toujours cru à l'efficacité des élites.

— Serge Martin, je vais sans doute vous surprendre, mais je vous imaginerais très bien en jésuite!

— Mon cher Klein, c'est un rôle que je vous laisse pour le moment, mais croyez bien que je prends ce que vous venez de me dire pour un très grand compliment! La Société de Jésus me paraît être la première congrégation religieuse qui soit capable de s'adapter, avec une prodigieuse célérité, à l'évolution actuelle des esprits sur le plan de la foi. Tout en croyant fermement en Dieu, les bons pères n'ont pas l'intime conviction qu'il ait exactement le visage que l'on a bien voulu lui donner depuis l'avènement du christianisme. Ce qui leur permet de « flirter », si j'ose dire, avec toutes les religions intelligentes sans cependant oublier la leur. C'est pourquoi je pense, si je devais retourner à leur endroit le compliment que vous venez de m'adresser, qu'ils feraient d'admirables agents secrets. Et c'est pourquoi aussi, vous et moi, nous devons continuer à nous montrer prudents, même ici! Vous êtes sûr de ces murs ?

— Pendant la longue attente que vous m'avez fait subir, j'ai eu tout le loisir de les ausculter : disons que cette pièce discrète est une sorte de confessionnal que les bons Pères ont bien voulu mettre à notre disposition.

— Alors, profitons-en ! Et confessons-nous ! Mon « révérend père » Klein, je vous écoute... Quand avez-vous reçu l'ordre de venir m'accueillir ici ?

— Le même jour, je pense, que celui où l'on vous a conseillé d'abandonner vos fourneaux... Oh ! L'ordre était aussi clair que laconique : vous attendre à la descente de l'autobus de Canton tous les matins, sans exception, jusqu'à ce que votre silhouette émerge du sinistre défilé.

— Où étiez-vous quand cet ordre vous est parvenu ?

— A Bangkok.

— Ville charmante ! Il s'y trame des choses intéressantes ?

Si l'on veut

— Je ne vous pose, notez bien, aucune question précise : à chacun son boulot ! L'ordre arrivé, vous êtes parti aussitôt pour Macao ?

— J'avais hâte de vous revoir, Serge Martin, depuis le temps ! Mais l'attente ici fut fastidieuse : six semaines exactement.

— Presque un noviciat! Qu'est-ce qui vous a donné l'idée d'entrer dans les ordres?

— La réflexion : on ne peut pas séjourner aussi longtemps à Macao sans y intriguer la police portugaise, à moins d'y avoir une profession au-dessus de tout soupçon.. J'ai aussitôt pensé aux jésuites dont le supérieur ici a su tout de suite se montrer plus qu'accueillant. Il m'a même prêté cette soutane!

— Voyez-vous ça! Qui sait? Peut-être espère-t-il vous convertir un jour complètement et vous amener à entrer pour de bon dans la Compagnie de Jésus?

— Je lui ai dit que j'étais luthérien.

— Ce qui n'a pas dû le rebuter : sa victoire n'en serait que plus complète en ces temps œcuméniques! Et tous les jours, le révérend père Klein... Mais au fait, comment vous appelle-t-on ici?

— Le révérend père Ferro, portugais bien entendu, comme tous les autres membres de cette très discrète communauté.

— N'avez-vous pas l'impression que, parmi les religieux qui nous entourent en ce lieu de recueillement, il en est quelques-uns qui ne sont pas plus jésuites, ni plus portugais que vous?

— Il y en a eu certainement, mais pas depuis que je suis ici. La prudence la plus élémentaire doit commander au très avisé père Cataneo de ne pas accepter ce genre très spécial d'ecclésiastique à raison de plus d'un à la fois! Je finis même par me demander si ma soutane n'est pas celle que l'on réserve à ces jésuites très provisoires qui ne sont qu'en transit... Le seul accessoire que j'ai dû acheter est une paire de jumelles pour scruter chaque jour l'horizon poussiéreux d'où je vous verrais poindre.

— Maintenant que c'est fait, je pense que vous avez

reçu quelques instructions me concernant, car les miennes se limitent à ma sortie de Chine.

— Dès qu'il fera nuit, un canot à moteur traversera le delta et viendra vous chercher dans un coin discret du port pour vous emmener à Hong-Kong où l'on vous attendra à l'arrivée.

— Qui cela ?

— Je ne sais pas, mais je sais qu' « on » y sera.

— Et après ?

— Mes instructions à votre sujet s'arrêtent là.

— Un tel mystère m'ouvre les plus redoutables perspectives ! Et vous, qu'est-ce que vous deviendrez ?

— Je reviendrai dans ce couvent. J'y resterai jusqu'à ce que je reçoive de Paris, ou d'ailleurs, l'ordre d'en déguerpir sans tambour ni trompette et presque sûrement sans ma soutane. Cela me chagrinera un peu d'être contraint de jeter ainsi mon froc aux orties : je commençais à m'y habituer... D'autant plus que je vais sans doute avoir le temps, pendant les quelques jours passés encore dans ma cellule contiguë à ce parloir, de m'abîmer dans la méditation. Elle me permettra de trouver les forces spirituelles dont j'aurai certainement le plus grand besoin pour remplir les nouvelles missions qui vont m'être confiées et qui seront infiniment moins agréables que celle de vous recevoir.

— Vraiment, Klein, votre civilité m'enchante !

— Elle a été très médiocre puisque je n'ai pas encore fêté le retour du grand Serge Martin ! Mais nous allons réparer tout de suite ce regrettable oubli.

Il s'était dirigé vers un meuble, d'apparence assez quelconque, adossé contre l'un des murs et dont il fit glisser le tiroir supérieur pour en extraire deux verres à pied. Il les posa sur la table, puis, retournant vers le meuble, il en ouvrit la porte inférieure masquant un petit réfrigérateur d'où il sortit une bouteille de champagne qu'il fit miroiter triomphalement devant « le vieillard ».

— Ce n'est pas possible! s'exclama celui-ci, épanoui. Vous avez même pensé à mon péché mignon : l'amour de ce nectar du ciel... Klein, laissez-moi vous donner l'accolade de l'amitié reconnaissante. Elle n'est réservée qu'à ceux qui me gâtent!

Il étreignit son compagnon avant de saisir à son tour la bouteille ventrue dont il caressa amoureusement les contours avec ses longues mains fines en ajoutant :

— Et c'est mon millésime préféré... 59! Année bénie entre toutes pour le champagne! J'aurais donné n'importe quoi, pendant le séjour que je viens d'assez mal digérer là-bas, pour boire ne fût-ce qu'une gorgée de ce liquide enchanteur! Mais mieux vaut que ce ne ce soit pas produit : cela m'aurait certainement délié la langue et l'on aurait aussitôt cessé de me considérer comme un sourd-muet! Mais dites-moi : comment avez-vous déniché cette bouteille à Macao?

— C'est un cadeau du révérend père Cataneo.

— Ces jésuites sont encore plus étonnants que je ne le pensais! Vous n'allez pas me faire croire qu'ils utilisent un tel breuvage pour leur vin de messe?

Et, après avoir fait sauter le bouchon, il reprit :

— Voilà bien la seule détonation qui me convienne, moi qui ai horreur du bruit et qui n'opère toujours que dans le plus grand silence... Regardez cette mousse légère qui s'évapore avec tant de grâce, de fantaisie et d'esprit, dans les verres... Quelle féerie, mon bon Klein! N'est-ce pas l'une des rares que la France puisse offrir encore au monde entier et ceci sous toutes les latitudes? A condition, bien sûr, que le champagne puisse y être frappé! Buvons vite!

Ce qu'ils firent, debout, et avec un empressement qui leur fit vider chacun leur verre d'un trait avant qu'il ne fût rempli à nouveau. Au moment d'ingurgiter une seconde coupe, Klein leva son verre en claquant des talons :

— A vous!

— A nous! rectifia Serge Martin avant de lui faire remarquer : Apprenez, « mon révérend père », qu'un ecclésiastique aussi distingué qu'un membre de la Compagnie de Jésus ne claque pas des talons et ne se met au garde-à-vous sous sa soutane que devant Dieu... Sachez aussi qu'une telle façon de boire risquerait de trahir vos origines. Je viens d'avoir en effet l'impression de me trouver brutalement devant le reître discipliné, mais teuton, que vous ne pouvez pas vous empêcher d'être à certains moments... Chassez le naturel... Je n'insiste pas car vous m'avez, une fois de plus, très bien compris.

— Peut-être auriez-vous préféré me voir briser mon verre en le jetant sur le plancher à la manière des Russes?

— Non. Ceci pour deux raisons : d'abord j'ai constaté, quand vous avez ouvert le tiroir, que vous n'aviez que deux verres... Ensuite, comme nous sommes entre gens bien élevés qui n'aiment guère boire à même la bouteille, j'aurais été dans l'obligation de vous prêter mon verre. Et j'ai horreur que l'on devine mes pensées!

— J'aimerais pourtant connaître vos impressions toutes fraîches sur ce qui se passe depuis quelque temps dans le pays d'où vous nous arrivez...

— Vous n'êtes donc pas renseigné par nos services?

— Pas autant que je le souhaiterais... « On » ne nous

explique que ce que nous devons savoir pour une mission déterminée.

— Il est vrai que vous avez toujours été condamné à n'opérer que dans les pays limitrophes tels que le Nord-Vietnam, le Laos, la Birmanie, le Népal ou l'Inde...

— Vous oubliez l'U.R.S.S. ?

— Où le « camarade-colonel Feyguine », alias Klein, ne se débrouilla pas trop mal, je le reconnais... Si l'on ne vous a pas encore envoyé faire, comme moi, d'exquis séjours dans le pays d'un matin qui n'est plus très calme, n'en soyez pas vexé! Et attribuez ce manque au seul fait que vous ne possédez pas suffisamment la langue chinoise. Sinon vous auriez pu avantageusement me remplacer! Mais ne le regrettez pas trop quand même... Alors, vraiment, ça vous intéresserait d'avoir une vue d'ensemble rapide sur la façon dont les événements se déroulent à quelques kilomètres d'ici?

— J'ai l'impression que cela pourrait m'être très utile, ne serait-ce que pour faire du meilleur travail en U.R.S.S. s'il prenait brusquement à Paris la fantaisie de m'y renvoyer sous le prétexte que ma longue pratique de la langue russe n'offre pas plus de secrets pour moi que, pour vous, celle de Confucius.

— Peut-être avez-vous raison, après tout? Asseyez-vous, cher ami, et écoutez-moi. Je vais essayer de me montrer bref, et objectif... A moins que vous ne préfériez me poser quelques questions?

— J'aimerais mieux, en effet.

— Parlez.

— En premier lieu, quel est, selon vous, Serge Martin, le problème majeur qui préoccupe actuellement les dirigeants chinois?

— Sans doute occuper *psychologiquement*, *moralement*

et *physiquement* l'énorme masse d'hommes que représente une population qui ne cesse de s'accroître. Mais pour atteindre ce résultat, qui tient de la quadrature du cercle, Mao Tsé-toung et ses plus fidèles compagnons doivent éviter d'aller à l'encontre de ce qui a été acquis avec tant de difficultés après une quarantaine d'années de révolution ininterrompue. La lutte féroce pour le pouvoir a eu lieu trop tôt en Chine alors que l'idéologie communiste n'était pas encore ancrée dans la majorité des esprits. Ne perdons jamais de vue que si, pour se maintenir, le gouvernement populaire a été contraint de fermer de plus en plus ses frontières à l'influence du monde extérieur, il ne peut pas non plus faire piétiner le progrès et la technique à une époque qu'il appelle lui-même celle du « Grand Bond en avant »... Jadis la grande muraille édifiée par les Empereurs ne protégeait le Céleste Empire qu'au nord pour le mettre à l'abri des invasions des Mongols, alors que les frontières actuelles, faites de blockhaus et de barbelés, encerclent complètement le pays pour l'isoler de toute emprise capitaliste! Et souvenons-nous de ces réflexions, déjà désabusées, dues au génie de l'un des sept maîtres de l'Époque de Chien An, le grand poète Ch'En Ling :

Un homme aimerait mourir en combattant,
Pourquoi, à contrecœur, élever la Muraille?
Que la Muraille est immense!
Elle s'allonge sur trois mille li.
Aux frontières, nombreux viennent les hommes jeunes et robustes,
Nombreuses aussi seront les veuves à la maison!

» Ces hommes jeunes et robustes, chantés il y a plus de dix-sept siècles, ont pris, dans la Chine d'aujourd'hui, le visage très inquiétant de la Garde Rouge. Ces boy-scouts sanguinaires, élevés sans parents, ont pour principale mission d'apporter, partout où l'idéologie communautaire n'est pas encore bien digérée, ni surtout bien appliquée, un désordre voulu. Aussi est-il très difficile de prévoir quelles seraient les conséquences de cette tempête jaune si elle débordait les frontières!

— Vous croyez sérieusement que ce déferlement de masses jaunes fanatisées pourrait se produire dans un avenir assez proche?

— Mais, mon cher, la ruée est déjà commencée! Vous savez aussi bien que moi que les prétendues « missions commerciales » créées par la Chine populaire se sont maintenant répandues un peu partout dans le monde où chacune d'elles a reçu l'ordre de diffuser, sous le couvert d'opérations commerciales assez anodines, la divine pensée de Mao... Pendant toute la durée du séjour que je viens de vivre en Chine, je n'ai cessé, dans mes rapports, d'alerter Paris et nos alliés sur le danger très réel que représentent ces « missions » composées chacune d'au moins une trentaine de personnes. Et j'en arrive à me demander si l'ordre impératif qui vient de m'enjoindre de quitter dans les plus brefs délais le sol chinois n'a pas été dicté à nos chefs par l'urgence qu'il y a à faire front au prodigieux travail de sape effectué par ces propagandistes déguisés... Vous n'avez vraiment aucune idée de la véritable raison qui a motivé mon rappel?

— Aucune, je vous le jure!

— Qui vivra verra! La seule entrave, mais elle est sérieuse, aux progrès rapides de ce que nous pourrions appeler « cette propagande extérieure » des communistes chinois vient, non pas de leur méconnaissance des méthodes à employer pour diminuer progressivement le potentiel de l'opposition capitaliste, mais de la véritable pagaille — et le mot n'est pas trop fort! — qui règne actuellement au cœur même du pays dont ils dépendent.

— C'est à ce point?

— Oui. Pagaille qui provient d'abord de ce que « les traîtres », dénoncés quotidiennement et d'une façon ignominieuse dans les *tatzepao* — ces journaux muraux ou ces affiches contenant des inscriptions faites à la main et qui s'étalent sur d'immenses panneaux, aussi bien à Pékin que dans les agglomérations les plus reculées — sont ces mêmes hommes que Mao a installés au pouvoir dans les postes clefs de l'appareil du Parti. Certains de ces prétendus « traîtres » sont de vieux compagnons de trente années de lutte, c'est-à-dire d'avant l'avènement du communisme en Chine. Ce sont des personnages très importants, qui sont indispensables au pouvoir. Qu'ils se nomment Liu Chao-chi, l'ex-chef d'État, Tengh Hsia-ping, le secrétaire général du Parti, Peng Chen, le maire intellectuel de Pékin, ils continuent à représenter une élite qui aurait des tendances plus « progressistes » que véritablement « communistes ». Il est très difficile maintenant pour Mao de les déloger complètement de leurs places prédominantes sans faire de perpétuels coups d'État. Ils continuent à s'accrocher en s'opposant de plus en plus à l'absolutisme de Mao et de son entourage d'inconditionnels qui paralysent tout.

» L'escalade dans ce conflit interne a, durant la première manche, conduit Mao Tsé-toung à une semi-retraite qu'il fit à Shanghaï et où il a eu tout le temps d'organiser son retour triomphant et de faire payer très cher ceux qui avaient trop tôt oublié que le seul maître, c'était lui! Seulement on peut se demander, depuis ces derniers mois, s'il est encore le vrai maître de la Chine ou s'il n'est pas seulement manipulé par le groupe très actif des Liu Piao, des Kang Shen et de ce braillard qui se nomme Chen Po-ta? Ce second groupe joue en ce moment « les victorieux ». Devant une masse ignorante qui ne connaît absolument rien du monde extérieur, ils jouent — même si leur foi n'est que très relative — « *les fidèles du vénéré et grand Mao en lutte contre tout ce qui fait le malheur et la souffrance de la Chine* ». Et c'est par leur intermédiaire que l'excitation incessante des jeunes est menée à coups de fausses nouvelles. Il ne peut en résulter que des excès : on ne remue pas deux millions de jeunes exaltés sans faire de la casse!

» Le plus grand fléau de la Chine rouge ne vient plus des épidémies, des inondations, des vols de sauterelles ou de la prolifération des mouches, mais bien de ces hordes de jeunes, sortis des crèches communistes, qui n'ont jamais eu que le portrait de Mao devant les yeux et dont l'honnêteté et la sincérité vont jusqu'aux actions extrêmes. Par leur faute et par leurs excès, ce n'est plus un « Grand Bond en avant » que fait, depuis quelque temps, la Chine mais plutôt un sérieux « Bond en arrière » auquel l'immense majorité de la population ne s'est pas du tout résignée.

» Il faut dire que les vexations et les humiliations imposées aux masses par Mao et par sa clique n'ont fait que s'accroître ces derniers temps. On a demandé, par exemple, aux travailleurs de ne pas célébrer la nouvelle année lunaire selon une tradition millénaire : ils n'ont eu droit à aucun congé et on leur a formellement interdit de souhaiter le « *Kim Hei Fat Choi* ». Aussi des ouvriers se sont-ils opposés par la force aux ordres détestés. Les paysans du *Kiang-Si* — ceux-là mêmes qui avaient recueilli Mao dans les moments difficiles de sa lutte contre Chiang Kaï-tchek et qui lui avaient fourni les hommes et les moyens pour la « longue marche » qui l'a conduit à la prise du pouvoir — sont en train de pratiquer une véritable « Jacquerie » contre ceux qui veulent leur en imposer. La révolte, parfois violente mais le plus souvent sourde, gronde dans tous les milieux et pas uniquement chez les ouvriers ou chez les paysans. Des dirigeants, des intellectuels, des chefs militaires et mêmes des artistes se sont joints au mouvement.

» Comment tout cela se terminera-t-il ? Certainement très mal, mon cher Klein ! Si une véritable révolution intérieure éclate, elle sera de loin la pire de toutes celles qui ont été connues dans l'histoire des peuples ! Mais, ce qui est à craindre, c'est que Mao ou ses successeurs, redoutant de voir leur prestige intérieur s'effriter, ne lancent les masses dont ils disposent dans un conflit mondial : ce serait peut-être pour eux la manière la plus sûre de raffermir leur autorité chancelante. C'est pourquoi on a appris aux jeunes exaltés de la Garde Rouge à haïr les Américains : ce qui les poussera à prendre de gros risques vis-à-vis de ces derniers plus tôt qu'on ne le pense. Feront-ils école dans les pays communistes de l'Europe de l'Est ? Il est assez curieux de constater qu'ils semblent trouver plus facilement des adeptes dans la jeunesse des pays capitalistes : ce qui pourrait s'expliquer par le fait qu'ils constituent la gauche du monde communiste et que toute société, quelle qu'elle soit, avance inéluctablement dans ce sens. Mais les réactions des agités de Paris, de Bonn, de Londres ou de Rome ne sont encore qu'épisodiques. Le seul vrai danger serait que la Garde Rouge contaminât un jour l'immense jeunesse russe s'il y avait contact. Mais ce n'est pas encore pour tout de suite, n'est-ce pas, camarade-colonel Feyguine ?

— Les dirigeants du Kremlin montent bonne garde. Ils se méfient de plus en plus de leurs voisins jaunes.

— Ils n'ont pas tort car la méfiance est réciproque. Si Mao conserve encore un vague fond de respect pour la personnalité d'un Staline disparu, il n'a qu'un désir : émanciper la Chine de la tutelle russe. A ses yeux les Khrouchtchev, Kossyguine, Brejnev et autres ne sont que des ingrats et des insolents qui veulent empêcher la grande Chine de prendre rapidement la seule place qui lui convienne dans le monde : la première. Les rouges de Chine supportent mal le rôle de l'U.R.S.S. dans le monde asiatique : rôle qui défend le nationalisme russe aux dépens de l'idéologie communiste. La Chine cherche la rupture : elle le fait en utilisant des photographies truquées d'étudiants jaunes malmenés par les Russes à Moscou pour exciter les masses en Chine. « L'Américain » et « le Russe » sont les premiers ennemis à abattre : quand ce sera fait, asservir les autres ne sera plus qu'un jeu d'enfant ! Car — et ce pourrait être, cher ami, la conclusion de ce petit exposé que vous venez de me réclamer — quoi qu'il arrive, à l'avenir, en Chine même, jamais cet immense pays ne reviendra au capitalisme ! Ceci parce que l'esprit révolutionnaire y a été remis en marche, à travers la nouvelle génération d'endoctrinés, d'une façon que j'estime irréversible ! Voilà... Êtes-vous satisfait ? Avez-vous d'autres questions à me poser ?

— Aucune.

— Alors buvons une dernière fois à nos santés réciproques devant l'angoissante incertitude de l'avenir.

Il s'était levé, le verre en main, pour ajouter :

— Et faisons-le après nous être souvenus de cet autre poème écrit, il y a près de deux mille ans, par Ts'ao Chih, le plus célèbre poète de l'illustre famille Ts'ao Ts'ao :

Jeunesse jamais ne revient!
Et cent ans passent bien vite!
Vivant, on habite des palais
Mort, on retourne aux collines.
Et qui dure depuis l'ancien temps?
D'un sort connu pourquoi s'affliger?

Ils burent tous deux, cette fois, dans le plus grand silence comme s'ils s'imprégnaient de la gravité du moment qu'ils achevaient de savourer et qu'ils ne connaîtraient sans doute plus jamais. Ce fut l'homme en soutane qui rompit l'étrange charme par une question terre à terre :

— Peut-être aimeriez-vous prendre un peu de repos avant votre embarquement ce soir pour Hong-Kong?

— J'allais vous le demander... Je sais bien que j'ai atteint, depuis longtemps, un âge où l'on ne dort plus guère, mais quand même : la suspension du vétuste autobus de Canton m'a éreinté. Je voudrais m'allonger pendant deux ou trois heures.

— C'est ce qu'a prévu l'excellent père Cataneo qui a fait préparer une cellule à votre intention. Venez...

Après avoir déverrouillé les deux portes, il l'entraîna dans le couloir où il ouvrit la troisième porte se trouvant sur la gauche.

La cellule avait un meuble essentiel : un lit, que Serge Martin contempla pendant quelques secondes avec émotion avant de confier :

— Ça va me faire un curieux effet de dormir dans des draps! Il y a bien longtemps que cela ne m'est arrivé...

Klein lui désigna une petite porte pratiquée dans le mur de droite :

— Vous avez là une douche et un lavabo sur la tablette duquel vous trouverez tout ce qu'il faut pour vous rafraîchir et pour vous raser.

— Parce que vous estimez qu'il est nécessaire que ma barbe effilée de mandarin distingué disparaisse ?

— Ce serait préférable : les mandarins sont tellement rares à Hong-Kong qu'on finit par les repérer très vite !

— Et ma noble crinière, que dois-je en faire ?

— Peut-elle s'harmoniser avec les vêtements qui vous attendent dans cette penderie ? C'est là tout le problème auquel vous êtes seul capable de trouver une solution... Mais pour le cas où vous prendriez, après vous être reposé, l'héroïque décision de la sacrifier, vous trouverez également sur la tablette une paire de ciseaux et même une tondeuse. Celle-ci vous permettra d'opérer plus rapidement.

— Et que ferai-je de mon « bleu de chauffe » si j'utilise ces vêtements qui m'attendent et qui me paraissent être d'un tout autre style ?

— Vous pouvez très bien le garder pendant votre repos : il vous tiendra lieu de pyjama... Après, quand vous aurez quitté cette cellule, nous le brûlerons.

— Comme vous allez faire disparaître ma calotte de soie noire qui est restée dans le parloir ?

— Exactement ! Moins on laisse de traces dans notre profession et plus on a de chances d'être perdu de vue...

— Autrement dit, « le vieillard » doit se volatiliser en poussière de Chine ?

— Ce sont les ordres qui m'ont été transmis.

— Nous les respecterons... Plus je vous écoute, mon cher Klein, et plus j'acquiers la conviction que vous avez fait, après des années d'apprentissage, d'étonnants progrès dans l'exercice de notre métier. Sans doute avez-vous eu la chance de rencontrer, au début de cette nouvelle carrière, une excellent professeur ?

— Ce fut vous, Serge Martin...

— J'ai eu quelques élèves, en effet ! Mais vous vous êtes montré, de loin et dès le début, l'un des plus doués.

— Je vous serai éternellement reconnaissant des subtils enseignements que vous avez bien voulu me prodiguer... Maintenant il ne me reste plus qu'à vous souhaiter un repos bien mérité. Désirez-vous que je vienne vous réveiller quand il sera temps ?

— Ce sera inutile. Depuis plus d'un demi-siècle, j'ai pris l'habitude de ne m'endormir qu'après m'être fixé à moi-même l'instant exact de mon réveil... Pour quelle heure est prévu « l'embarquement » ?

— Je vous l'ai dit : dès qu'il fera nuit. Celle-ci vient tôt à cette époque de l'année. Vous avez d'ailleurs de la chance : il n'y aura pas de lune ce soir. C'est toujours préférable lorsqu'il s'agit de franchir le delta.

— Je vais quand même prévoir mon réveil deux bonnes heures avant ce moment : ceci parce que ma « transformation » risque d'être assez longue.

— Bien entendu, je ferai servir dans le parloir un repas que vous pourrez prendre avant votre départ. Avez-vous une préférence gastronomique ?

Après quelques secondes de réflexion, Serge Martin répondit :

— Vous venez de me poser là une question des plus délicates... J'ai pris, pendant la longue villégiature que je viens de faire en Chine, une telle accoutumance au thé qu'il me paraît difficile de le supprimer trop rapidement. Vous me ferez donc servir du thé, mais, puisque l'on m'envoie dans une enclave britannique, j'aimerais assez — si ce n'est pas faire preuve de trop de gourmandise —

que l'on me donnât du thé de Ceylan, agrémenté de quelques toasts bien beurrés et de confiture d'écorce d'orange amère... Serait-ce là trop demander à la sollicitude des bons pères ?

— Une fois de plus, ils seront enchantés de vous faire plaisir... Que diriez-vous si nous ajoutions à ce menu deux œufs au bacon ?

— Klein, vous me prenez par les sentiments ! Ce que vous me proposez d'ingurgiter à mon réveil est un authentique *breakfast !*

— Ne sera-ce pas le meilleur moyen de vous préparer à retrouver l'ambiance de Hong-Kong où vous serez avant minuit ?

— A tout à l'heure, cher ami, et merci encore pour toutes ces petites attentions !

La nuit enveloppait tout le delta de la Rivière des Perles, pesant aussi bien sur la triste Macao que sur l'étincelante Hong-Kong — dont les lumières s'irradiant à l'est semblaient être un défi supplémentaire de la civilisation anglo-saxonne — quand la porte du parloir, où l'homme en soutane attendait patiemment assis devant la table sur laquelle était posé le plateau du *breakfast* annoncé, s'ouvrit très doucement pour livrer le passage à un personnage tout de noir vêtu lui aussi. Pendant quelques secondes, Klein regarda, médusé et admiratif, le nouveau venu.

Il portait un pantalon noir et un veston de même teinte au col échancré qui constituent le vêtement sévère et neutre que les pasteurs protestants ont su mettre à l'honneur longtemps avant que les ministres des autres cultes ne les imitent. La silhouette était, en tous points, remarquable : le faux jésuite Klein pensa que jamais un faux clergyman n'avait été plus réussi que le vrai Serge Martin... Un Serge Martin méconnaissable, n'ayant plus rien du Chinois usé et cassé en deux qui était descendu de l'autobus de Canton. Un homme, très grand et très mince, qui se tenait droit, un peu trop raide même, dans une attitude compassée et ennuyeuse convenant à merveille au nouveau personnage incarné. Le pasteur était rasé de frais : le visage, débarrassé de la barbe de prophète, donnait l'impression d'être moins émacié. L'opulente chevelure avait complètement disparu comme s'il ne s'était agi que d'une perruque qu'il avait suffi de retirer : le crâne et la nuque étaient aussi bien rasés que ceux de Klein. Le regard enfin s'abritait derrière de grosses lunettes à large monture noire dont les verres, blancs mais très épais, apportaient la certitude immédiate que l'homme était affligé d'une très forte myopie. Ce qui, en le contraignant à clignoter sans cesse des paupières, empêchait de trop remarquer que les yeux étaient bridés. Ce fut surtout ce dernier travail de « camouflage » vivant et permanent, frisant le grand art, qui émerveilla l'homme en soutane, demeuré muet de saisissement. Pendant un long moment, son vis-à-vis, impassible et admirablement « correct », continua à le regarder tout en caressant de sa main droite une bible, reliée de cuir, qu'il tenait dans sa main gauche. Puis il finit par parler en français, mais avec un accent pointu très accusé dans lequel passait toute la saveur un peu acidulée de la vieille Angleterre :

— Il semble, mon très révérend père, que vous soyez assez surpris de ma visite...

— En effet, révérend Terence Spiers, vous me voyez aussi étonné qu'un homme qui verrait débarquer sur terre un habitant d'une autre planète.

— Ne m'aviez-vous cependant pas convié à partager ce succulent *breakfast* qui semble nous attendre sur cette table ?

— Ce sera pour moi le plus agréable des plaisirs.

— Pour moi aussi, n'en doutez pas !

Pendant que Klein commençait à verser le thé de Ceylan dans la tasse de son invité, ce dernier eut un rire — moins bruyant cependant que celui qui avait déferlé alors qu'il n'était encore que le plus pathétique des Chinois — un rire tempéré par la pudeur onctueuse qui émanait de sa nouvelle personnalité. Et il parla en retrouvant subitement le meilleur des accents français :

— Une fois de plus, mon cher Klein, je ne suis pas trop mécontent d'avoir appartenu, dans ma jeunesse, à une troupe de comédiens errants qui déambulaient dans tous les cantonnements d'Indochine à l'époque où ce n'étaient pas les États-Unis qui se battaient contre le Vietminh, mais la France... Nous n'étions d'ailleurs pas de grands artistes, sinon nous n'en aurions pas été réduits à nous exhiber ainsi sur les tréteaux d'un « Théâtre aux Armées » ! Mais notre compagnie dramatique était tellement squelettique que nous nous trouvions dans l'impérieuse obligation d'interpréter chacun trois ou quatre rôles différents dans la même pièce ! Apprentissage qui va sans doute donner ses fruits pour les prochains « Galas » que me préparent nos services... Ce thé est délicieux, Klein ! On sent que, contrairement au thé de Chine, il a séché sur des plaques de cuivre : ce qui lui donne un petit goût très particulier... Souhaitons cependant qu'il ne soit pas empoisonné au dicoumarol comme ce fut le cas pour celui que buvait ce pauvre Burtin quand il était amoureux de Ngô Thi Maï Khanh !

— C'est du thé importé directement par les pères jésuites.

— Alors, il ne peut que nous sanctifier !

Et tout en beurrant un toast, il reprit :

— Vous venez de constater que je me suis scrupuleusement conformé à la nouvelle silhouette exigée par le vêtement qui m'attendait dans la penderie, ainsi qu'aux instructions que je crois avoir trouvées dans la poche gauche du veston...

— Quelles instructions ?

— Très courtes mais suffisamment explicites puisqu'elles se résument en une liasse de billets de bonne monnaie — me dotant des munitions dont j'étais dépourvu et qui me paraissent indispensables pour pouvoir me comporter en gentleman dans la « zone sterling » où l'on m'expédie — et en un passeport dûment établi au nom de « *Terence Spiers, Missionnaire-Prédicateur de l'Eglise Evangéliste, né à Manchester le 26 octobre 1904* », ce qui ne me déplaît nullement puisque cet événement est censé s'être passé sous le signe du Scorpion... J'aime assez cet animal vivipare et carnassier qui sait se dissimuler avec un art extrême avant de tuer sa proie : c'est sans doute que l'on va m'utiliser à nouveau pour des luttes sournoises ! Une seule chose me chagrine un peu : l'âge que l'on a bien voulu m'attribuer sur ce passeport... Vous trouvez — maintenant que je suis quadruplement revigoré par le champagne, une toilette minutieuse, quelques heures de repos et ce *breakfast* — que j'ai l'air d'avoir soixante-cinq ans ?

— Je vous ai déjà dit qu'il était impossible de vous donner un âge, Serge Martin ! Mais je reconnais volontiers que, ce soir, vous paraissez avoir dix ans de moins que l'âge indiqué sur votre passeport.

— Comme je suis heureux de vous l'entendre dire! Oui, j'éprouve la sensation exquise d'avoir beaucoup rajeuni dans la cellule miraculeuse que les bons pères ont bien voulu mettre à ma disposition.

— Avez-vous seulement pu y dormir?

— Admirablement! J'ai même fait un beau rêve...

— Lequel, cher ami?

— Je rêvais — puisque je venais d'apprendre par la lecture instructive du passeport que j'étais devenu scorpion! — que j'étais en train de piquer de mon aiguillon recourbé deux ou trois personnes pour lesquelles je n'ai qu'une affection des plus relatives.

— Peut-on savoir lesquelles?

— Klein, laissez-moi mes vieux secrets! La seule révélation que je puisse vous faire, puisqu'il nous est déjà arrivé tout à l'heure de parler d'elle, est que, parmi ces proies éventuelles, se trouve la séduisante Ngô Thi Maï Khanh...

— Malgré la résignation apparente dont vous sembliez faire preuve à son égard cet après-midi, j'ai la très nette impression que vous lui en voulez vraiment à mort pour l'assassinat de votre adjoint Burtin!

— Pour cela et pour autre chose qui ne vous concerne pas, qui ne concerne même que moi... Mais ce serait trop long à vous expliquer! C'est la raison pour laquelle je persiste à croire que, si l'on m'appelle en d'autres lieux, c'est peut-être pour favoriser une nouvelle rencontre, décisive celle-là, entre elle et moi. Sinon on n'aurait pas fait de moi un scorpion! Car cette Asiatique, au visage et à l'apparence extatiques de « Fille de Bouddha », n'est en réalité que la pire des vipères... Et face au dard de la vipère, il faut la rapidité de mouvement du scorpion!

— Si les choses se passaient telles que vous les imaginez en ce moment, qui, selon vous, l'emporterait ?

— Vous savez aussi bien que moi que, dans ce genre de combat que nous menons en marge de toutes les lois et surtout de toutes les polices, c'est généralement le plus subtil des antagonistes qui triomphe... C'est pourquoi on peut toujours se poser un grand point d'interrogation avant la finale... Cette vipère faite femme est diaboliquement habile : la plus grave des erreurs serait de sous-estimer ses possibilités comme l'a fait, hélas, Burtin ! Ce qui lui a coûté la vie... Si Ngô Thi Maï Khanh et moi, nous devions à nouveau nous affronter, ma seule supériorité sur elle serait de savoir exactement ce qu'elle vaut.

— Elle vous connaît ?

— Elle m'a connu à une certaine époque, mais il n'est pas certain qu'elle me reconnaisse : j'ai beaucoup changé...

— Et elle ?

— Pas tellement ! La dernière fois que je l'ai aperçue de loin, à Pékin, elle était encore très belle, malgré le bleu de chauffe qu'elle était contrainte de porter comme tout le monde et qui ne lui convenait guère ! C'est une créature dont le mystère et la rouerie parviennent le plus souvent à faire croire à ceux qui la contemplent avec ravissement qu'elle n'est qu'une femme de rêve ! Je me souviens notamment de la vision qu'elle m'offrit, il y a un certain nombre d'années déjà, alors qu'elle était encore *taxi-girl* au *Grand Monde* de Cholon. Elle était vêtue d'une écharpe tissée en fil de soie d'argent qui couvrait son épaule gauche et sa jupe, ou *sinh,* était également de soie, bordée d'une large bande en lamé or. Sa coiffure enfin était ornée de perles d'or rouge, superposées sur plusieurs rangées et reliées par une chaînette à une épingle d'or plantée dans le gros chignon noir corbeau... Croyez-en ma vieille expérience de tout ce qui atteint au sublime : Ngô Thi Maï Khanh était éblouissante et faisait penser à cette héroïne décrite par cet autre poète, Shen Yenh, qui a été souvent considéré comme l'ancêtre de la prosodie chinoise :

Je me souviens d'elle, toute frêle,
Assise devant la courtine légère,
Chantant quatre ou cinq chansons,
Ou caressant deux ou trois cordes,
Son sourire était incomparable,
Sa colère avait plus de charme encore...

— Autrement dit, Serge Martin, vous risquez d'avoir affaire à forte partie sous une faiblesse déguisée ?

— Exactement ! Cette femme est, à mon avis, l'un des plus authentiques reflets de l'Asie...

— Puis-je vous demander maintenant si ce *breakfast* a été suffisant pour vous rassasier ?

— Je me sens prêt, Klein, à affronter tous les périls !

— Dans ce cas, il est grand temps de nous rendre au port où l'on doit nous attendre avec une certaine impatience... Maintenant qu'il fait noir, nous passerons inaperçus mais, si cela ne vous vexe pas trop, nous utiliserons, pour franchir l'enceinte de cette Mission, une petite porte assez discrète située au fond du jardin. Et nous irons à pied : ce n'est pas loin.

— Qu'importe puisque je n'ai plus besoin de bâton pour me propulser... A propos, ce bâton, qui est là sur ce plancher où je l'ai jeté, je vous le lègue, mon bon ami.

— C'est un don précieux qui pourra peut-être servir un jour à d'autres « vieillards » de votre genre !

— Il leur portera bonheur ! Je vous suis... Je pense avoir tout ce qu'il me faut : le passeport, l'argent, « ma »

Bible... Ah! j'allais oublier l'un de mes accessoires vestimentaires les plus essentiels que j'ai laissé dans la cellule: le chapeau noir qui complète la silhouette du révérend Terence Spiers.

Quand ils furent dans la cellule, il ajouta :

— Je vous signale que les défroques de mon « passé chinois » sont au fond du placard...

Après avoir franchi la petite porte, ils se retrouvèrent dans une ruelle qui leur permit d'atteindre le port en quelques minutes. Telles deux ombres, ils longèrent un quai désert auquel étaient amarrées de frêles embarcations, barques de pêcheurs pour la plupart, qui se balançaient mollement dans un bruissement de clapotis. Arrivés à hauteur de l'une d'elles, perdue parmi les autres, Klein dit à voix basse :

— C'est là...

— Ce sampan vétuste? Vous voulez que je traverse le delta là-dedans?

— Il le faut et ne vous inquiétez pas!

A l'arrière de l'embarcation, une forme venait de se dresser, tenant en main une longue perche.

— C'est un excellent sampanier, susurra Klein avant d'ajouter sur le même ton : Il ne me reste plus qu'à souhaiter une heureuse traversée au révérend Terence Spiers...

— Et à moi une bonne et longue vie au très révérend père Ferro...

— Amen! répondit l'homme en soutane pendant que le clergyman sautait dans la barque plate qui s'éloigna presque aussitôt, dans le plus grand silence, sous l'effet des mouvements de la perche manœuvrée par le sampanier. Le faux jésuite attendit que l'embarcation se fût fondue dans les nappes de brume recouvrant le delta pour rejoindre, par le même chemin, la grande bâtisse ceinturée de hauts murs où il pourrait continuer à méditer dans sa cellule, sur les vicissitudes de la vie qui font faire de curieuses rencontres.

« Le passager » s'était assis à l'avant du frêle esquif, tournant délibérément le dos au rivage vers lequel il se dirigeait, pour essayer de scruter dans l'obscurité le visage de celui qui avait la mission de le conduire. La silhouette du sampanier de race jaune, mince et petite, debout à l'arrière de l'embarcation, semblait accrochée à la longue perche qui — avec la régularité d'un mécanisme de précision — s'enfonçait alternativement à bâbord, et à tribord, dans les eaux boueuses à l'odeur nauséabonde, sans faire le moindre bruit. Au début de l'étrange traversée, le sampan n'avait avancé qu'avec une extrême lenteur, mais brusquement Serge Martin eut la sensation que la vitesse s'accélérait très sensiblement sans que cependant les gestes du sampanier fussent plus nombreux, ni plus rapides. Et, après avoir perçu un très léger ronronnement, il dit en chinois à l'homme debout :

— Ton sampan est remarquable. Jamais on ne pourrait croire, en le voyant tellement semblable à tous les sampans de Chine, qu'il possède un moteur...

La voix gutturale du sampanier répondit, laconique :

— C'est un bon moteur, de fabrication britannique.

— Je m'en serais douté! Il a toute la discrétion de ceux des voitures anglaises de qualité... Tu pilotes la Rolls de ce delta!

L'homme ne répondit pas et l'embarcation continua à

avancer de plus en plus vite, comme si l'opacité de la brume ne la gênait nullement et constituait plutôt pour elle la plus précieuse des auxiliaires. Toujours assis, le passager cessa d'observer le sampanier, qui n'offrait après tout qu'un intérêt assez secondaire, pour regarder droit devant lui en essayant de percer le mystère de l'obscurité s'étendant sur tout le delta de la Rivière des Perles. En levant la tête, il put constater que Klein ne s'était pas trompé : les nuages lourds et bas voilaient complètement la lune comme si celle-ci avait voulu, elle aussi, se cacher pour favoriser la traversée.

Le silence fut brutalement interrompu par des crépitements, assez lointains, qui provenaient du nord. Les rafales se succédèrent sur un rythme accéléré pendant une bonne demi-minute, puis s'espacèrent avant de cesser tout à fait. « Le Nord », c'était la côte chinoise, au fond du delta, placée entre les deux enclaves occidentales de Macao et de Hong-Kong. Ces crépitements saccadés et feutrés, aussi bien par la distance que par le bruissement perpétuel des eaux, Serge Martin savait ce qu'ils signifiaient : quelques fuyards de la Chine populaire — qui n'avaient pas trouvé l'argent pour prendre le « Train Rouge » et qui n'étaient pas assez infirmes pour être admis dans l'autobus de Canton — tentaient de rejoindre Macao à la nage. Pour cela ils s'accrochaient, dans la nuit, à des planches, à des troncs de bananiers, à n'importe quel objet flottant... Certains d'entre eux se servaient même de cercueils comme de canots pour échapper aux balles des mitrailleuses des soldats de Mao. Mais, comme si ce drame — pourtant tellement proche — l'indifférait, le sampan poursuivit sa route silencieuse vers l'est.

L'accalmie fut de courte durée : quelques minutes plus tard, le halètement d'un moteur puissant se fit entendre dans la brume. Cette fois le sampanier maintint sa perche droite hors de l'eau en même temps que le ronronnement du moteur de son embarcation s'arrêtait. Par contre, celui du canot, qui se rapprochait de plus en plus, devint assez distinct pour permettre à Serge Martin de croire que le sampan venait d'être repéré. Plusieurs secondes s'écoulèrent, angoissantes, mais le canot vira brusquement, se dirigeant vers l'ouest. Lorsque le bruit fut à nouveau très éloigné, la perche du sampanier recommença à s'enfoncer dans l'eau et le ronronnement régulier du moteur reprit en même temps que l'allure du sampan s'accélérait. Le sampanier expliqua alors à son passager qui n'avait cependant posé aucune question :

— C'est un canot de la police.

— Portugaise ou anglaise ?

— Anglaise... Elle est beaucoup plus active.

— Je m'en doute, dit Serge Martin. Et je vous félicite de savoir que nous n'avons pas besoin de rencontrer ce genre de police pour le moment : elle nous ferait perdre un temps précieux.

Le sampanier ne répondit pas.

Un bon quart d'heure de navigation passa encore avant que la brume ne se déchirât d'un seul coup, tel un étrange filet de camouflage qui n'aurait été destiné qu'à masquer la morne tristesse des eaux territoriales de Macao. Et Hong-Kong, la cité aux quatre millions d'habitants entassés entre l'île proprement dite et la presqu'île de Kowloon, apparut dans toute la splendeur de ses mille feux se reflétant sur la surface de la mer. Même l'odeur pestilentielle des marais du delta semblait avoir été balayée par le vent du large.

Alors que le sampan continuait à se rapprocher des terres, Serge Martin ne pouvait s'empêcher de revivre en pensée les heures que les nécessités de son difficile métier lui avaient déjà fait connaître, au cours d'innombrables escales, dans la fantastique agglomération d'hommes de toutes races et de toutes couleurs que l'on avait surnommée, depuis que la couronne britannique l'avait annexée : « La Chine en flanelle grise ».

Pour un agent secret, plus peut-être que pour tout autre homme, Hong-Kong est le Berlin-Ouest de l'Asie. Saturée de réfugiés, cette ville tentaculaire — faite d'une île, d'une presqu'île et d'une bande de terrain, appelée assez improprement « Les Nouveaux Territoires », située au delà de Kowloon et cédée par la Chine à l'Angleterre jusqu'en 1997 — a une prodigieuse activité, due à la cohabitation de l'Asie et de l'Occident. La majorité de ses habitants y vit au jour le jour de toutes sortes de trafics sans chercher à savoir de quoi le lendemain sera fait.

Pour celui qui s'en approchait au rythme du moteur silencieux d'un humble sampan, et qui voyait la cité moderne surgir peu à peu de l'eau avec ses buildings illuminés rappelant l'entrée du port de New York, puis s'agrandir et monter vers le ciel dans une prodigieuse féérie dont la toile de fond, venant des dessous d'une scène gigantesque, se serait déroulée lentement pour aller jusqu'aux cintres — pour cet homme-là, Hong-Kong n'offrait plus de mystère.

Il savait que, dans la journée, des nuées d'enfants anglais, bien habillés, couraient sur la pelouse du *Cricket Club* sans se soucier du parfum d'opium flottant en permanence sur la luxueuse Cité ceinturée par des milliers de baraques de réfugiés qui étaient, à peu de chose près, aussi misérables que celles des camps de Macao. Dans la baie, vers laquelle se dirigeait l'embarcation, une immense flottille de barques et de jonques ventrues — se balançant, amarrées sans pudeur à côté de yachts de milliardaires — s'alignait à perte de vue, telle une ville flottante. Serge Martin savait aussi que sur ces embarcations, et quel que fût leur tonnage, on « faisait des affaires » plus ou moins brillantes. Créée pour le commerce, Hong-Kong n'existe que pour lui.

Il n'ignorait pas non plus, le faux clergyman, qu'à côté du building de la toute puissante « *Hong-Kong and Shanghaï Corporation* », symbole des derniers vestiges de l'ancienne puissance coloniale anglaise, se dressait un bâtiment encore plus massif, plus récent, et surtout beaucoup plus vaste : la *Banque de la Chine Populaire*, dont la principale activité était de changer dollars et livres contre des I.M.P., monnaie officielle de la Chine rouge... Opérations de change qui se font toujours au cours le plus avantageux pour les banquiers chinois — princes de la monnaie — et qui permettent de « racheter » un parent désireux de fuir le régime communiste ou même d'envoyer des subsides à un lointain cousin resté sur le sol sacré de la patrie. Il savait enfin que les 1 500 000 réfugiés jaunes, qui vivent dans le quartier chinois de Kowloon — soit dans des taudis accrochés au flanc de la montagne, soit sur les jonques où les rues sont remplacées par de frêles passerelles allant d'une embarcation à une autre — ont une triple utilité... Leur misère importe peu. Ce qui compte pour les diplomates ou pour les journalistes venus du monde entier, c'est le fantastique poste d'écoute que constitue une telle agglomération d'hommes et par où parviennent les rumeurs de la Chine impénétrable. A l'inverse, pour les Rouges, c'est « la » fenêtre, ouverte sur le monde occidental, qui permet de faire passer tous les espions et tous les « observateurs »... Pour les affairistes enfin, c'est l'un des derniers lieux de la terre où celui qui a de l'argent peut réaliser de fabuleux bénéfices sur des investissements à court terme.

— Où me débarques-tu? demanda le voyageur au sampanier.

— Là où l'on m'a dit de le faire, répondit laconiquement l'homme.

Mais, très vite, son passager réalisa que le sampan n'allait pas dans la direction du port de Victoria, mais vers celui de Kowloon, la ville spécifiquement chinoise. Dans la nuit, grâce à sa longue perche et sans ralentir l'allure, le sampanier manœuvrait avec une étonnante virtuosité pour se faufiler entre les rangées d'embarcations à l'ancre. Enfin le sampan s'arrêta contre le flanc d'une grosse jonque où pendait une courte échelle de corde. Le sampanier fit au voyageur un simple signe de la main pour lui indiquer qu'il était arrivé au terme de la traversée du delta. Sans plus attendre, Serge Martin empoigna l'échelle et se retrouva sur le pont large et plat de la jonque où l'attendaient deux hommes, jaunes eux aussi. L'un d'eux, le torse nu et la tête entourée d'une sorte de turban, devait être « le patron » du navire; l'autre, au contraire, était vêtu à l'européenne d'un costume de chantoung blanc. Serge Martin remarqua que ce dernier était même habillé avec une certaine recherche : la cravate noire, la chemise de soie, les souliers étaient de qualité. Ce fut lui qui parla le premier, s'exprimant en un anglais plus que correct :

— Venez. On vous attend. Nous n'avons pas une minute à perdre.

Le clergyman le suivit sur les passerelles enjambant

les jonques, dont les occupants — enfermés sans doute sous le pont — semblaient tous dormir sans se préoccuper de ceux qui passaient sur leurs navires pour aller et venir sur la ruelle flottante. L'itinéraire suivi avait un côté hallucinant, tellement il était compliqué : on se serait cru dans un labyrinthe aquatique. Après dix bonnes minutes de cette marche difficile et épuisante, les deux hommes atteignirent enfin une dernière jonque qui, elle, était amarrée contre un quai. Là une Daimler attendait, le chauffeur au volant. Dès qu'ils eurent pris place à l'arrière, la voiture démarra, aussi silencieuse que le sampan lorsqu'il avait quitté Macao. Après avoir roulé pendant cinq nouvelles minutes dans un dédale de rues étroites, grouillantes d'une foule nocturne, et toutes festonnées d'enseignes rouge et or, la Daimler stoppa devant la porte d'une maison assez basse ressemblant à toutes celles de la rue : des maisons alignées les unes à côté des autres et rappelant les corons d'une ville minière du Pays de Galles. Mais de mine, il n'aurait su être question. Ces maisons, cette rue, Serge Martin les avait tout de suite repérées : ne formaient-elles pas le décor immuable de tous les quartiers réservés des villes d'Asie ? Il se souvenait d'avoir connu le même décor à Cholon — le faubourg chinois de Saïgon — à Bangkok, à Shanghaï surtout avant que la rigueur de la Chine populaire eût interdit ces « *centres de plaisir inventés par la pourriture capitaliste pour avilir encore davantage la Grande Chine* ».

Devant la porte, devant chaque porte même se tenaient — accroupies sur le sol dans l'attente du client qui se laisserait peut-être séduire — trois ou quatre filles dont les attitudes suffisaient pour confirmer la certitude du voyageur : « on » venait de l'amener devant une « maison ». Et il ne put s'empêcher de penser que c'était un lieu pour le moins étrange, eu égard au personnage qu'il incarnait ! Il était vrai aussi que, dans les ombres complices de la nuit, un homme de Dieu — surtout s'il ne porte pas la soutane — ne se différencie guère des autres hommes ! Son guide, qui, au cours du trajet, était resté aussi muet que le faux jésuite pendant la traversée de Macao, lui dit en descendant de la voiture :

— C'est la maison que dirige Mme Tsi-Han...

Il n'y avait plus qu'à pousser la porte accueillante, surmontée d'une lanterne rouge dont le style rappelait davantage la pacotille de bazar japonaise que les délicats lumignons en bois sculpté qui avaient été, pendant des siècles, à l'honneur dans les processions chinoises.

« La Patronne » était charmante, infiniment plus jolie et mieux habillée que ses « pensionnaires » faisant le guet sur la chaussée. Malheureusement, le révérend Terence Spiers n'eut guère le temps de s'attarder à la contempler — ce qui, d'ailleurs, eût été assez indécent de sa part — car elle lui répéta, mais en chinois, cette phrase qu'il avait déjà entendue à son arrivée sur le pont de la jonque :

— On vous attend... Veuillez avoir l'extrême amabilité de me suivre.

Ce qu'il fit, tandis que son guide restait dans la pièce tenant lieu de « salon d'accueil ». Après avoir longé un couloir — desservant une série de petites cases séparées par des cloisons en planches à hauteur d'homme et au fond desquelles on entrevoyait, dans l'ombre d'un bat-flanc recouvert d'une natte, un couple prenant ses ébats amoureux — ils arrivèrent, la patronne le précédant toujours, devant un double rideau de soie, brodé de rouge et d'or, que Mme Tsi-Han souleva d'un geste gracieux en annonçant :

— Ce sont mes « appartements privés ». Vous y serez plus à l'aise...

Le mobilier, disposé dans la pièce masquée par le lourd rideau de soie, n'avait rien de commun avec celui, plus qu'austère, du petit parloir de la Mission de Macao. Ce qui permit au visiteur de faire rapidement en pensée un rapprochement entre les deux établissements où on l'accueillait le même jour et à quelques heures d'intervalle. Chez Mme Tsi-Han, les murs étaient douillets et soyeux, recouverts de tentures multicolores. Celles-ci n'étaient pas toutes du goût le plus sûr mais il s'en dégageait une atmosphère d'intimité que ne pouvaient dispenser les sévères murs blanchis à la chaux du repaire des jésuites. Des sofas aussi étaient disposés tout autour de la pièce, avec une générosité qui sentait presque l'opulence. Le tapis bleu enfin, agrémenté de délicats motifs jaunes et recouvrant entièrement le plancher, était plus agréable à fouler qu'une vulgaire natte grège en paille de riz : les coloris pouvaient même faire croire que ce tapis venait de Chine...

Bien que le lieu eût un côté assez enchanteur pour un voyageur — qui, après avoir connu les affres de l'autobus de Canton, la simplicité monacale d'une cellule et le pont rugueux d'un sampan, devait ressentir l'impérieux besoin de savourer enfin un peu de vrai confort —, Mme Tsi-Han ne s'attarda pas dans cette première pièce. Ils ne firent que la traverser pour pénétrer dans une seconde, puis dans une troisième, meublées sensiblement de la même manière et séparées entre elles par d'autres doubles rideaux de soie que la patronne soulevait et baissait toujours avec la même grâce exquise. Plus on s'enfonçait dans cette étrange habitation et plus on réalisait qu'elle devait véritablement être « la maison de tous les mystères ouatés et de toutes les joies intimes ». Quand Mme Tsi-Han souleva un quatrième double rideau pour accéder dans un quatrième « salon », les choses changèrent : ce double rideau masquait une porte solide, faite de bois dur, que « La Patronne » ouvrit pour permettre au visiteur étonné de découvrir, cette fois, une pièce qui ne ressemblait nullement aux précédentes puisqu'elle était entièrement décorée et meublée selon les canons du style anglais.

Les *chintz* voluptueux et gais recouvrant les murs, les deux fauteuils de cuir placés devant un large bureau d'acajou derrière lequel se trouvait un troisième fauteuil moins important mais tournant, la moquette vert foncé, la lampe cuivrée à abat-jour également vert, les gravures sous verre évoquant les fastes colorés de la chasse à courre, tout cela sentait bon la vieille Angleterre avec ce confort bien particulier dont elle seule possède l'étonnant secret. Enfin — et ce fut peut-être le détail auquel le révérend Terence Spiers fut le plus sensible — l'odeur lourde, faite d'un mélange d'encens et d'opium, qui montait à la tête et qui était répandue à profusion dans les pièces qu'il venait de traverser, n'imprégnait pas ce nouveau décor. L'air y semblait être plus léger : un air rappelant un peu la saveur de la campagne anglaise, après l'ondée.

Mme Tsi-Han se retira, avec toute la discrétion dont on la sentait capable, après avoir susurré de sa voix gutturale :

— Ce ne sera pas long. « On » va venir.

Pendant la courte attente, le visiteur put remarquer que, sur une table basse roulante, se trouvait tout ce qu'il fallait pour connaître quelques moments de satisfaction béate : de hauts verres droits comme il les aimait, un seau à glace exhalant la fraîcheur, une bouteille de scotch enfin... Le meilleur de tous les scotchs à son avis : le *Dimple,* dont la bouteille trapue, triplement renflée et emprisonnée dans un filet d'or, était la preuve la plus certaine qu'il se trouvait chez de vrais connaisseurs.

Il y avait aussi, pratiquée dans le mur se trouvant derrière le bureau, une deuxième porte fermée que le visiteur ne quitta plus de son regard faussement myope. Sans doute se demandait-il, non sans anxiété, à qui elle allait bien pouvoir livrer passage. Car il savait déjà que, de cette apparition, dépendrait toute une nouvelle phase de son étrange destin qui le condamnait à passer d'une aventure à une autre sans même qu'on lui demandât son avis. Quand la porte s'ouvrit, il eut beaucoup de mal à réprimer sa satisfaction à la vue de celui qui entrait et qu'il connaissait très bien. C'était d'ailleurs un personnage qui semblait ne faire aucun effort pour masquer son imposante silhouette. Et il avait mille fois raison, cet homme, puisque sa corpulence devenait inoubliable dès qu'on l'avait entrevue, fût-ce pendant quelques secondes!

Malgré son contentement intérieur, le révérend Terence Spiers sut faire preuve d'assez de maîtrise pour conserver l'impassibilité extérieure qui s'imposait : face à celui qui se trouvait devant lui, il était tenu à toutes les prudences.

L'homme imposant ne bougeait pas, lui non plus, et dévisageait avec un réel intérêt le long clergyman squelettique qui se tenait debout, entre les deux fauteuils, la Sainte Bible en main, dans une attitude aussi digne que réservée. Imposant parut même à Serge Martin un terme un peu faible pour définir le nouveau venu : « impressionnant » eût mieux convenu.

Si sa taille égalait celle de son visiteur, son embonpoint doublait la maigreur du faux clergyman. C'était un personnage énorme, à l'aise d'ailleurs dans un complet de flanelle blanche qui avait toute l'élégance de ces vêtements amples et suffisamment usagés que seuls savent porter avec une réelle désinvolture les sujets de Sa Gracieuse Majesté Britannique. Le revers gauche du veston s'ornait d'un œillet rouge dont la teinte s'harmonisait avec celle du visage, rubicond, couperosé, buriné aussi comme s'il avait dû subir l'assaut de tous les vents ou s'il avait été brûlé par toutes les intempéries... Visage agrémenté d'une paire de moustaches rousses, bien fournies, qui auraient pu être celles de l'un de ces gentlemen-farmers qui hantent le hall du *Brown's Hotel* de Londres ou de quelque officier en retraite ayant appartenu dans sa jeunesse à la glorieuse phalange, aujourd'hui disparue, des Lanciers du Bengale. Le regard était bleu, du plus bleu des bleus, mais tempéré cependant par la blancheur neutre d'un monocle qui semblait vissé dans l'arcade sourcilière droite. Les mains enfin étaient grasses et adipeuses : de vrais battoirs qui paraissaient capables d'étrangler un bœuf. Une curieuse bonhomie contrôlée se dégageait du colosse.

La durée de l'observation réciproque fut aussi longue que celle qui s'était déjà produite, l'après-midi même à Macao, entre le vieillard chinois et le faux homme de Dieu. Ce fut le colosse qui en rompit le charme indéfinissable en s'exclamant, jovial, dans un jargon où quelques mots d'anglais se mêlaient volontairement au français :

— *My God!* Que ce suave clergyman me convient! Il est plus vrai que tous ceux que nous pourrions fabriquer dans notre chère mère-patrie!

— Je suis heureux de vous retrouver, major Benjafield... Si moi, j'ai été dans l'obligation de modifier mon visage et ma profession pour les impérieuses nécessités de mon métier, je constate avec joie que vous n'avez pas changé... Peut-être avez-vous un peu grossi, cependant?

— Mon cher vieil ami français, c'est la faute à ce satané *scotch* que je continue à trop chérir et qui me rend bien mal une telle fidélité!

Et pendant qu'il était déjà en train de remplir généreusement les verres :

— Puisque nous parlons de *scotch*, que diriez-vous du double *drink* de l'amitié?

— Je répondrai que je le boirai en ayant la conviction absolue que rien n'est plus incorrect que de déplaire à ses amis.

Puis, levant le verre qui venait de lui être offert :

— *Good luck, major!*

— *Cherrio, Father!...* C'est d'ailleurs moi qui ai conseillé à vos amis de vous faire porter ce déguisement justifiant la nouvelle identité que nos Services vous ont accordée sur votre passeport.

— Était-elle absolument nécessaire?

— Nous le pensons... De toute façon, elle ne vous nuira pas jusqu'à votre retour en France. Une fois là-bas vous pourrez bien vous habiller en diable si cela vous convient!

— Car on me rappelle en France?

— On vous attend même dans les plus brefs délais à Paris... Vous en avez de la chance! Paris! Je me souviens d'une certaine petite Mounette... Elle avait une de ces façons de prononcer « *darling* » qui était pour moi un ravissement! Mais revenons aux choses sérieuses puisque le temps presse : moins vous resterez sur le territoire de Hong-Kong et mieux cela vaudra... D'abord voici votre billet d'avion pour Londres. L'homme qui vous a accompagné jusqu'ici et qui attend dans le salon de l'aimable Mme Tsi-Han vous conduira jusqu'à notre aéroport de Sun Wong Toi. Une place vous a été réservée en classe « touriste » pour le vol B. A. 937 de la B.O.A.C. qui décolle pour Londres à 22 h 30. Ne nous en veuillez pas d'avoir opté pour la classe « touriste », mais elle nous a paru mieux convenir à un ministre du culte évangélique...

— Pourquoi Londres?

— Nous avons jugé plus prudent de choisir un appareil qui ne faisait pas escale au Bourget... A Londres, l'un de nos hommes vous attendra pour vous conduire directement à un autre avion, privé celui-là, qui vous déposera cinquante minutes plus tard à Villacoublay où une voiture vous prendra pour vous emmener là où l'on vous attend...

— Qui cela « on »?

— Auriez-vous quelques doutes sur l'identié de cette personne dont vous dépendez?

— « La vieille chouette »?

— Elle-même! Ce cher colonel Sicard que j'aime beaucoup et qui a toujours su se montrer tellement *fair-play* à notre égard! Nous ne pouvions pas lui refuser le petit service qu'il nous demandait...

— Me faire rapatrier en France? Sincèrement, major Benjafield, vous ne pensez pas que j'aurais très bien pu réussir ce voyage sans votre aide?

Il y eut un silence pendant lequel l'Anglais prit tout son temps pour boire une nouvelle gorgée de sa boisson de prédilection avant de répondre :

— Mon cher ami, nul ne doute à l'*Intelligence Service*,

ni dans aucun service de renseignement au monde, que vous êtes un homme habile, peut-être même l'un des plus forts parmi les agents alliés qui opèrent dans des régions et dans des pays que vous connaissez mieux que personne... Mais précisément parce qu'il vous est arrivé de prendre d'assez gros risques, vos chefs ont pensé, comme les nôtres, qu'il y avait des moments où deux organisations parallèles, même s'il leur arrive de ne pas toujours poursuivre exactement le même but, ne seraient pas de trop pour assurer votre protection... Car vous êtes en danger, en grand danger, Serge Martin! Je pense que vous vous en doutiez un peu?

Le clergyman resta silencieux, se contentant d'avaler, lui aussi, une gorgée de *scotch.*

— Je constate avec satisfaction que vous vous en doutiez, dit sur le même ton détaché l'Anglais avant de poursuivre : je ne vous apprendrai rien en vous disant que vous n'avez réussi à quitter Shanghaï que d'extrême justesse... Ce qui vous a sauvé, et vous venez de donner là une nouvelle preuve de cet extraordinaire sang-froid que je souhaiterais pour beaucoup de nos propres agents, c'est d'avoir choisi l'autobus de Canton plutôt que le « Train Rouge »... Si vous aviez opté pour cette seconde solution, vous seriez à l'heure actuelle un homme mort. Et nous n'aimons pas, aussi bien vos Services que les nôtres, les morts : ils sont inutiles! Nous avons très bien compris que celui que vous avez baptisé depuis des années « la vieille chouette » tient autant à son personnel hautement qualifié que nous au nôtre. Nous avons aussi la plus grande admiration pour votre courage. Voilà, il me semble, deux raisons primordiales pour lesquelles nous devions tout mettre en œuvre dès que vous nous arriveriez à Macao, perdu dans un lot de misérables et de désespérés. Les Portugais ont su, sur ce point précis, se montrer compréhensifs.

— Vous n'allez tout de même pas me dire que les pères jésuites de la Mission sont des agents de votre *Intelligence Service?*

— Certains d'entre eux mériteraient de l'être! A Macao les choses furent relativement aisées puisqu'on vous y attendait : quelqu'un de vos services français.

— ... qui m'a d'ailleurs accueilli avec une bouteille de champagne. Ici c'est le whisky : à chaque pays sa méthode! Alors, selon vous, je serais encore en danger ici?

— Autant qu'en Chine, cher ami!

— Qu'est-ce qu' « ils » veulent exactement?

— Simplement vous supprimer... Je dois vous avouer que nos Services avaient beaucoup d'autres occupations qui les empêchaient de penser à vous... Nous ne savions même plus exactement où vous vous trouviez depuis le temps que vous étiez reparti pour la République populaire. C'est tellement vaste, cette Chine! Et puis, un soir, un câble spécial m'est arrivé de Londres disant que Paris venait de demander notre aide à votre sujet. Nous avons agi au plus vite : ce qui décuple ma joie de savourer ce scotch en votre compagnie... Encore un drink?

— Cette fois ce sera seulement un *baby*. Avec ces menaces que vous dites peser sur ma maigre personne, n'ai-je pas besoin de conserver les idées claires?

— Vous aurez tout le temps de réfléchir dans l'avion.

— Vous venez de m'expliquer que c'était Paris — c'est-à-dire « la vieille chouette » — qui avait appelé Londres au secours pour me tirer de ce que vous pensiez tous être pour moi un mauvais pétrin... Cette démarche, pour le moins surprenante de la part d'un homme tel que le colonel Sicard, pourrait me laisser croire que c'est à

Paris même que l'on se serait rendu compte que j'étais sur le point d'être « brûlé » à Shanghaï?

— Je ne puis pas tout vous dire, Serge Martin, car vous n'êtes, après tout, qu'un exécutant subalterne comme beaucoup d'autres de vos confrères, et seuls vos chefs directs ont le droit de vous donner des explications s'ils le jugent bon. Mais sachez cependant que nos propres services anglais m'ont apporté la confirmation que votre présence à Shanghaï, sous la personnalité d'un cuisinier travaillant dans une cantine populaire, avait été signalée de Paris par les services de renseignement chinois qui y sont maintenant très bien organisés, comme d'ailleurs dans la plupart des capitales du monde occidental. Autrement dit, il y a là-bas quelqu'un que ni nous ni vos chefs français ne sommes encore parvenus à identifier et qui vous connaît bien! Quelqu'un qui vous suit de loin et qui doit vous en vouloir à mort au point de réclamer au gouvernement de Pékin votre exécution rapide! Quelqu'un aussi qui doit vous trouver trop dangereux en ce moment.

— Peut-être est-ce dû à la teneur des rapports très précis que j'ai pu faire parvenir directement à Paris au cours de ces derniers mois?

— C'est possible.

— A moins qu'il n'y ait eu une fuite dans le mode de transmission que j'avais adopté et que certains de mes messages n'aient été interceptés en cours de route... Mais cela me surprendrait.

— S'il y a eu fuite, elle s'est plutôt produite dans l'autre sens, c'est-à-dire à votre profit... Oui, je ne sais trop comment, mais Sicard — qui, selon moi, serait plutôt un « vieux renard » qu'une « vieille chouette » — a réussi à faire capter l'un des câbles codés envoyés d'Europe à Pékin par les espions de la République populaire et dans lequel votre tête était réclamée de toute urgence. Nos décisions communes ont aussitôt été prises pour vous éviter momentanément un tel désagrément.

— J'aime assez, mon cher major, ce « momentanément ».

— Tout n'est-il pas provisoire dans notre métier?

— Pouvez-vous alors m'expliquer pourquoi on me fait revenir à Paris, précisément dans la ville où l'on paraît tellement m'en vouloir?

— Parce que l'on vous connaît, Serge Martin, et que l'on sait que vous ne détestez pas régler vos comptes vous-même! N'est-ce pas?

Une nouvelle fois le révérend Terence Spiers demeura muet.

Après avoir souri, Benjafield continua :

— ... et l'on tient sans doute à vous accorder cette suprême satisfaction! Encore un *baby*?

— Oui... Au point où j'en suis!

— Bravo, *my dear*! J'ai encore une petite chose à vous dire...

— Vous ne croyez pas que j'en ai déjà assez entendu?

— J'ai l'impression que la suite va particulièrement vous intéresser... Veuillez d'abord enfouir, plié en quatre dans la poche la plus secrète que vous réserve ce costume de paix, ce rapport dactylographié que j'ai fait établir spécialement à votre intention. Bien entendu, vous vous débrouilleriez pour le faire disparaître par les voies les plus rapides si vous ressentiez, pendant votre voyage entre ici et Paris, la désagréable impression que l'on vous observe et même que l'on vous file... C'est tapé sur papier pelure très léger et qui se froisse en un rien de temps.

— Ce qui permet d'en faire une délicieuse boulette

que l'on avale comme un vulgaire cachet d'aspirine. J'ai compris.

— Mais au cas où vous n'auriez pas la possibilité de prendre connaissance de ce document, je tiens à vous donner oralement quelques précisions sur sa teneur... Vous y trouverez d'abord une courte note sur l'honorable Liao Ho-shu, qui était, il y a encore quelques mois, le chargé d'affaires de l'ambassade chinoise à La Haye. Ce personnage assez singulier n'est plus en poste actuellement parce qu'il a lui-même demandé au ministère hollandais des Affaires étrangères un « permis de séjour temporaire aux Pays-Bas »... Vous comprenez ce que cela veut dire? Ce qu'il est intéressant de savoir, c'est que ce même Liao Ho-shu est l'homme qui avait organisé en 1966 l'enlèvement à La Haye d'un certain Hsu Tsu-tea, grand spécialiste chinois des fusées. Celui-ci, ayant été renversé par une voiture dans une rue de la capitale néerlandaise et ayant été grièvement blessé, avait été transporté dans un hôpital de la ville. Il y avait été presque aussitôt rejoint par une sorte de commando de « diplomates » chinois qui l'avait ramené dans les locaux de l'ambassade où il succombait quelques heures plus tard. Depuis on a fait le silence sur ces deux affaires.

» Dans une seconde note, plus explicite, vous apprendrez que Scotland Yard a découvert en janvier dernier dans la banlieue de Londre, à Stepney exactement, une fabrique gigantesque de L.S.D. qui devait fonctionner dans les jours suivants. L'enquête, qui est toujours en cours, nous permettra presque certainement, avec le précieux concours du Bureau Fédéral Américain, de démanteler l'un des plus fantastiques réseaux de drogue existant en ce moment au monde. Pour vous donner déjà une précision sur l'importance de la prise, sachez que, sur les dix-huit récipients découverts à Stepney, plusieurs contenaient déjà des substances qui auraient permis de fabriquer pour plus de six millions de livres sterling de drogue! Et nos inspecteurs ont saisi dans un coffre, placé dans le laboratoire, une somme en dollars équivalant à 77 000 de vos francs. La plus grande partie de la production devait être expédiée aux États-Unis mais les bénéfices des opérations resteraient en Angleterre. Voilà, cher ami. C'est tout.

— Et pour quelle raison voulez-vous que cela m'intéresse?

— Parce que le colonel Sicard a estimé qu'il en serait ainsi! Sachant que nous aurions, tous les deux à Hong-Kong, une petite conversation avant votre départ, il m'a prié de vous tenir au courant de ces faits qui se sont passés dans la vieille Europe, alors qu'étant en Chine il vous était impossible d'y recevoir ce genre de nouvelles. Car vous n'êtes quand même pas sans savoir que beaucoup de choses se sont passées sur le plan social, et plus spécialement dans les milieux jeunes, au printemps dernier aussi bien en France qu'en Angleterre, Allemagne ou Italie?

— Le fameux « mai parisien »?

— Le fameux mai... En me demandant de vous communiquer ces renseignements, votre grand patron a certainement voulu gagner du temps pour que vous soyez mis au courant de certaines choses avant d'entreprendre une nouvelle mission à laquelle il doit vous destiner.

— J'avoue ne pas comprendre : je nage complètement!

— Une fois arrivé à Paris, tel que je crois vous connaître, vous surnagerez vite! Encore un *drink*? Ce sera le dernier : il ne reste plus que quarante-trois minutes avant l'envol de votre avion.

— Dans ce cas, donnez-moi un double! dit Serge Martin en enfouissant le document dans une poche intérieure de son veston noir.

— Je n'ai plus rien à vous dire, cher Serge Martin, sinon que j'espère que tout se passera bien pour vous... Jusqu'au départ à Londres de l'avion qui vous emportera à Villacoublay, comme nous en avons pris l'engagement vis-à-vis de votre chef, nos services assureront votre protection... Après, votre destin ne sera plus de notre ressort.

— Je ne sais comment je pourrai m'acquitter d'une telle sollicitude!

— On ne sait jamais! Rien ne prouve qu'un jour, plus proche que nous ne le pensons en ce moment vous et moi, *l'Intelligence Service* n'aura pas un besoin pressant de votre aide subtile? Et si cela était, pourrions-nous compter sur vous?

Serge Martin eut une courte hésitation avant de répondre :

— Si j'en recevais l'ordre de celui que vous semblez tant estimer, certainement!

— Voilà qui est parler en loyal serviteur de son pays!

Le major donna un vigoureux *shake-hand* au « clergyman ». Pendant que sa grosse main serrait encore celle, très fine, de son interlocuteur, il ajouta :

— J'ai aussi un petit cadeau pour vous...

D'un tiroir du bureau il sortit un « automatique » qu'il caressa en disant :

— On ne sait jamais — même si l'on a des anges gardiens invisibles qui doivent protéger plus sûrement les représentants de Dieu que le commun des mortels — ce qui peut se passer à une époque où des passagers mal intentionnés détournent avec tant de facilité les avions civils...

Et tout en lui remettant l'arme :

— C'est le plus récent modèle dont nous nous servons... Très précis si l'on sait tirer vite : ce qui est, m'a-t-on dit, votre cas... Le chargeur contient quarante-huit balles : de quoi faire une véritable hécatombe!

— Je connais ce joujou, dit le « clergyman » en glissant rapidement l'arme dans la poche arrière de son pantalon. Il présente également l'avantage inestimable, comme beaucoup de choses que vous fabriquez en Angleterre, d'être parfaitement silencieux lorsqu'il agit.

— Le silence, cher ami, ne constitue-t-il pas la règle d'or de notre profession? *Bye!*

Sans qu'il parût avoir appuyé sur un bouton d'appel, la porte située derrière Serge Martin s'était rouverte tout doucement pour livrer passage à une Mme Tsi-Han toujours souriante et obséquieuse. Le clergyman la suivit en silence, traversant de nouveau les trois pièces parfumées. Dans le « salon d'attente », vide d'autres clients, il retrouva le guide jaune qui l'avait accueilli sur la jonque. Lorsqu'il franchit le seuil de la maison, il ne prit même pas la peine de se retourner pour répondre au salut de la Patronne qui s'était courbée en deux. Mais, au moment où la voiture démarra, il put quand même apercevoir dans la nuit, éclairées par les reflets discrets de la lanterne rouge, les silhouettes des prostituées, accroupies sur la chaussée, qui continuaient à espérer le client...

La porte d'un appartement situé au cinquième étage d'un vieil immeuble parisien du XVe arrondissement s'ouvrit après que le visiteur eut sonné et attendu quelques instants sur le palier d'un escalier mal éclairé d'où s'exhalait une odeur de moisissure. Et deux hommes d'un âge certain se trouvèrent face à face, se dévisageant avec un calme d'où n'était pas exclue cependant une secrète curiosité. L'observation réciproque se prolongea pendant tout le temps où ils restèrent immobiles puis, sur un signe de main voulant dire « entrez vite » de celui qui venait de déverrouiller sa porte, le visiteur pénétra dans un modeste appartement. La porte se referma aussitôt; une clef grinça dans la serrure; le palier et l'escalier retrouvèrent leur anonymat obscur.

Derrière la porte, dans un vestibule meublé sans luxe et sans goût, les deux hommes s'étreignirent, longuement, tels deux vieux compagnons qui se retrouvent enfin après des années de séparation. Celui qui avait ouvert n'était pas grand, mais trapu. Ses épaules carrées, encadrant un thorax puissant, se prolongeaient en bras épais comme des mâts de charge, qui encerclaient le visiteur avec une force où s'exprimait l'un des sentiments les plus rares qui soit : l'amitié virile. L'autre, beaucoup plus grand et surtout beaucoup plus maigre, paraissait savourer ces marques d'affection comme s'il était en train de vivre un moment exceptionnel de son existence. Son ami — le buste enserré dans un gros pull-over gris à col roulé et la silhouette engoncée dans une robe de chambre, de teinte « bordeaux », qui contribuait encore à l'épaissir — donnait l'impression d'être un homme frileux et cependant il faisait chaud dans l'appartement. Le visiteur, lui, portait un veston d'alpaga noir, un pantalon de nankin, un curieux chapeau en paille de riz tressée et des lunettes bleutées qui donnaient une certaine irréalité au regard. Quand l'étreinte des retrouvailles silencieuses prit fin, le visiteur put remarquer, à l'instant où son hôte recula pour mieux le regarder encore, que des larmes coulaient de chaque côté du visage ridé et raviné de celui qui venait de l'accueillir avec une telle chaleur humaine : ce qui amena sur ses propres lèvres un sourire où l'indulgence se teintait d'émotion.

— C'est bête, n'est-ce pas, dit l'homme de petite taille, de pleurer au moment où nous nous revoyons après tant d'années ? Mais que voulez-vous : c'est plus fort que ma volonté ! Mon cher, mon grand Serge !

Dans un nouvel élan, il prit les deux mains diaphanes de l'ami enfin retrouvé, avec une force capable de leur redonner couleur, pendant que ce dernier répondait :

— Rien n'est bête quand il y a la sincérité... Et vous ne croyez pas, mon colonel, que moi aussi ça ne me bouleverse pas de revoir « notre vieille chouette » à tous ? Savez-vous que je vous trouve étonnant ? C'est à se demander si vous êtes capable de vieillir ?

— Serge Martin, vous et moi nous avons dû être coulés dans le même moule : celui des gens qui, ayant appris très tôt à voir mille et une choses, sont devenus « vieux » alors qu'ils étaient encore jeunes. C'est pourquoi nous ne pouvons plus vieillir. Venez dans mon cabinet de travail.

Quand ils y furent, il poursuivit :

— Vous voyez : ici non plus rien n'a changé... Ce décor s'est tellement habitué à moi qu'il a réussi à conserver une jeunesse [illegible] après un demi-siècle d'existence ! Ne bougez pas, surtout ! Que fait-on, avant de s'asseoir, quand on retrouve un Serge Martin ?

— On débouche une bouteille de champagne millésimée 59.

— Elle vous attend, frappée comme vous l'aimez, dans ce seau à glace qui n'a pas servi depuis bien longtemps !

Le bouchon sauta selon le rite immuable qui, depuis des siècles, a démontré qu'il n'existait qu'un seul breuvage de joie au monde. Après qu'ils eurent avalé chacun une première et longue gorgée, Serge Martin fit claquer sa langue d'une façon assez peu protocolaire avant de confier :

— Il n'y a vraiment que les Français pour avoir trouvé la seule, l'unique boisson du bon accueil. Klein mériterait d'être français pour l'avoir deviné... Le major Benjafield, au contraire, ne le comprendra jamais : c'est pourquoi il en est resté au whisky.

— Comment vont-ils tous les deux ?

— Ils m'ont paru être, l'un et l'autre, en excellente forme.

— Tant mieux ! Et vous ?

— Constatez vous-même...

— C'est déjà fait ! Je remarque surtout que vous incarnez à la perfection le vieux colonial endurci : ce chapeau de paille suffisamment jauni pour faire croire qu'il vous a protégé des ardeurs solaires pendant des années, ce veston qui est assez ample pour laisser supposer que l'air raréfié des Tropiques a pu s'y engouffrer, ce pantalon dont le tissu et la teinte évoquent l'époque d'une vie coloniale disparue, tout cela est au point... Je suis très satisfait de cette nouvelle transformation que j'ai exigée de vous.

— Était-elle véritablement nécessaire ?

— Aussi indispensable que celle imaginée par vous pour pouvoir monter dans l'autobus de Canton et celle, conseillée par nos amis anglais, pour votre traversée de Hong-Kong et votre rapatriement en Europe... Reconnaissez vous-même qu'elles ne vous ont pas trop mal servi ?

— J'avoue!

— Alors, mon vieux, faites-moi confiance une fois de plus. Je vous expliquerai tout à l'heure pourquoi cette nouvelle « peau » de vieux monsieur rentrant à la Métropole après un très long séjour « aux colonies » sera la plus apte à vous permettre de remplir la nouvelle mission qui va vous être confiée. Maintenant, si vous le voulez bien, asseyons-nous car notre conversation risque d'être longue. Encore du champagne?

— Mais oui. C'est pour moi le meilleur des dopings. Je vous écoute.

— C'est d'abord moi qui vous ferai parler... Puisque vous êtes arrivé ici à l'heure exacte que j'avais prévue, c'est la preuve que tout s'est bien passé depuis la seconde où l'un des adjoints de Benjafield vous a accompagné jusqu'à l'aéroport de Sun Wong Toi. Ce que vous venez de vivre jusqu'à ce moment, nous le savons.

— Je me doute que vous me suiviez de très près à distance?

— N'est-ce pas le devoir d'un bon père de famille?

— Aussi me paraît-il superflu de vous raconter la suite de mon voyage sur laquelle vous devez avoir déjà reçu un rapport plus précis?

— C'est également vrai. Mais, je ne serais plus cette « vieille chouette » — que, tous, tant que vous êtes dans nos Services, vous estimez un peu en la détestant cordialement — si je ne procédais pas moi-même à certaines vérifications qui me permettent de contrôler le bon fonctionnement de l'organisation dont j'ai la responsabilité. La narration orale de celui qui vient de vivre une aventure vaut tout autant pour moi que les câbles ou messages codés qui m'ont été envoyés par des témoins obscurs... C'est pourquoi, mon bon et fidèle collaborateur, je vous demande de me raconter comment les événements se sont déroulés pour vous au cours de ces dernières heures puisque le vol B.A. 937 de la B.O.A.C. a commencé exactement hier soir à 22 h 30.

— Celui que vous venez d'appeler « l'adjoint de Benjafield » m'a accompagné tout en sachant rester aussi silencieux que l'illustre Muette de Portici, jusqu'à la passerelle d'embarquement. Là, me guettait une hôtesse suave et « sweet » qui m'a aussitôt guidé jusqu'au pullman que l'on m'avait réservé en classe touriste. Je pus tout de suite constater que la place avait été judicieusement choisie pour m'éviter une promiscuité avec un quidam dont on doit toujours se méfier : mon voisin était un aimable membre du *Foreign Office* qui n'a cessé, durant tout le voyage, de se confondre en respectueuses sollicitudes pour le très digne ministre du Culte Évangélique qu'il avait l'insigne honneur d'avoir à ses côtés... Amabilité, je m'empresse de vous le dire, qui s'est strictement limitée aux phrases banales que l'on ne peut s'empêcher de prononcer quand le steward vous sert repas et boissons variées. Les deux pullmans, placés devant les nôtres, et les deux, placés derrière, m'ont paru être également occupés par des diplomates : je me suis senti, dès le départ, très entouré...

— Nos amis anglais ont bien fait les choses. Je leur revaudrai ça un jour ou l'autre sur l'une de nos lignes aériennes françaises... Ensuite ?

— Dès que j'ai pu acquérir la certitude que mon voisin avait cédé au sommeil, j'ai extirpé le plus discrètement possible de ma poche le rapport dactylographié que m'avait confié le major, selon vos instructions, et je me suis mis en devoir de le « digérer », avant de l'avaler pour de bon en cas de coup dur.

— Quelles réflexions salutaires a fait jaillir, dans votre esprit, une pareille lecture ?

— Elle y a fait naître deux convictions : la première, c'est que les Anglais n'ont rien à envier à la France quant à la fabrication clandestine de certaines drogues, la seconde est qu'il semblerait que la jeunesse anglo-saxonne — et spécialement la jeunesse américaine — s'adonne de plus en plus à l'usage des stupéfiants.

— Cher Serge Martin ! Si vous saviez comme c'est agréable d'avoir affaire à un homme intelligent ! Permettez-moi cependant de vous demander d'ajouter une troisième conviction aux deux que vous venez d'acquérir : c'est que la jeunesse latine — qu'elle soit française, italienne, brésilienne ou argentine — s'est laissé également contaminer, depuis ces trois dernières années, dans des proportions plus qu'alarmantes. Elle aussi semble pouvoir difficilement résister à l'attrait des paradis artificiels que lui apportent soit les dérivés de l'opium, soit les drogues psychédéliques qui ont nom L.S.D., Marijuana, Volubilis ou Amphétamine.

— Je croyais que ce dernier produit constituait surtout le *speed* des *hippies* américains de San Francisco, ou d'ailleurs, qui ont les plus grandes difficultés à se procurer le L.S.D. ou la marijuana ?

— C'est exact, mais si, chez nous, les *hippies* ne constituent encore pour le moment qu'une poignée d'énergumènes pittoresques rôdant aux alentours de la rue de la Huchette, de plus en plus de jeunes gens des deux sexes, qui ne sont pas des *hippies,* mais qui appartiennent le plus souvent à d'excellentes familles, ont pris la détestable habitude de se droguer... Vous me répondrez qu'après tout c'est leur affaire et qu'il n'y a qu'à les soigner pour les désintoxiquer ! On s'y emploie, croyez-le... Par contre, nous sommes beaucoup moins bien armés pour attaquer le mal à sa base : c'est-à-dire supprimer ceux qui leur vendent ces produits après les avoir traités sous différentes formes.

— Et qu'est-ce que fait la « Brigade des Stupéfiants » de la Criminelle ?

— De l'excellent travail, soyez-en sûr ! Malheureusement, se sentant quelque peu débordée ces derniers temps, elle a fait appel à notre aide.

— Quoi ? Vous n'allez pas me dire que votre Service, dont la mission essentielle est de s'occuper de problèmes politiques sur le plan international, va perdre son temps avec de pareilles « foutaises » ?

— Il va le faire, Serge Martin, et sans tarder ! Car nous sommes arrivés à une quatrième certitude : c'est que droguer progressivement la jeunesse est une nouvelle forme de haute politique internationale ! Est-ce d'ailleurs tellement nouveau ? Pour bien réussir une révolution, ne faut-il pas, en premier lieu, mettre la jeunesse dans son camp ? Aucun changement complet de régime politique ne réussit sans l'apport de sa vitalité... Vous, qui nous revenez de Chine, vous le savez mieux que tout le monde : depuis deux années déjà, nous avons étudié de très près les rapports que vous nous avez adressés de là-bas avec une régularité et une précision qui vous honorent. Et nous en sommes arrivés à la conclusion à laquelle tous vos efforts ont cherché à nous amener : c'est que la révolution totale voulue par Mao n'aurait pas pu aboutir si elle n'avait eu l'appui de cette fameuse « Garde Rouge », constituée en sa totalité par une jeunesse électrisée et survoltée... Seulement voilà : l'actuel gouvernement de la Chine populaire est aussi intelligent, peut-être même plus, que tous les gouvernements qui se sont succédé en Chine depuis des siècles! Et les chefs de la nouvelle République ont compris qu'ils avaient à l'égard de cette jeunesse, dont ils sollicitent l'appui aussi bien chez eux que dans le monde entier, deux politiques à jouer : une strictement *intérieure* « ad usum Delphini » et l'autre diamétralement opposée, conçue pour le monde *extérieur*. Nous sommes bien d'accord, vous et moi, sur ce premier point essentiel?

— Oui.

— Aussi je continue... Pour Mao et ses sbires, les « dauphins » sont leurs jeunes de la « Garde Rouge » qui suffisent pour imposer la loi communiste — soit par la terreur, soit par la dénonciation, soit par la persuasion — à l'immense masse des indécis. Vos rapports, ajoutés à beaucoup d'autres, n'ont fait que nous confirmer dans l'opinion que ces « dauphins » sont des « purs » dans leur genre : ils croient en leur dieu Mao, ils ne pensent qu'à travers ses pensées... Leur « drogue » n'est pas physique, mais psychique : ils n'ont pas besoin de pipes d'opium, de L.S.D., de marijuana ou d'autres produits pour être acquis corps et âmes au nouveau régime. Ce sont des sobres, des ascètes prêts à tous les sacrifices pour faire triompher la cause communiste. Jamais les Russes ne sont arrivés à pareil résultat avec leur jeunesse! Ils ne l'ont d'ailleurs pas cherché et c'est très heureux pour le reste du monde! Sinon, je ne sais pas où nous en serions aujourd'hui! Contrairement aux Chinois, ils ont tout fait pour donner à leur jeunesse une personnalité et une indépendance qu'elle n'avait jamais pu atteindre au temps des tsars. Ils la veulent socialiste mais probe, forte sans excès néfastes, enthousiaste surtout pour toutes les découvertes capables d'améliorer le sort de l'humanité et la compénétration des peuples dans une sorte de nouvel amour universel. C'est pourquoi, s'ils possèdent une armée colossale, ils ont pris bien soin de ne pas créer ce fer de lance dévastateur que peut devenir une « Garde Rouge » conçue et façonnée selon les principes d'un Mao Tsé-Toung. Pour maintenir l'ordre chez eux, leur police leur suffit : elle n'est pas tellement jeune et ressemble beaucoup aujourd'hui aux polices de tous les pays capitalistes. Son efficacité vient de ce qu'elle a maintenant, depuis la Révolution d'Octobre, cinquante années d'expérience.

» Les Chinois, eux, ont voulu et veulent aller très vite en besogne : leur « Garde Rouge » est le merveilleux instrument intérieur de cette politique. Mais, comme vos rapports secrets n'ont cessé de le souligner, ils ne veulent pas se limiter à leur territoire, si grand soit-il. Ils rêvent d'imposer leur communisme intégral au monde entier. Et, pour obtenir rapidement ce résultat, ils estiment qu'il faut créer dans chaque pays du monde qu'ils cherchent à asservir une « Garde Rouge ». Nous sommes encore d'accord ?

— Je suis enchanté et ravi, mon colonel, de constater que quelqu'un, à Paris, a enfin compris le sens exact de mes messages.

— Nous sommes plusieurs à les avoir appréciés ! C'est bien pourquoi nous vous avons exilé aussi longtemps en Chine... A certains moments, vous avez même dû enrager, vous demandant pourquoi nous vous laissions piétiner ? C'était doublement nécessaire : d'une part pour vous permettre de continuer à nous envoyer de là-bas les « mises en garde » dont nous avions besoin pour étayer progressivement nos certitudes et, d'autre part, pour nous donner le temps de mettre sur pied, ici même, un dispositif capable de parer aux coups, c'est-à-dire d'éviter aussi bien chez nous que chez tous nos alliés, la création de cette « Garde Rouge » intérieure, adaptée à la mentalité de chaque pays et à laquelle pense fiévreusement le gouvernement de Pékin. Je puis vous dire qu'aujourd'hui l'armature de notre dispositif de riposte est solide. C'est d'ailleurs l'une des deux raisons pour lesquelles nous vous avons fait revenir le plus vite possible. Votre mission là-bas étant terminée, c'est en France même, et en Europe, qu'un nouveau rôle commence pour vous.

— Vous n'avez tout de même pas l'intention de me mettre à la tête d'une « Brigade anti-Garde Rouge » pour attaquer une organisation d'inspiration chinoise que je crois être encore beaucoup plus fantomatique que réelle chez nous!

— Mon bon Serge, vous êtes là dans l'erreur la plus complète... La Chine est aussi bien armée aujourd'hui pour « l'attaque psychologique » du monde capitaliste qu'elle l'est, depuis quelques années, pour une riposte atomique fulgurante si l'on s'en prenait à son territoire... Souvenez-vous... Quand je vous ai envoyé l'excellent Burtin pour vous seconder, c'était uniquement parce que je savais que la Chine ferait des efforts inouïs pour obtenir l'uranium qui lui permettrait, à elle aussi, de devenir une puissance atomique. Tout le monde m'a ri au nez ici quand j'ai fait part en haut lieu de mes craintes! On me répondait: « Mais ils n'y parviendront jamais, ces Chinois, à avoir leur bombe atomique! Ils ont des siècles de retard! » ou bien : « Ils n'ont pas d'argent et ça coûte cher, la bombe! » ou même : « Comment voulez-vous qu'ils luttent contre la formidable avance prise par les Etats-Unis et l'U.R.S.S.? » Vous, qui étiez là-bas sur place, vous partagiez mes convictions. L'ennui c'est que vous fûtes à peu près le seul! C'est pourquoi nous n'avons guère été aidés... Même nos amis russes et anglais se sont presque révélés des ennemis dans cette affaire. De plus vous vous êtes trouvé en présence d'un redoutable adversaire dans la personne de la belle et féroce Ngô Thi Maï Khanh. Le résultat de nos efforts s'est soldé par un double désastre : l'assassinat de Burtin et la mainmise par la Chine sur un document essentiel qui lui a permis de procéder à la fabrication secrète de « sa » bombe. Deux années à peine s'écoulèrent avant que parvînt la stupéfiante nouvelle : « *La Chine vient de procéder au lancement de sa première bombe atomique !* »

» Vous pouvez être certain que, ce jour-là, il y eut une certaine effervescence, accompagnée d'un grand nombre de limogeages, dans tous les S.R. occidentaux, à l'exception cependant du nôtre qui fut brusquement auréolé de la plus grande considération. Les confrères étrangers et ceux de chez nous, auxquels nous sommes tenus de rendre des comptes, murmuraient dans une sorte de respect admiratif : « Cette vieille chouette et ses hommes ne sont pas aussi illuminés que nous le pensions : ils voyaient juste. » Malheureusement c'était trop tard : le mal était fait. Je voulais cependant avoir ma revanche, ne fût-ce que pour sauver l'honneur de mon service, qui était le seul à ne pas s'être trompé, et pour venger la mémoire de notre ami Burtin. Je n'insiste pas sur ce point : je sais que votre état d'esprit a toujours été le même que le mien... Vous ne pensez pas que Sicard-Martin, c'est une équipe ?

— Sans doute parce qu'elle est vieille...

— Parce qu'elle est chevronnée par l'expérience ! Et revenons à l'évolution qui s'est produite ensuite dans la façon dont nos « Grands Patrons » voient les choses... Ils se sont montrés plus accueillants à notre égard, moins méfiants surtout, disposés à nous écouter à l'avenir. C'est pourquoi j'ai eu moins de mal, cette fois, à leur faire admettre l'extrême importance des rapports que vous m'avez adressés de Chine ces derniers temps. Et j'ai obtenu ces maudits crédits qui, en France, plus que partout ailleurs, font toujours défaut quand on a besoin de préparer quelque chose de solide... ces cinquante centimes de la dernière heure qui permettent de compléter un billet de cinquante francs! — crédits qui nous ont permis de monter l'instrument de riposte indispensable pour contrecarrer les visées de domination mondiale de Pékin. Si j'ai prié le major Benjafield de vous donner connaissance d'un rapport relatant l'activité en Hollande de l'honorable Liao Ho-shu, diplomate en rupture de ban depuis quelques mois, c'est uniquement pour attirer votre attention sur cet étrange personnage... Vous devez vous douter qu'après qu'il eut demandé le droit d'asile aux Hollandais, on ne l'a pas laissé se reposer dans une confortable retraite au sein d'un champ de tulipes! La C.I.A., que vous connaissez fort bien, lui a tout d'abord fait faire un bref séjour en Allemagne dans une des « villas » qu'elle a aménagées secrètement pour cacher ceux qui se réfugient dans le monde capitaliste. Puis elle l'a transféré, dans le plus grand mystère, aux U.S.A. où il se trouve maintenant dans une autre maison isolée — entourée de murs de béton et discrètement gardée — qui est située dans le Maryland, à égale distance de Washington et d'Annapolis. Là, on ne cesse de l'interroger... Beaucoup de spécialistes l'ont déjà « cuisiné » et, parmi eux, j'ai réussi à introduire un sujet américain, qui est l'un de nos agents et qui a su se montrer d'une extrême habileté.

» Grâce à certaines confidences, qu'il a pu arracher à Liao Ho-shu, nous avons appris deux choses qui nous intéressent particulièrement, nous les Français... D'abord que le financement — qui fut considérable — des émeutes fomentées au printemps dernier un peu partout en Europe, et plus spécialement à Paris, dans les milieux universitaires et estudiantins, avait été assuré pour la plus grande part grâce à l'aide de la Chine qui est toute disposée à recommencer pour intensifier sa « révolution psychologique » jusqu'au triomphe universel de la « Grande Idée Communiste ».

» Financement qui a permis de rémunérer grassement des agitateurs de métier, venus d'un peu partout mais triés sur le volet, et ayant pour principale mission de former le plus tôt possible de jeunes fanatiques qui constitueraient l'encadrement des futures milices secrètes occidentales, dont la violence égalerait celle de « la Garde Rouge ». Les sévères ripostes de police, aussi bien chez nous que chez nos alliés, n'ont fait que tempérer provisoirement l'agitation de mai dernier, mais elles n'ont nullement calmé les esprits, ni arrêté le développement clandestin de brigades de choc. Celles-ci n'attendent que la première occasion pour « remettre ça » sur une beaucoup plus grande échelle. Il suffirait d'une étincelle pour tout déclencher et c'est très difficile — même pour un gouvernement fort, ou qui se croit tel — d'éviter l'éclatement d'une étincelle !

» Sachant tout cela grâce aux révélations d'un Lia Ho-shu, qui ne faisaient que corroborer la teneur de vos propres rapports, le bon sens même commandait de procéder à une toute première mesure de défense : essayer de démanteler le fantastique réseau d'espionnage — et par conséquence directe : de financement — que les Chinois ont organisé dans le monde. C'est la raison pour laquelle, face à un tel adversaire, une alliance renforcée, et très secrète, de nos Services de Renseignement avec ceux des Russes, des Anglais et des Américains s'est révélée impérative. Comme je vous l'ai laissé entendre tout à l'heure, nous sommes sur la bonne voie.

» La deuxième information qui intéresse les Français, et que mon agent a réussi également à arracher à Liao Ho-shu, vous concerne directement.

— Moi ? Qu'est-ce que je viens faire là-dedans ?

— Un peu de patience, bouillant ami !... Liao Ho-shu a appris à mon émissaire, sous le sceau du secret bien entendu, que, pendant qu'il était encore en poste prétendu « diplomatique » à l'ambassade de la Chine populaire à La Haye, il avait reçu de Paris, avec mission de les transmettre de toute urgence à Pékin, une série de messages codés. Ceux-ci attiraient l'attention du gouvernement chinois sur la présence, plus qu'insolite, sur le territoire même de la République populaire, d'un certain Hi Tsao qui n'avait de « chinois » que l'apparence et le nom, mais qui, en réalité, était un agent de renseignement « excessivement dangereux » — ce sont les termes exacts, mon cher ami, qui ont été employés — travaillant depuis des années pour le compte du gouvernement français... Auriez-vous, par hasard, entendu parler de ce personnage ?

— Pour être franc, répondit en souriant Serge Martin, je pense qu'il a dû me ressembler comme un frère... Seulement cet homme n'existe plus depuis quelques semaines. Après s'être métamorphosé en mandarin très âgé et sourd-muet, il s'est brusquement converti au protestantisme pour devenir un très respectable ministre du Culte Évangélique...

— ... qui n'existe plus lui-même depuis quelques heures par la grâce d'un troisième miracle qui a fait de lui un vieux colon endurci se nommant Patrice Rumeau, né à Saïgon en 1900... A ce propos, voici une carte d'identité et un nouveau passeport établis à ce nom par les autorités françaises...

— Comme je n'ai pas le droit de refuser ces précieuses pièces, je les accepte ! Mais pourquoi diable me vieillit-on encore de quatre années ? Le passeport du révérend Terence Spiers, « fabriqué » par les soins des autorités anglaises, mentionnait qu'il était né en 1904 à Manchester. C'est très désagréable pour moi de vieillir ainsi de quatre années en moins de vingt-quatre heures !

— Ne vous plaignez pas ! 1900 fut une excellente année qui a fait date par sa douceur de vivre et par les progrès de l'expansion coloniale... Et puis, soixante-neuf ans, c'est l'âge idéal : par l'essence même du chiffre il promet quelques privautés tout en prouvant que l'on n'est pas encore septuagénaire ! Et n'est-ce pas l'âge rêvé pour celui qui est en ce moment devant moi et « *qui n'a toujours aspiré, dans sa lointaine colonie, qu'à finir ses jours en France* » ?

— Parce que vous pensez sérieusement que ma fin est proche maintenant ?

— La fin n'a jamais été plus proche, ni pour vous ni pour moi ! Alors évitons d'en parler... Dites-moi : qu'avez-vous fait du passeport anglais ?

— Le voici.

— Merci. Je vais le détruire.

Mais, après avoir jeté un regard sur la première page intérieure du document, sur laquelle était fixée la photographie d'identité, « la vieille chouette » poussa un soupir en ajoutant :

— Ce sera dommage... C'est vrai : vous étiez épatant en clergyman ! J'en ai d'ailleurs eu quelques échos ce matin.

— Je constate une fois de plus que les bonnes nouvelles vont vite.

— Vous pourriez dire, mon cher Serge, qu'elles courent dans nos Services!

— Et une fois de plus, on va détruire une chose que j'ai touchée!

— N'est-ce pas logique? N'êtes-vous pas vous-même, dans votre genre, une sorte de destructeur-né?

Serge Martin ne répondit pas directement et sortit d'une autre poche intérieure l'automatique que lui avait remis le major Benjafield :

— Et ça? Vous avez également l'intention de le faire disparaître?

— Pas avant que ça ne vous ait servi...

Après avoir examiné minutieusement l'arme, il la lui rendit :

— C'est de l'excellente fabrication : on ne fait pas mieux chez nous... Mais revenons, si vous le voulez bien, à ce Monsieur Hi Tsao disparu pour toujours après s'être fait stupidement repérer... A ce sujet, vous n'auriez pas une petite idée sur la façon dont « ils » ont pu vous découvrir d'ici pour vous signaler là-bas?

— Aucune! C'est bien là pour moi l'un des plus grands mystères que j'aie connus!

— Ce qui démontre, une fois de plus, qu' « ils » sont très forts... Mais, connaissant vos possibilités, je suis persuadé qu'un jour ou l'autre vous parviendrez à élucider cette énigme. Et, ce jour-là, je n'aimerais pas être votre adversaire!... Il faudra d'ailleurs arriver rapidement à ce règlement de comptes, sinon je serais contraint de refondre complètement, non seulement notre système de transmission d' « informations chinoises », mais aussi toute l'organisation de notre réseau d'Extrême-Orient! S' « ils » ont vraiment tout découvert, votre actuel successeur à Shanghaï ne pourra plus travailler correctement.

— Parce que j'ai déjà été remplacé là-bas ?

— Cela va de soi : il nous faut toujours quelqu'un sur place.

— Autrement dit, nul n'est indispensable ?

— Pas même moi ! Mais ne vous formalisez surtout pas ! Le fait que vous soyez « brûlé » dans un secteur bien déterminé n'implique pas que vous ne puissiez pas nous rendre de nouveaux et appréciables « services » dans un autre... Et finalement tout n'est-il pas pour le mieux du monde puisque nous avons besoin de vous ici ?

— Peut-être vais-je enfin savoir à quel nouveau cirque vous me destinez ?

— Nous y arrivons, cher ami... Encore un peu de champagne ?

— C'est plutôt vous qui devriez être assoiffé après tout ce que vous venez de me raconter !

— Je le suis, soyez-en certain.

Après avoir rempli les verres, il continua :

— Le cher « chargé d'affaires » de la République populaire a également confié à notre agent que les messages vous concernant avaient tous été acheminés, sans exception, par ses soins de La Haye à Pékin. Vous n'ignorez sans doute pas, bien qu'étant resté longtemps loin de notre vieille Europe, que la Hollande constitue l'une des plaques tournantes et peut-être la plus importante « gare régulatrice » de l'espionnage chinois. C'est un pays commode pour ce genre d'activité : il y passe beaucoup de monde en transit, la population y est accueillante, le gouvernement habile, et le sens des « affaires » s'y est développé à l'extrême ! On y trouve enfin des ports exceptionnels tels que Rotterdam et Amsterdam ! C'est merveilleux, les ports ! Ne venez-vous pas vous-même d'en faire l'expérience ?

— Macao et Hong-Kong...

— Mais oui ! Donc les messages vous concernant se révélèrent de plus en plus précis. C'est ainsi que l'honorable Liao Ho-shu fit savoir à Pékin que le dénommé Hi Tsao était en réalité de nationalité française, tout en ayant eu une mère chinoise : ce qui donnait à ses yeux, légèrement bridés, un caractère asiatique que l'on ne remarque guère aujourd'hui derrière ces grosses lunettes bleutées que porte Patrice Rumeau... Pékin apprit aussi qu'après avoir vagabondé pour des raisons assez mal définies dans les différentes provinces de Chine, le sieur Hi Tsao avait trouvé un emploi plus stable comme cuisinier dans une cantine populaire de Shangaï... Mon agent m'ayant aussitôt prévenu, j'ai estimé qu'il n'y avait plus une seconde à perdre pour vous avertir que les choses se gâtaient et pour hâter, grâce à l'aide de nos amis anglais, votre retour. Ce qui a été fait. Maintenant, avant de vous expliquer enfin le rôle auquel je vous destine, je vous demande — ce qui me permettra de reposer ma voix — de poursuivre le récit de ce voyage de retour que vous avez si bien commencé, en compagnie d'éminents membres du *Foreign Office*, dans le V. C. 10 de la B. O. A. C. A vous la parole : je me tais.

Après avoir avalé une nouvelle gorgée, Serge Martin raconta sur un ton presque monocorde comme si ce qu'il relatait ne le concernait pas :

— Le vol a été sans histoire pendant les trois premières heures, et seulement interrompu par l'escale prévue à Bangkok d'où nous décollâmes à 23 h 50. Mais, alors que nous survolions le Pakistan, il se produisit un léger incident de parcours... Deux voyageurs, qui avaient pris l'avion à

Bangkok et que je n'avais pas remarqués, puisqu'ils se trouvaient tout à fait à l'avant de l'appareil dans la 1re classe séparée par une porte de la classe « touriste » où j'étais, quittèrent subitement leurs sièges et se précipitèrent vers le poste de pilotage qui, sur ces avions géants, n'est encore séparé — je n'ai pas encore compris pourquoi après tous les attentats aériens qui ont eu lieu ces derniers temps — de la 1re classe que par un rideau de velours. L'un d'eux braqua un revolver sur les membres de l'équipage en ordonnant au pilote, qui était également le commandant de bord, de dévier l'itinéraire normal de l'avion. Pendant ce temps-là son compagnon, qui s'était placé devant le rideau de séparation, menaçait d'un autre revolver les passagers de 1re classe auxquels il cria : « *don't move!* ».

» Ni moi ni aucun passager de la classe touriste n'aurait pu se douter de ce qui se passait si mon voisin, le diplomate, ne s'était brusquement levé de son siège, lui aussi, et dirigé en courant vers la porte de séparation qu'il ouvrit pour pénétrer en trombe en 1re classe. Il fut presque immédiatement suivi des quatre autres diplomates qui étaient assis devant et derrière moi. Ce qui se passa ensuite ? Je serais bien en peine de le dire... Il y eut un peu de brouhaha en 1re classe : je me penchai, sans cependant quitter mon siège, pour regarder par le couloir central et par la porte restée ouverte ce qui se passait. Tous les passagers, qui ne dormaient pas, en firent autant et nous comprîmes qu'il s'agissait d'une bagarre.

» Une foule de pensées se bousculèrent alors, en quelque secondes, dans mon esprit. Devais-je m'en mêler ou, au contraire, rester paisiblement à ma place comme l'exigeait ma dignité de ministre du Culte Évangélique ? Et cet automatique, dont je serrais presque instinctivement la crosse, ne serait-il pas d'un grand secours pour obliger les antagonistes à se montrer plus raisonnables à une pareille altitude ? En réalité, pas plus que les autres passagers de la « classe touriste », je ne savais encore, à cette seconde, qu'il y avait eu une attaque armée pour détourner l'appareil de sa destination. Si j'en avais été sûr, il est presque certain que j'aurais foncé, moi aussi. Et j'aurais commis la plus folle des erreurs : après toutes les précautions qui avaient été prises par nos amis anglais pour camoufler ma véritable identité, c'eût été attirer irrémédiablement l'attention de cent trente passagers sur cet étrange clergyman qui était prompt à faire le coup de poing et qui déambulait dans l'avion avec, à la main, une arme n'ayant rien de très canonique !

» Heureusement les événements allèrent vite. Avant même que j'aie eu le temps de prendre une décision, je vis mon voisin le diplomate revenir seul. Après avoir refermé tranquillement la porte de séparation, il se réinstalla avec un flegme étonnant dans son pullman. Quand ce fut fait, il me confia à mi-voix, dans un français approximatif mais suffisant pour que je puisse comprendre :

» — Tout est arrangé. Vous avez bien fait de ne pas bouger. Lisez votre Bible...

» Ce que je fis de nouveau avec une ferveur accrue en me demandant cependant si ce diplomate était tout à fait diplomate. Quant à ses quatre confrères, nous ne les revîmes plus : ils étaient restés en 1re classe. Quelques minutes plus tard, nous eûmes tous le plaisir d'entendre, dans les haut-parleurs, la voix très sympathique du commandant de bord qui nous livrait, dans le plus pur des anglais, le message suivant dont j'ai retenu chaque mot et que j'aurais honte de traduire pour un homme tel que vous qui parle et comprend toutes les langues civilisées :

» — *Every thing is now under control. Would you kindly oblige me by forgetting this regretful incident caused by two mentally unbalanced passagers.*

» A ce moment enfin la lumière se fit dans mon esprit! Ces paroles d'apaisement, tombant du ciel et venant s'ajouter aux quelques mots de mon voisin, me firent comprendre que nous avions failli être les victimes de l'une de ces tentatives de détournement d'avion qui ont été mises particulièrement à la mode sur les lignes américaines qui ne sont pas trop éloignées de Cuba. Et je pensai également, sans en être plus fier pour cela, que la véritable, l'unique raison de cet attentat manqué ne pouvait être que moi, le très respectable révérend Terence Spiers... Ce en quoi je ne me trompais pas.

» A l'escale de New Delhi, qui eut lieu une heure plus tard à 2 h 10, dès que l'appareil se fut immobilisé sur l'aire d'atterrissage puissamment éclairée, tous les passagers purent voir, comme moi, par les hublots, une grande voiture noire, de style « cellulaire », qui vint se ranger au bas de la passerelle roulante placée contre la porte avant de l'avion. Parmi les personnages qui descendirent précipitamment pour s'engouffrer dans la sombre voiture, je reconnus « mes » quatre autres « diplomates » qui encadraient deux hommes. Continuant à suivre les conseils que m'avait prodigués mon voisin, je ne bougeai pas de ma place. Il en fit autant. Et lorsque l'avion décolla pour Londres, via Beyrouth et Rome, les quatre pullmans qu'avaient occupés, devant et derrière nous, les autres « diplomates », restèrent vides : dès lors mon voisin et moi fûmes tout a fait isolés et tranquilles.

— Pendant la fin de ce voyage, votre voisin vous a-t-il expliqué ce qui s'était exactement passé?

— Je ne lui ai posé aucune question et il ne m'a donné quelques éclaircissements que ce matin, un quart d'heure avant l'arrivée à Londres, où nous avons atterri à 11 h 10 exactement comme prévu par l'horaire : ces V. C. 10 sont d'excellents appareils et la *British Overseas Airways Company* une remarquable organisation de transports en commun!

— Je m'en f...! La seule chose qui m'intéresse, c'est de savoir ce que vous a dit votre voisin!

— Il m'a expliqué, avec cette sécheresse étoffée d'humour dont les membres du *Foreign Office* semblent être les derniers détenteurs, que les deux lascars débarqués de force à New Delhi n'étaient pas aussi « débiles mentaux » que nous l'avait annoncé la suave déclaration faite par le commandant de bord aux passagers. Ces deux hommes portaient des passeports indiquant une nationalité « polonaise » : ce qui ne m'a ni ému ni contrarié car ils n'étaient certainement pas plus polonais que je n'étais anglais! Celui qui avait intimé au pilote, sous la menace du revolver, l'ordre de changer de route voulait qu'il virât de bord pour se poser sur l'aérodrome chinois de Tcheng Tou... En me faisant part de cette affirmation, mon aimable voisin me demanda, toujours dans son français douteux mais tellement sympathique pour mes vieilles oreilles françaises, et ceci en souriant :

» — Auriez-vous, révérend Terence Spiers, une idée personnelle sur les raisons profondes d'un tel ordre?

« A vrai dire, je ne vois pas! répondis-je avant d'ajouter : Qu'aurait-on bien pu faire de simples touristes tels que nous à Tcheng Tou? A moins que le gouvernement de ce cher Mao Tsé-toung n'ait éprouvé le désir de s'approprier momentanément des personnalités aussi précieuses que la vôtre et celles de vos distingués confrères qui nous ont fait faux bond à New Delhi?

» En entendant cette réponse, mon voisin eut un autre sourire et redevint muet pendant un instant avant de me dire à nouveau :

» — Dans quelques minutes nous serons à Heathrow Airport que vous n'aurez pas à quitter.

» — Autrement dit, je ne verrai pas Londres? Quel regret! Moi qui comptais me rendre chez mon tailleur pour lui demander de me faire une veste de ministre du culte plus ample que celle-ci... Pourquoi nous aussi, les clergymen, n'aurions-nous pas nos élégances?

» — Je ne crois pas, révérend Terence Spiers, que vous ayez à l'avenir besoin d'un autre uniforme de ce genre : celui-ci vous suffira largement jusqu'à votre arrivée à Paris qui aura lieu dans moins de deux heures... En effet, dès que cet avion aura atterri, des instructions ont été données pour que nous puissions, vous et moi, passer par la 1re classe afin d'utiliser la passerelle de débarquement de l'avant. Une voiture nous attendra au bas de cette passerelle pour nous conduire à l'extrémité sud de l'aéroport où un autre avion, plus modeste, vous espère déjà, prêt à s'envoler pour Villacoublay. Naturellement, je resterai dans la voiture jusqu'à ce que cet avion ait décollé. Ensuite je rejoindrai Londres où l'on m'attend...

» — Au Foreign Office?

» — Pas exactement, mais cela n'offre aucun intérêt pour vous! La seule chose importante, c'est que mes « confrères » et moi nous ayons rempli jusqu'au bout la mission qui nous était confiée : protéger votre retour jusqu'à Londres.

» — Je vous remercie et, s'il m'arrivait un jour de

revoir ce cher major Benjafield, je ne manquerais pas de lui dire combien votre aide a été efficace.

» Notre conversation se termina sur ces mots de politesse. Par la suite, tout se passa comme me l'avait annoncé mon voisin. Et cela dans le silence le plus complet : sans doute mon « protecteur » n'avait-il plus rien d'intéressant à me dire. Quand je me retrouvai dans le petit avion, qui avait commencé à rouler sur la piste dès que la porte de la carlingue s'était refermée, je pus constater que j'étais l'unique passager d'une cabine contenant cependant six places. Et j'aperçus, à l'avant, dans le poste de pilotage, les dos du pilote et du copilote constituant tout l'équipage. La dernière vision que j'eus de l'aérodrome londonien fut celle de la voiture, toujours immobile, du « diplomate »... La traversée du Chanel ne se différencia en rien de toutes les autres traversées de ce genre et, cinquante-cinq minutes plus tard, comme l'avait pronostiqué le major Benjafield, nous avons atterri à Villacoublay... Vous tenez vraiment à ce que je vous raconte la suite?

— Il le faut!

— Une autre voiture, une Citroën ID exactement, m'y attendait. Un personnage assez énigmatique, mais au demeurant très aimable, me pria d'y monter en me demandant si j'avais fait bon voyage. Quelques secondes plus tard, nous roulions vers Paris : j'étais assis à l'arrière, à côté de ce nouveau « protecteur », le chauffeur se trouvant seul à l'avant. L'allure fut très rapide, facilitée par la présence, à cinquante mètres devant notre voiture, de deux « motards » qui nous ouvraient le passage à coups de sirène et de sifflets. Pour la première fois de ma vie, je me fis l'impression d'être l'un de ces grands personnages qui viennent de très loin et que la

France sait accueillir, depuis quelques années, comme aucun autre pays ne semble avoir envie de le faire.

» — Où allons-nous ? demandai-je à mon voisin.

» — Vous verrez bien, me répondit-il.

» Je fus presque tenté de croire qu'en tel équipage on m'emmenait directement à l'Élysée, mais très vite je réalisai que nous prenions plutôt une direction de banlieue... A Marnes-la-Coquette, cette charmante petite ville, la voiture pénétra en trombe dans un parc au centre duquel se trouvait une maison d'apparence moins « accueillante » que celle d'une dame Tsi Han à Kowloon, mais certainement plus cossue. Quand la voiture stoppa devant le perron, je pus constater que les motards anges gardiens n'avaient pas pénétré dans le parc dont le gazon des pelouses n'avait rien à envier aux *greens* de la verte Albion. Au moment où nous descendions de voiture, le « protecteur » me dit de sa voix neutre :

» — Vous n'avez pas plus d'une heure pour prendre un bain, vous changer et avaler une collation que nous avons fait préparer, pour gagner du temps, dans la chambre qui vous a été réservée.

» Après m'avoir fait traverser un vestibule et gravir les marches d'un escalier en pierre de taille qui ne manquait pas d'allure, il me précéda dans le couloir du premier étage jusqu'à une porte qu'il ouvrit en ajoutant :

» — C'est là... Dès que vous serez prêt, appuyez sur ce bouton, placé à droite de la porte, pour que je vienne vous rechercher... Voici enfin une lettre fermée que l'on m'a ordonné de vous remettre en mains propres.

» Mon premier soin fut de décacheter l'enveloppe pour prendre connaissance du mystérieux message. Il était tapé à la machine et non signé... Je l'ai encore sur moi : vous serait-il agréable de le lire ou plutôt de le relire puisque vous savez aussi bien que moi que le brillant auteur de cette prose n'est autre que vous ?

« La vieille chouette » esquissa un sourire en prenant la feuille dactylographiée que lui tendait Serge Martin avant de la déchirer avec soin en petits morceaux et de dire :

— Encore quelque chose vous ayant appartenu qu'il faut détruire !

— Peu importe puisque ce texte impérissable restera longtemps encore gravé dans ma mémoire : « *Cher ami, vous trouverez sur le lit de cette chambre trois vêtements d'apparence identique mais de tailles différentes comme cela se pratique dans l'armée : « la grande taille », « la moyenne taille » et « la petite taille ». Choisissez celle qui conviendra le mieux pour vous donner l'apparence du parfait colonial endurci qui s'est habillé « à l'européenne », comme cela s'est pratiqué pendant un demi-siècle à Saïgon, ville où vous êtes effectivement né et que vous connaissez mieux que quiconque. Dès que cette métamorphose sera effectuée, vous aurez l'extrême amabilité de remettre vos défroques de clergyman à celui qui vous a accompagné de Villacoublay jusqu'à cette demeure. Une fois de plus pardonnez-moi pour cette succession de transformations à la Fregoli que nous vous imposons. Mais j'ai tout lieu de penser que celle-ci sera la dernière, du moins pour quelque temps...* » Je veux bien vous pardonner les transformations, mais j'aimerais quand même savoir pourquoi vous m'avez laissé un tel choix vestimentaire ? Vous ne vous souveniez donc pas que j'étais loin d'être un nabot et que seule celle que vous appelez « la grande taille » avait quelque chance de me convenir ?

— Ne m'en veuillez pas trop, mon bon Serge, mais tant d'années se sont écoulées depuis notre dernière entrevue que je ne savais plus très bien si, l'âge aidant, vous ne vous étiez pas sérieusement tassé.

— Sachez que je ne me voûte que pour les besoins d'un personnage tel qu'un vieux mandarin chinois, mais jamais pour mon plaisir!

— Et pourquoi vous plaindre? A en juger par le résultat que je contemple en ce moment, il me semble que vous avez utilisé un peu de chaque vêtement?

— C'est, ma foi, exact... Pour que la nouvelle silhouette imposée fût réussie, il m'a paru nécessaire de choisir le pantalon en nankin de la « grande taille », la veste en alpaga de « la moyenne » et le panama de « la petite »... Je n'ai jamais eu une grosse tête! L'ensemble ne fait-il pas plus « vieux colonial », précisément parce qu'il est disparate et mal ajusté?

— J'ai toujours pensé que vous aviez une sorte de génie du costume! Quant aux lunettes bleutées, reconnaissez que je n'ai pas eu une trop mauvaise idée?

— Aussi l'ai-je acceptée... Il est cependant un détail qui manque pour que « le vieux colonial » soit parfait : une paire de moustaches poivre et sel dont les poils seraient légèrement brûlés par l'abus du tabac.

— J'y ai pensé et j'ai même failli déposer sur le lit tout un lot de fausses moustaches... Mais je crains que ça ne se remarque trop! Elles sont longues à pousser, vos vraies moustaches?

— Pas trop.

— Alors n'hésitez pas : laissez-les croître à partir d'aujourd'hui. D'ici à quelques semaines, elles seront superbes! Une fois ce changement accompli, vous vous êtes restauré, je pense?

— J'avais commencé par là, mais je me dois de vous signaler que le repas froid était des plus médiocres.

— C'est l'ex-cuisinier chinois de la cantine populaire de Shanghaï qui parle?

— Ce serait plutôt l'incorrigible gourmet qui m'habite...

— Ensuite qu'avez-vous fait?

— J'ai appuyé sur le petit bouton et mon ange gardien a reparu pour m'annoncer que la Citroën m'attendait devant le perron.

— Il vous a dit où elle allait vous conduire?

— A proximité d'une station de taxis où je monterais seul dans l'un de ces véhicules en lui donnant une adresse dans le XVe arrondissement de Paris : la vôtre. Ce que j'ai fait.

— Trente minutes plus tard vous étiez sur mon palier devant ma porte. Et celle-ci s'est ouverte sans que vous ayez eu besoin de sonner.

— Ce fut là un autre miracle!

— Embusqué derrière la fenêtre de ce bureau, je vous ai vu descendre du taxi. Et je puis vous avouer qu'à cette seconde, mon cœur a tressailli... Je me suis dit : « Le voici enfin, « mon » Serge Martin! Il pourra dire, celui-là, qu'il revient de loin! »

— D'un autre monde, je pense.

— Maintenant que la narration de votre voyage est terminée, entrons, vous et moi, dans le vif du sujet...

Après avoir pris, sur son bureau, trois photographies, il en présenta une au « colonial » en demandant :

— Reconnaissez-vous cette aimable personne?

Serge Martin eut un léger tressaillement d'aise avant de répondre :

— Comment ne la reconnaîtrais-je pas?... Toujours aussi séduisante, cette chère Ngô Thi Maï Khanh! Ma plus tendre ennemie... Que vient-elle faire dans votre repaire?

— Vous séduire une fois de plus, bon ami!

— Croyez-vous sincèrement qu'elle m'ait jamais séduit?

— Pas autant que ce pauvre Burtin qui l'a payé cher, mais enfin, elle vous a toujours... intéressé?

— Disons qu'elle m'a intrigué.

— Quand l'avez-vous vue pour la dernière fois?

— Il y a un peu plus d'une année dans une rue de Pékin... Comme je l'ai déjà raconté à Klein, elle était vêtue d'un vulgaire bleu de chauffe... Sous le bleu de chauffe tout le monde se ressemble là-bas... Il est très malaisé de différencier les gens et surtout de leur donner tout de suite un nom si on les a connus avant, habillé autrement... Mais il n'y a qu'une seule « Fleur de sérénité » sur terre : je la reconnaîtrais au bout du monde!

— Pourquoi « Fleur de sérénité »?

— J'oubliais que, malgré ses immenses connaissances linguistiques, notre chère « vieille chouette » n'est pas tellement familiarisée avec la pratique des innombrables subtilités des langues asiatiques! Dans ces quatre syllabes du nom Ngô Thi Maï Khanh nous trouvons un peu de tout : *Ngô* indique la lignée naturelle de la famille paternelle qui est, sans aucun doute possible, d'essence chinoise... *Thi,* ce n'est que l'affirmation du sexe : il n'existe pas de *Thi* mâle... *Maï* vient de la lignée maternelle qui se dissimule sous « l'abricot tendre »... Et *Khanh,* c'est la sérénité... Voilà la raison pour laquelle je ne déteste pas surnommer cette exquise créature : « Fleur de sérénité ».

— Toujours poète, ce Martin!

— Comment ne le serais-je pas après avoir vécu aussi

longtemps dans un pays dont l'un des empereurs disparus disait :

La rivière de ce soir est lisse
Les fleurs du printemps s'épanouissent.
Le courant emporte la lune
La marée ramène les étoiles...

» Oui, mon colonel, il faut être poète pour comprendre l'âme de celle dont vous me présentez la photographie... Je me souviens d'ailleurs de vous avoir informé alors par un message que je venais de l'apercevoir dans une rue de Pékin. Ensuite je vous ai adressé au moins trois autres messages pour vous dire que j'avais complètement perdu sa trace.

— C'était normal puisqu'elle était ici.

— Vraiment ? Voici une nouvelle qui m'intéresse...

— Je le prévoyais. Sachez aussi que sa présence en Europe est la deuxième raison essentielle — la première ayant été de vous arracher rapidement au sort que vous préparait le gouvernement de Pékin — pour laquelle nous avons pris la décision de vous faire revenir.

— Nous y sommes enfin ! J'en avais un peu le pressentiment... Je l'ai même confié à Klein au cours de l'entretien que nous avons eu à Macao. Je me disais : du moment que mon plus grand adversaire, Ngô Thi Maï Khanh, n'est plus dans les parages, cela m'étonnerait bien qu'un jour ou l'autre on ne m'expédie pas ailleurs sur ses traces !

— A l'inverse de vous, nous n'avons jamais perdu sa trace.

— J'en suis persuadé. Mais, si c'est là un reproche, je me permettrai de rappeler à mon Grand Patron, qui m'a fait l'honneur de m'offrir aujourd'hui même le champagne chez lui, que ma mission principale, là-bas, n'a jamais été de surveiller les agissements d'une Ngô Thi Maï Khanh! Je n'aurais pas demandé mieux, ayant quelques comptes à régler avec elle, mais « on » m'a toujours ordonné de limiter ma surveillance à de simples indications des lieux où je pourrais éventuellement apercevoir sa gracieuse silhouette. Ce que j'ai fait jusqu'à la dernière rencontre à Pékin.

— C'est moi qui ai voulu que vous n'en fassiez pas plus. J'estimais que le moment de ce règlement de comptes, que vous espérez depuis si longtemps, se produirait plus tard et presque sûrement en d'autres lieux... Ce moment est venu.

— Vous m'en voyez ravi. Dites-moi vite dans quel coin d'Europe mon ennemie opère pour que je puisse m'y rendre!

— Vous n'aurez pas à aller bien loin : elle est ici, à Paris, où elle tient boutique depuis près d'une année.

— Pas possible? Boutique?

— Disons : un genre de commerce agréable...

— Voyez-vous ça! Celle qui croyait être protégée par Bouddha, puisqu'elle prétendait être « sa fille chérie », serait-elle à la recherche de « protecteurs » parisiens plus terre à terre?

— Elle est protégée, mais pas tout à fait de la façon dont vous l'imaginez en ce moment... D'abord elle est protégée par nous.

Serge Martin le regarda, ahuri, avant de répéter :

— Par « nous »... Vous voulez dire par « nos » Services?

— Elle leur appartient, étant fichée dans nos effectifs depuis deux années déjà.

— Qu'est-ce que vous me racontez là?

— La stricte vérité. Vous vous souvenez qu'après l'assassinat de votre adjoint Burtin à Lao-Kaï, il y a déjà douze années — et alors que vous n'aviez qu'une idée en tête : venger notre ami — je vous ai formellement interdit de bouger dans ce domaine? Exprès, je vous ai confié d'autres missions qui vous ont éloigné du Nord-Vietnam et de la Chine où je ne vous ai réexpédié qu'il y a vingt mois. Pendant ce temps, nous avons réussi, non seulement à contacter votre belle ennemie, mais même à l'embrigader dans notre réseau.

— Si ce n'était pas vous qui parliez, je n'en croirais pas un mot! Comment avez-vous pu faire pour la décider à changer de camp?

— Je n'ai fait que suivre la méthode que vous-même n'avez cessé d'employer à son égard au Sud-Vietnam quand vous avez réalisé qu'elle pouvait être dangereuse... C'est vous qui avez découvert son seul point faible : sa croyance indéracinable dans la puissance de Bouddha et dans le destin qu'il réserve à ses fidèles adeptes. Les services secrets chinois se sont servis également de cette foi aveugle pour l'obliger à travailler contre vous et Burtin, et donc contre nous, pendant tout le temps où elle est restée au Vietnam. Ensuite, se sachant repérée et traquée par vous, elle s'est réfugiée en Chine où on lui a trouvé un emploi déguisé dans la fameuse troupe de l'Opéra de Pékin. Là, elle a eu tout le loisir de se consacrer à son culte du passé tout en se camouflant sous des masques de théâtre. Mais, assez vite, elle a commencé à déchanter. Elle s'est rendu compte que, pour les dirigeants de la République populaire, les vieux drames chers aux Empereurs déchus étaient aussi périmés et aussi inutiles, pour les progrès du communisme intégral, que la puissance surnaturelle d'un Bouddha qui n'avait fait, pendant des siècles, que prôner la non-violence et l'amour du prochain... Le jour où nos envoyés là-bas — qui, eux, avaient pour unique mission de nous trouver sur place de nouveaux agents de race jaune — ont compris que la déception de la belle Ngô Thi Maï Khanh était sur le point de se transformer en haine du régime rouge qui l'avait aussi odieusement trompée, ils sont entrés en contact avec elle et ils lui ont tenu un langage dont vous-même, avec toute votre admirable rouerie, auriez pu être l'auteur :

« *Chère et noble Maï, le bouddhisme — qui est la seule et authentique force spirituelle de la Grande Chine — ne pourra surmonter l'épreuve d'oubli que le communisme lui impose dans votre pays depuis quelques années, que si les « vrais » alliés du noble peuple chinois l'aident à reprendre la place à laquelle il a droit. Car tous les Occidentaux éclairés, et sincères amis de la Chine tels que nous, ont la conviction absolue que la seule façon d'empêcher la violence de s'installer définitivement sur votre sol est de restaurer sans tarder la haute et pacifique autorité de Bouddha.* »

— J'avoue, murmura Serge Martin, que ce fut là un admirable et subtil raisonnement à l'égard d'une telle créature!

— Il l'a tellement séduit, mon cher, qu'elle a fini par se laisser convaincre. Et, insensiblement, elle a commencé à « travailler » pour nous...

— De quelle façon?

— En donnant à nos agents des renseignements qui, d'ailleurs, dans l'ensemble n'ont fait que confirmer ceux qui nous parvenaient par d'autres voies d'hommes tels que vous.

— Toujours la méthode du double contrôle?

— C'est la bonne... Seulement il s'est passé, pour Ngô Thi Maï Khanh, ce qui s'est produit pour vous : un jour, les gens de Pékin, qui ont du flair, ont commencé à la suspecter... Et nous avons été contraints de prendre, comme pour vous, des dispositions pour la faire quitter le plus rapidement possible le territoire de la Chine. Ce ne fut pas facile, mais enfin nous y sommes parvenus, il y a de cela un peu plus d'une année. Mais, contrairement à vous, nous l'avons fait passer par le nord grâce à la complicité de nos amis russes qui l'ont « protégée » — comme les Anglais l'ont fait pour vous — jusqu'à Berlin-Est. Là, nos services l'ont prise en charge : enjamber le mur de Berlin, quand on est d'accord des deux côtés, n'est rien en comparaison du franchissement de la muraille de Chine!

— Je m'en doute. Et que fait-elle exactement à Paris?

— Je vous l'ai dit : elle exploite un commerce... l'un des seuls dans lesquels elle pouvait continuer à exercer une certaine activité tout en ne se faisant pas trop remarquer. Elle dirige un restaurant spécialisé dans la cuisine chinoise et vietnamienne... Établissement réputé, qui existait d'ailleurs avant son arrivée et qui était dirigé par un certain Ki Ho, charmant vieillard né à Hué, qui s'est décidé à prendre une associée venant de sa région. Il est d'ailleurs resté à ses côtés pour assurer la bonne marche de l'exploitation à titre de « conseiller » : autrement dit, il n'est plus que le premier employé d'une belle et souriante patronne. Le cadre du restaurant est tout ce qu'il y a de plus « asiatique », tel que les Occidentaux s'imaginent l'Asie quand ils n'y ont jamais mis les pieds!

— Comment s'appelle ce lieu paradisiaque?

— *La Lampe de Jade*...

— C'est évocateur au possible!

— N'est-ce pas?

Puis, présentant à son interlocuteur l'une des deux autres photographies, qu'il avait conservées dans sa main jusqu'à cet instant, il demanda :

— Et cette femme-là, vous la reconnaissez?

Serge Martin hésita un moment avant de répondre flegmatique :

— Elle pourrait ressembler à une Ngô Thi Maï Khanh qui se serait sérieusement empâtée... Mais, si elle est moins racée, elle paraît être plus femme... Cette photographie date de quand?

— De quelques jours seulement.

— Et celle-ci?

Il désignait la première qui lui avait été montrée.

— Elle a un peu plus d'un an et a été faite très discrètement, et à l'insu de celle qu'elle représente, par l'un de mes hommes au cours d'une réunion culturelle des Grandes Dames du Parti à Pékin.

— Ce fut donc à peu près à l'époque où j'ai aperçu la même Ngô Thi Maï Khanh, vêtue d'un bleu de chauffe, dans une rue de Pékin?

— A peu près...

— Je la préfère sur la photo où elle porte une robe noire.

— Peut-être était-ce alors son costume d'apparat?

— Assez lugubre, l'apparat... Mais enfin cette teinte de deuil lui sied bien. C'est une femme qui attire la mort...

Son regard perçant allait d'une photographie à l'autre avec une curiosité accrue. Finalement, il rendit les deux clichés à son chef en disant dans un sourire :

— Cette transformation est quand même prodigieuse! C'est celle d'une artiste exceptionnelle...

— ... qui aurait pu être votre élève?

— Il y a des élèves qui surclassent rapidement leurs maîtres... Si Ngô Thi Maï Khanh avait été mon élève, je serais certainement très fier d'elle aujourd'hui! Mais cela n'a pas été le cas... Disons qu'elle s'est admirablement débrouillée toute seule grâce à l'instinct de dissimulation propre à sa race. Je me demande quand même comment elle a pu faire pour engraisser ainsi en l'espace d'une année?

— Elle a dû s'adonner aux délices de la cuisine française et capitaliste!

— Sans doute réserve-t-elle les bols de riz aux clients snobs de sa *Lampe de Jade*?

Il y eut un nouveau silence. Puis « la vieille chouette » demanda, en regardant son visiteur en face :

— Puisque vous êtes parvenu à l'identifier avec une telle rapidité sur les deux photos, pensez-vous qu'elle-même vous reconnaîtrait aussi vite si elle se trouvait brusquement devant vous dans un proche avenir?

— Sincèrement, je ne le pense pas... La dernière fois où elle m'a vraiment repéré, ce fut à Lao-Kaï, il y a déjà une douzaine d'années, quand elle venait de faire assassiner Burtin. Je me souviens même très bien des dernières paroles que nous échangeâmes en vietnamien, elle et moi, ce jour-là... Comme je lui avais demandé si elle accepterait de m'aider un jour, c'est-à-dire de passer dans notre camp, elle déclara :

» — Je ne vous donnerai ma réponse que le jour où je vous rencontrerai en Chine...

» Ce à quoi je répondis :

» — Ce jour viendra! J'ignore sous quelle apparence

vous m'y retrouverez... Peut-être serai-je un petit fonctionnaire ou un humble paysan? Mais j'y serai bientôt, je vous le promets.

» Pour obéir à vos ordres, j'ai dû alors m'éloigner de la Chine où vous ne m'avez envoyé que beaucoup plus tard... A plusieurs reprises, jusqu'à la dernière rencontre à Pékin que je vous ai signalée, j'ai entrevu ma belle adversaire, mais je puis vous garantir qu'elle ne m'a jamais repéré! Il y a donc de sérieuses chances pour qu'elle ne me reconnaisse pas, du moins au premier contact, si nous nous retrouvions face à face... Mais le camouflage sera certainement très délicat pour moi parce qu'elle est d'une ruse diabolique et que, comme toutes les femmes d'Asie, elle possède un instinct développé à l'extrême qui lui fait subodorer les êtres et les choses avant même que tout ne se dévoile.

— Nous tenterons quand même l'expérience... Ah! Un détail qui, pour vous, peut avoir son importance... Vous devez bien vous douter qu'ici, à Paris, votre ennemie ne se nomme pas Ngô Thi Maï Khanh... Mes services lui ont trouvé, comme à vous, une nouvelle identité qui est mentionnée sur sa carte d'étrangère résidant en France. Elle s'appelle « Madame Phu »... C'est simple, n'est-ce pas? et commode pour l'élégante clientèle qui fréquente la *Lampe de Jade*... Le Tout-Paris commence à très bien connaître et à admirer la plantureuse Mme Phu... Car elle est encore très appétissante, croyez-moi! Et j'ai ouï dire que nombreux sont ses admirateurs parmi les habitués du restaurant... Une Mme Phu à laquelle il est difficile de donner un âge et qui a beaucoup de charme.

— La « défunte » Ngô Thi Maï Khanh n'en manquait pas!

— Le charme est l'un des rares atouts qui reste à une femme à travers les années... Et « notre » amie sait s'en servir en virtuose!

— Le contraire me surprendrait de sa part!

— Apprenez aussi, pour votre gouverne, qu'en plein accord avec elle d'ailleurs, nous lui avons octroyé, pour faciliter sa nouvelle identité, un lieu et une date de naissance... Elle est née, comme son associé le vieux Ki Ho, à Hué. Date : le 21 mars 1931, ce qui lui donne aujourd'hui trente-huit ans : un âge raisonnable pour une femme puisqu'il lui permet à la fois de ne pas parler de « quarantaine » et de se justifier d'une certaine expérience...

— Et quel est, selon vous, son âge véritable?

— Mon cher, vous me posez là l'une de ces questions qui restent toujours sans réponse... Allez donc demander à une femme, qu'elle soit d'Asie ou d'Occident, quel est son âge exact! D'abord cela ne se fait pas... Ensuite, qu'est-ce que cela pourrait nous apporter de plus sur son compte? Contentons-nous de l'âge qu'elle veut bien admettre.

— Pourquoi avoir choisi Hué?

— Parce que ce fut, pendant des siècles, la capitale choisie par les Empereurs d'Annam et que Mme Phu, comme vous pourrez vous en rendre compte vous-même, a tout d'une Impératrice! Si la dureté des temps modernes, ou les vicissitudes de la vie, l'ont condamnée à ne plus régner aujourd'hui que dans un restaurant, on pourrait très bien l'imaginer, en d'autres temps, se prélassant au bord de la Rivière des Parfums...

— Et pourquoi l'avoir fait naître un 21 mars?

— Parce que c'est le premier jour du printemps et

qu'il y a, dans le regard velouté de cette créature, un peu de tous les printemps du monde...

— Je n'aurais jamais cru que notre « vieille chouette » pût être également « poétesse »!

— A ses heures, cher Serge Martin, et plus particulièrement la nuit, quand elle est seule ici, observant tout de son perchoir.

— Je vois... Aurai-je maintenant le droit de contempler la troisième photo que vous ne m'avez pas encore montrée?

— Je l'ai réservée pour la bonne bouche... Car la bouche est exquise, comme vous pouvez le remarquer.

Et, lui ayant donné la photographie :

— N'est-ce pas votre avis?

— Je constate que plus un homme avance en âge et plus il s'y connaît dans certains domaines privilégiés... Cette jeune créature paraît être, en effet, charmante.

— La réponse va sans doute vous surprendre. Cette beauté en fleur se prénomme Siao : elle est la fille de Mme Phu, ex-Ngô Thi Maï Khanh.

— C'est là une chose impossible! L'ancienne taxi-girl du *Grand Monde* de Cholon n'a jamais eu de fille!

— Qu'est-ce que vous en savez?

— Rien, évidemment! Mais pendant tout le temps où j'ai connu Ngô Thi Maï Khanh au Vietnam, je ne l'ai jamais vue avec une enfant et je pense qu'à cette époque, où elle était la maîtresse de Burtin, elle m'aurait dit si elle avait une fille. Plus tard, chaque fois que je l'ai entrevue en Chine, elle était toujours seule.

— Peut-être ne l'avez-vous rencontrée que dans des circonstances où l'on ne se promène pas avec une enfant? Regardez bien la photo : quel âge, selon vous, a cette mignonne Siao?

— Avec les femmes d'Asie, comme vous venez de le remarquer vous-même, c'est très difficile de déterminer un âge : elles poussent trop vite et sont très précoces. J'ai connu de petites Chinoises de treize ans qui étaient déjà de vraies femmes.

— Apprenez que Siao a quinze ans... Et je ne crois pas que sa mère nous ait menti sur ce point.

— Déjà quinze ans ? C'est à peu près l'âge que révèle la photo... Mais alors il faudrait en déduire que cette enfant est née quand Ngô Thi Maï Khanh se trouvait encore dans le Sud-Vietnam ?

— Poussez un peu plus loin vos déductions. Vous êtes sur la bonne voie...

Une expression d'intense surprise, presque de stupeur, se lut sur le visage de Serge Martin.

— Voyons... dit-il, comme s'il faisait un calcul pour lui-même. Quinze ans... C'est l'époque où Ngô Thi Maï Khanh a rencontré Burtin que vous veniez de m'envoyer de France...

— Vous brûlez, ami !

— Vous n'allez pas me dire ?

— Si ! Siao est la fille de Pierre Burtin.

— Quelle preuve en avez-vous ?

— Sa mère elle-même me l'a avoué après que nous eûmes fait quelques recoupements qui ne nous laissaient guère de doutes.

— Et où vous a-t-elle fait cet aveu ?

— Ici même, dans ce cabinet, à la place que vous occupez en ce moment, il y a un an lorsqu'elle nous est arrivée de Chine, via Berlin-Est.

— Parce que vous la recevez ici ?

— Cela m'est arrivé et m'arrivera peut-être encore :

n'appartient-elle pas maintenant, comme vous, à notre organisation ?

— Tout cela est fantastique !

— Dites plutôt que tout est normal si l'on s'applique à rechercher la genèse des événements qui se sont succédé depuis que Burtin, encouragé par vous qui ne faisiez qu'obéir à mes ordres d'alors, est devenu l'amant de la belle Ngô Thi Maï Khanh... Elle s'est trouvée enceinte au moment où, d'un commun accord vous et moi, nous avons jugé préférable de mettre fin à cette liaison qui ne pouvait plus nous être utile pour obtenir des renseignements du camp adverse... Nous avons fait rentrer d'urgence Burtin en France et son amante a disparu. Ce n'est que trois années plus tard, quand Burtin — ayant cessé d'appartenir à nos services — est retourné de son plein gré au Vietnam, que vous-même et lui avez retrouvé son ancienne maîtresse à Lao-Kaï... Retrouvailles qui furent brèves et qui se terminèrent tragiquement par l'assassinat de Burtin au cours d'une représentation d'une tournée de l'Opéra de Pékin... Ce n'est évidemment pas Ngô Thi Maï Khanh elle-même, devenue l'une des grandes vedettes de cette illustre troupe, qui l'a tué mais c'est cependant elle qui a payé les assassins... A ce moment-là, mon cher, l'enfant, qu'elle avait mise secrètement au monde pendant sa longue disparition, avait déjà deux ans et demi et avait été placée par elle en nourrice à Hanoï.

— Je suis certain que Burtin n'a jamais su qu'il avait un enfant !

— Moi aussi. Comment aurait-il pu l'apprendre puisque celle qu'il avait dû abandonner brusquement ne lui a jamais révélé son état ? C'est bête, mon vieux, mais je me sens un peu coupable dans toute cette affaire...

— Si seulement nous avions su!

— Mais voilà : nous ne savions pas! La femme délaissée a voulu garder pour elle seule son secret... Et, même en admettant que « nous ayons su », qu'est-ce que cela aurait changé? Les ordres étaient impératifs : ou nous devions liquider ce pauvre Burtin, qui s'était complètement laissé envoûter par cette femme, ou il fallait le faire rapatrier d'urgence. Nous avons opté pour la seconde solution parce que c'était un merveilleux garçon pour lequel vous et moi nous avions une immense estime... Avons-nous tellement mal agi?

— Je ne sais plus! Ce qui est assez étrange, c'est qu'une fois rentré en France, où il vous a remis sa démission, Burtin n'a plus eu qu'une idée : repartir pour le Vietnam afin d'y retrouver cette femme qu'il considérait comme étant sa vraie, son unique épouse... C'est à se demander s'il n'a pas été amené à cette décision folle, qui a causé sa perte, par une sorte d'instinct secret plus fort que les attaches familiales qu'il avait en France, plus fort que les ordres auxquels il devait obéir, plus fort que tout? Instinct qui a dû lui faire deviner qu'il y avait, l'appelant là-bas, une raison impérieuse et secrète que lui-même était bien incapable de préciser...

Après avoir contemplé une fois encore, longuement, la photographie qu'il avait toujours en main, il ajouta sans détacher ses yeux de l'image :

— Si cette jolie fille a le type asiatique, elle n'a pas que lui... Vous avez raison : c'est une eurasienne. Elle ne ressemble pas à sa mère — que celle-ci soit la belle Ngô Thi Maï Khanh ou une Mme Phu épanouie... Mais elle ne ressemble pas non plus à Burtin! Êtes-vous bien certain qu'elle soit sa fille et que Maï, qui ment comme elle respire, n'ait pas inventé cette histoire pour vous attendrir ?

— Certainement pas ! Écoutez plutôt : pendant que Ngô Thi Maï Khanh continuait à « opérer » en Chine même pour le compte des services de renseignement de Pékin, l'enfant, comme je vous l'ai dit, était élevée par une nourrice à Hanoï... Sa mère venait l'y voir de temps en temps et repartait après de très courts séjours en territoire vietnamien. Ce fut pendant l'un de ces déplacements qu'un de nos agents, qui est encore actuellement à Hanoï où il reste en permanence, a réussi à la repérer. Après l'avoir prise en filature, il a découvert la véritable raison de ces voyages ultra-rapides qui paraissaient, pour le moins, assez inexplicables. Et il nous a informés de l'existence de la fillette. Nous avons aussitôt pensé que nous tenions enfin un moyen d'avoir un jour barre sur l'une de nos plus féroces ennemies... L'amour maternel est un moteur puissant qui peut complètement modifier le comportement d'une femme si l'on sait s'en servir en le jetant dans la balance au moment opportun... C'est pourquoi je vous ai alors intimé l'ordre de ne pas vous mêler de trop près des agissements de celle que vous haïssiez à mort et que vous détestez toujours, même si elle appartient aujourd'hui à nos services... Vous commencez à comprendre ?

— Vous êtes un patron terrifiant !

— Je suis un vrai « Patron », c'est tout... Vous savez que, depuis que la France n'est plus en guerre avec lui, nous avons rétabli des relations assez cordiales avec le gouvernement de Hanoï. Ce qui nous permettait, si nous l'avions voulu, d'obtenir de celui-ci que l'enfant fût enlevée de chez sa nourrice et placée sous notre protection directe, soit au Nord-Vietnam même, soit plutôt dans un autre pays et peut-être même ici, en France... Pendant quelques années, et bien que cette façon de procéder nous répugnât, nous avons sérieusement pensé à agir ainsi... Entre-temps l'enfant grandit : de fillette, elle devint une petite jeune fille chez qui la très jeune femme apparaîtrait vite selon cette inexorable loi du développement précoce des femmes asiatiques dont vous venez de parler... Mais nous hésitions toujours... Ce sont les événements intérieurs de Chine, et peut-être Bouddha lui-même, qui nous ont aidés, il y a de cela deux années... Comme je vous l'ai déjà laissé entendre, nos agents opérant à Pékin — et que vous ne connaissez pas — ont réalisé qu'il y avait du nouveau dans la vie tourmentée d'une Ngô Thi Maï Khanh...

» Nouveau qui se traduisait progressivement par ce revirement et ce dégoût qui s'étaient emparés d'elle à l'égard des dirigeants de la Chine populaire. Ce n'est pas à vous, Serge Martin, que j'ai à rappeler que Ngô Thi Maï Khanh est convaincue d'être l'une des « filles de Bouddha » sur terre, cela parce que, à la demande de sa mère et après la mort de celle-ci, des amis la conduisirent — alors qu'elle n'était qu'une enfant — dans une pagode où on la consacra à Bouddha. Elle en devint ainsi la fille. Depuis, Ngô Thi Maï Khanh n'a plus cessé de croire à cette étrange filiation...

» Même si ça peut paraître surprenant — et je ne pense pas que vous, Serge Martin, me démentirez, la connaissant comme vous la connaissez — cette femme est, dans son genre, une « pure », aussi exaltée que la jeunesse « fabriquée » de la Garde Rouge. C'est pourquoi, selon qu'elle est pour ou contre une idée, elle peut être la plus précieuse des auxiliaires ou la plus démoniaque des ennemies!

Actuellement elle travaille pour nous, mais cela risque de ne pas durer...

— Qu'est-ce qui vous fait dire ça?

— Des faits assez troublants et malheureusement très précis me font penser que, depuis ces derniers mois, elle est en train d'évoluer une nouvelle fois et qu'elle serait même déjà prête à nous trahir...

— Aurait-elle perdu sa foi inébranlable en Bouddha?

— Non, mais elle aime aussi avec fougue son pays. Elle est ce phénomène, qui se fait de plus en plus rare dans le monde occidental mais qui continue à proliférer en Asie, et qui se nomme « le patriote ». Pour elle, aujourd'hui, la Chine passe avant tout!

— Même avant Bouddha?

— Elle rêve de la Chine maîtresse du monde sous l'égide de Bouddha.

— J'ai toujours pensé qu'elle n'était pas tout à fait normale!

— Elle est chinoise, Martin! Mais ne la prenez surtout pas pour une hystérique ou pour une girouette qui change sans cesse d'opinion... Non! C'est une créature mystique, très émotive et très sensible, qui a pu réaliser — depuis une année qu'elle vit ici, au cœur de l'Occident et loin de son pays — que le Bouddhisme n'a pas un grand poids, ni une réelle audience dans notre monde. Ce qui la désespère, car elle voudrait que son rayonnement fût universel! Pour elle ce serait là l'une des clefs de la paix et de la félicité du monde! Mais elle est également dans l'état d'âme de tous ceux qui sont condamnés à vivre loin de leur pays : elle le chérit beaucoup plus à distance qu'à l'époque où elle y résidait! L'éloignement embellit toujours les gens et les paysages... Elle se sent envahie par ce spleen qui fait qu'un pays natal grandit à travers les distances. Elle est persuadée aussi que la seule authentique plate-forme de l'univers d'où puisse s'élancer l'idée du Bouddhisme dans le monde, c'est son pays, la Chine... Ce pays contre lequel, à dater du jour où elle s'est laissé convaincre par nos agents, elle vient de travailler depuis deux années. Et elle est torturée par ces pensées contradictoires! Je crois vous l'avoir exactement décrite telle qu'elle est actuellement : foncièrement bouddhiste et farouchement patriote.

— Au fond, elle n'a pas tellement changé depuis que je l'ai connue... Je crois, d'ailleurs, qu'elle ne pourra jamais changer!

— Nous devons donc l'accepter et l'utiliser telle qu'elle est. C'est la raison pour laquelle, après mûre réflexion croyez-moi, j'ai pris la décision de la placer sous la coupe d'un homme tel que vous qui revient de son pays — dont il connaît aussi bien la langue que les coutumes — et qui n'ignore rien de sa religion. Vous êtes le seul être au monde, Serge Martin, qui soit capable de l'empêcher de nous nuire à nouveau. Mais le temps presse. Tout à l'heure, quand je vous disais que je la croyais prête à nous trahir, j'étais modeste! Vous pouvez considérer qu'elle a déjà commencé à le faire...

— Comment cela?

En ne nous livrant, depuis cinq mois, que des renseignements tout à fait secondaires et pas ceux dont nous avons actuellement un besoin urgent. Dites-vous bien qu'elle est, à mon avis, la seule filière par laquelle nous puissions atteindre les têtes qui financent l'organisation de ces « Gardes Rouges » occidentales que la Chine veut créer dans chaque pays pour imposer, aussi bien par l'esprit que par la force, le communisme universel. Voilà, mon bon ami.

Il y eut un silence, un très long silence pendant lequel Serge Martin parut réfléchir intensément. Puis il dit sur un ton volontairement anodin, comme quelqu'un qui chercherait à changer de sujet de conversation :

— Si nous revenions à sa fille, la charmante Siao? Elle est toujours là-bas, à Hanoï?

— Elle est ici, auprès de sa mère avec qui elle vit depuis que cette dernière est arrivée à Paris. Je puis même vous préciser que Siao avait précédé de six mois la venue de sa mère. Oui, Siao a rejoint directement la France, il y a dix-huit mois déjà, pour une raison qui découle tout naturellement de ce que je viens de nous expliquer. Assez vite, les services de renseignement chinois, qui employaient Ngô Thi Maï Khanh, se rendirent compte — après que cette dernière se fut ralliée à nous — que leur belle agente n'était plus tellement dévorée par cette flamme communiste que Mao exige de tous ses subalternes. Et ils ne furent pas longs, avec leur subtilité tout asiatique, à flairer quelque chose... Ce fut le moment que nous choisîmes pour faire savoir à Ngô Thi Maï Khanh que nous étions, depuis longtemps, au courant de l'existence de sa fille vivant à Hanoï. Et, en exécution de mes ordres, les agents qui étaient en liaison permanente avec elle lui suggérèrent de prendre quelques précautions pour le cas où le gouvernement de Pékin tenterait d'exercer des représailles. En effet, en faisant transférer Siao du Vietnam en Chine, ils pouvaient obliger sa mère à rester fidèle à la grande ligne du Parti, agissant en cela exactement comme nous avions pensé le faire pour amener Ngô Thi Maï Khanh à compréhension. N'oublions pas que les relations amicales entre les gouvernements de Pékin et d'Hanoï sont encore beaucoup plus étroites que celles existant maintenant entre la France et les dirigeants du Nord-Vietnam!

» Ngô Thi Maï Khanh prit peur. C'était exactement ce que nous recherchions. Finalement, elle acquiesça à l'offre, faite par nos agents, de mettre son enfant à l'abri des risques d'enlèvement toujours possibles en territoire nord-vietnamien. Il fut décidé que Siao partirait discrètement pour la France où sa mère serait peut-être contrainte de la rejoindre à son tour si les choses continuaient à se gâter pour elle en Chine. L'embarquement de Siao à Haiphong put être réalisé grâce à la complicité d'amis égyptiens sur un navire arborant leur pavillon. Un mois plus tard, Siao débarquait à Marseille où elle fut prise en charge par l'un de nos agents. Celui-ci la conduisit directement au domicile du vieux Ki Ho, qui était encore à cette époque le seul propriétaire-directeur du restaurant *La Lampe de Jade*. Cette adresse avait été indiquée par Ngô Thi Maï Khanh elle-même. Elle avait dit à nos agents de Pékin très bien connaître cet honorable vieillard parti de Hué une trentaine d'années plus tôt pour tenter de faire fortune en France où il a très bien réussi. Ngô Thi Maï Khanh avait même précisé à ceux qui avaient la charge de « l'opération Siao » que le vieux Ki Ho se conduirait en père très attentif pour sa fille bien-aimée.

» En réalité, il s'est conduit en excellent grand-père car je n'ai pas encore eu le temps de vous révéler ceci : nous sommes arrivés — sans que la principale intéressée nous l'ait avoué — à la quasi-certitude que ce vieux sacripant de Ki Ho — c'en est un, et de la pire espèce! — est en réalité le père authentique de Ngô Thi Maï Khanh...

— Quoi ? Ngô Thi Maï Khanh nous a toujours raconté,

aussi bien à Burtin qu'à moi, que son père était mort peu de temps après sa naissance et que c'était l'une des raisons pour lesquelles sa mère — comme vous venez de le rappeler — malade et se sentant perdue elle aussi, avait demandé à des amis que sa fille chérie fût consacrée à Bouddha ?

— Qu'elle ait été consacrée à Bouddha dans une pagode de Hué, c'est aussi certain que la mort de sa mère. Mais que son père fût décédé, c'est une tout autre histoire ! Son père avait tout simplement abandonné épouse et enfant pour filer en France. Il ne s'y portait pas trop mal et il s'y porte encore très bien comme vous pourrez en juger vous-même le jour où vous vous trouverez en présence de cette curieuse famille ! En résumé, Serge Martin, nous avons actuellement le bonheur — ou le malheur — de compter à Paris, réunis dans la fructueuse exploitation de la *Lampe de Jade,* trois membres de la même famille : *le père,* qui doit avoir dans les soixante-dix ans; *la fille,* que nos services ont baptisée « Madame Phu » et qui n'a jamais révélé à personne ses liens de parenté avec ce bonhomme; *la petite-fille* enfin qui fait les beaux soirs du restaurant où elle s'exhibe dans des danses lascives, vietnamiennes ou cambodgiennes, du plus heureux effet... Et tout ce joli monde habite ensemble dans un luxueux appartement — que « le vieux » a déjà acheté depuis longtemps — et qui se trouve avenue Kléber. Comme vous allez bientôt avoir affaire à toute la famille, j'ai jugé préférable de vous « affranchir » complètement.

— Mme Phu cache-t-elle le fait qu'elle est la mère de la danseuse Siao ?

— Nullement ! La seule précision qu'elle s'est bien gardée de révéler à qui que ce soit, à l'exception de moi, c'est que Siao est le fruit de ses amours avec Burtin. Par contre, elle est très fière de sa progéniture qu'elle espère, sans doute, voir faire un jour un riche mariage.... La photo de la jeune fille, que vous avez toujours en main, vous prouve déjà que la mignonne Siao possède de sérieux atouts naturels pour aspirer à une telle réussite.

Après avoir regardé une fois de plus la photographie, Serge Martin conclut :

— Elle est jolie, certes, mais cela m'étonnerait beaucoup qu'elle atteigne jamais à la beauté qu'avait sa mère lorsque nous la découvrîmes, Burtin et moi, dans le bataillon des *taxi-girls* chinoises de l'ex-*Grand Monde* de Cholon !

— Je veux bien vous croire parce que je sais que vous avez un goût très sûr pour tout ce qui est véritablement beau... Mais, maintenant que je vous ai expliqué comment la France avait hérité de cette famille exceptionnelle et que je vous ai brossé un tableau d'ensemble sur l'activité parisienne de chacun de ses membres, je vous dois un aveu : tout ce joli monde, sur lequel j'avais cependant fondé les plus grands espoirs, ne me donne pas entière satisfaction...

— Voyez-vous ça ! Aurait-on réussi à duper un homme tel que vous ?

— Je le crains ! Je vous demande d'avoir l'obligeance de jeter un regard plus qu'attentif sur ce rapport. Il m'a été transmis, voici déjà quelques semaines, au moment où nous avons décidé de vous faire revenir ici, par un officier de police très compétent qui fait partie de la Criminelle où il a été affecté à la Brigade des Stupéfiants... Tandis que vous lirez, je vais préparer un café qui nous fera le plus grand bien à tous les deux. Vous l'aimez fort, je suppose ?

— Oui, et sans sucre.

Pendant que son hôte s'affairait dans sa modeste cuisine, Serge Martin lut et relut le document qui venait de lui être remis. Celui-ci ne comptait pas moins de dix pages dactylographiées dont la première portait, en haut de la marge, la notation suivante, soulignée : ULTRA-SECRET.

« La vieille chouette », qui avait déposé sur un guéridon un plateau soutenant les tasses de café, le laissa terminer tranquillement sa lecture avant de dire :

— Vous commencez à réaliser, je pense, l'intérêt capital qu'il y aurait à arracher à la pseudo-Madame Phu, et sans doute aussi à son bonhomme de père, certains secrets qu'elle s'est bien gardée de nous révéler alors qu'elle y est normalement tenue puisqu'elle appartient depuis deux années à nos services ?

— Je ne me suis pas insurgé tout à l'heure quand vous m'avez annoncé, dans un semblant de sourire triomphant, que vous aviez réussi l'exploit de vous « attacher » une pareille collaboratrice parce que j'étais curieux de savoir où vous vouliez en venir... A présent, grâce aux quelques confidences que vous venez de me faire et surtout grâce à l'apport inestimable de ce document précieux entre tous, je commence à voir un peu plus clair... Et je vais prendre l'extrême liberté de vous dire que je ne suis qu'à moitié étonné de ce qui se passe aujourd'hui et qui était prévisible... Connaissant, comme je la connais et comme je l'ai vue opérer à l'époque où elle était ouvertement notre ennemie, une Ngô Thi Maï Khanh, il faut être fou — excusez-moi, mon colonel, de la crudité de ce mot — ou illuminé pour croire qu'une telle créature puisse s'être complètement ralliée à la cause occidentale ! Comme vous l'avez très bien souligné tout à l'heure, elle est trop fonciérement « patriote » et aime trop son pays, la Chine, pour le trahir tout à fait... De plus il y a en elle une duplicité permanente — comme elle existe d'ailleurs chez la majorité de ceux de sa race — qui, autrefois, faisait aussi bien mes délices que mes craintes. Tout en l'admirant pour l'extraordinaire maîtrise qu'elle a sur ses propres sentiments, je n'ai jamais eu confiance en elle et les événements se sont chargés de démontrer, quand elle a fait assassiner Burtin, que j'avais, hélas, raison de me méfier! Elle a toujours vécu dans le mensonge qu'elle enrobe, avec un art extrême, sous les apparences les plus flatteuses : elle s'y vautre même avec délectation! Comment avez-vous pu faire confiance à une femme qui ignore le scrupule, qui n'hésite pas à pratiquer le crime s'il peut lui être utile et qui ne craint rien pour elle, pas même la mort?

— C'est justement parce qu'elle est ainsi et que nous le savons depuis longtemps, que nous avons pensé qu'elle pourrait faire pour nous aussi un excellent agent... Connaissez-vous beaucoup de nos confrères ou consœurs qui disent la vérité?

— Ils la déguisent... C'est là une loi du métier, mais ils ne travaillent pas tous sur deux tableaux : d'abord parce que c'est très dangereux pour eux-mêmes, ensuite parce qu'ils n'en sont peut-être pas capables.

— Et à vous, Serge Martin, ça ne vous est jamais arrivé d'opérer ainsi?

L'interpellé se contenta de sourire en guise de réponse.

— Vous voyez bien que j'ai eu raison de nous attacher une Ngô Thi Maï Khanh puisqu'elle vous vaut! Quand on connaît ses troupes, on ne les utilise qu'en fonction de leurs possibilités.

— Même si elles vous trahissent?

— Du moment que je le sais, comme c'est le cas maintenant pour cette femme, ça peut me servir... Ça va même nous servir à condition que je trouve l'antidote capable d'annihiler les effets du poison.

— Du venin, pourriez-vous dire, quand vous parlez de Ngô Thi Maï Khanh!

— Cet antidote, je l'ai trouvé : ce sera vous.

— Ça, je l'ai très bien compris... Aurais-je, cette fois, enfin le droit de la supprimer si j'acquérais la conviction que c'est le seul moyen de l'empêcher de nuire ?

— Je vous donnerai certainement ce droit, Serge Martin, mais pas tout de suite : il faut d'abord lui faire cracher tout ce venin qu'elle a en elle et qui risque de tuer encore des milliers de gens, des jeunes surtout, entraînés presque malgré eux dans une cause redoutable.

— Autrement dit, maintenant que nous sommes fixés sur son compte, nous continuons à essayer de l'utiliser à notre profit tout en sachant qu'elle est un agent double ?

— Exactement.

— N'avez-vous pas l'impression que lorsqu'elle s'est enfuie de Chine grâce à votre aide, elle ne l'a fait qu'après en avoir informé secrètement le gouvernement de Pékin qui lui a donné son accord en toute connaissance de cause ?

— C'est très possible. Étant donné la façon dont elle agit depuis quelques mois, c'est même presque certain.

— Je sais au moins où vous m'envoyez! Si nous faisions un petit résumé de la situation ?

— Il me paraît indispensable pour vous permettre d'entrer dans la danse...

— ... qui risque d'être une grande valse! Donc de ce document, que je vous rends, il ressort :

» Premièrement, que la Chine finance pour une part importante — aussi bien en France que dans les autres pays occidentaux, ainsi qu'au Moyen-Orient et dans tous les nouveaux États africains, aux États-Unis, au Mexique, dans toute l'Amérique centrale — les émeutes et les sursauts révolutionnaires qui s'y produisent régulièrement, et ceci avec une périodicité voulue depuis ces dernières années. Ce qui confirme la teneur de tous les rapports que je n'ai cessé de vous envoyer de là-bas pour attirer votre attention sur la gravité de la politique mondiale que préparait le gouvernement de Pékin et qui commence à passer aujourd'hui au plan de l'exécution.

» Deuxièmement, que pour assurer ce financement gigantesque, la Chine a décidé d'utiliser les énormes bénéfices que lui laisse, dans chacun des pays visés, la vente de la drogue sous toutes les formes. Il s'agit particulièrement de l'opium et de ses dérivés dont elle a pris une sorte de contrôle mondial depuis qu'elle a conclu un accord avec la Bulgarie, qui est un beaucoup plus grand producteur de pavot blanc que la Chine. Ces bénéfices sont laissés intentionnellement dans chaque pays où ils ont été réalisés, pour y être dépensés à titre de « fonds de propagande ».

» Troisièmement, que la distribution de ces fonds aux émeutiers professionnels — dont la mission est de former et d'encadrer des milliers de jeunes — se fait, dans chaque pays visé, par l'intermédiaire d'officines diverses qui ne sont pas des banques mais le plus souvent des entreprises commerciales dont l'activité apparente semble être des plus paisibles.

» Quatrièmement, qu'un émeutier professionnel a touché, notamment à Paris pendant les événements de mai 1968, jusqu'à cinq cents francs de « paie » par nuit de révolte; qu'un adjoint ou « lieutenant » encaissait, également par nuit, vingt-cinq francs et qu'un simple

« volontaire » avait au moins quinze francs auxquels s'ajoutaient des « indemnités de boisson et ravitaillement ». Le choix des armes courantes — chaînes de bicyclette, boulons d'acier, pavés descellés de la rue — était généralement laissé à l'initiative des combattants. Par contre, les armes plus perfectionnées et donc plus dangereuses — telles que cocktails « Molotov », couteaux à cran d'arrêt, matraques et même armes à feu — étaient souvent fournies par l'organisation.

» Cinquièmement, que ces « paies », ces armes et parfois les consignes générales destinées à coordonner les efforts révolutionnaires, étaient effectuées le plus souvent dans des restaurants dits « chinois » ou « vietnamiens ». Parmi ceux-ci on peut classer, au premier rang, la *Lampe de Jade* dirigée depuis une année par une certaine Madame Phu, dont le passeport indique une nationalité vietnamienne et dont le principal assistant est un dénommé Ki Ho, ancien propriétaire dudit restaurant. Ceci ne veut pas dire — et le rapport de police le souligne expressément — qu'il n'y ait pas à Paris, et ailleurs, de nombreux établissements du même genre dirigés par d'honnêtes Asiatiques qui se contentent d'exercer strictement leur métier de restaurateurs sans se lancer dans une action politique et qui sont très reconnaissants envers la France du droit d'asile qu'elle a bien voulu leur accorder.

» Sixièmement, qu'en dépit des innombrables renseignements confirmant son activité occulte d'agent de propagande dépendant directement du gouvernement chinois, il n'a jamais été possible de prendre Mme Phu en flagrant délit de distribution de fonds ou d'armes aux émeutiers. Et aucun de ceux qui ont été appréhendés et questionnés n'a jamais « donné » son nom, ni celui de son restaurant. Ce qui prouve qu'elle agit avec une remarquable habileté. Mais il est à peu près certain — bien que la brigade spécialisée des stupéfiants de la Criminelle n'ait pas encore réussi à en avoir la preuve formelle — que cette Mme Phu est, non seulement en rapports constants avec les services d'espionnage chinois, mais aussi avec les trafiquants de drogue qui alimentent régulièrement la caisse de l'organisation révolutionnaire.

» Voilà, mon cher Patron! Je pense avoir réalisé ainsi la synthèse du problème qui vous préoccupe actuellement et pour lequel vous n'avez pas hésité à me faire revenir à Paris. Ai-je laissé de côté un point important?

— Non. Et vous comprenez mieux pourquoi, l'affaire s'étant déplacée du domaine strictement criminel pour atteindre un plan de politique internationale, on a fait appel à nos services... C'est à nous maintenant de savoir ce qu'une Mme Phu, et ses collaborateurs, cachent si bien. Il va falloir agir vite et presque sûrement frapper fort. Il n'y avait qu'un homme capable de mener ce combat : vous! Et nos services ne sont pas seuls de cet avis : nos amis russes, anglais et américains partagent la même opinion sur votre compte. C'est pourquoi ils ont tout mis en œuvre pour favoriser votre rapatriement. C'est là, je crois, le plus grand compliment que l'on puisse vous faire. Dites-vous bien que, si nous décapitons la tête de la gigantesque organisation ennemie de propagande mortelle, le monde occidental pourra dormir tranquille encore pour un bon bout de temps!

— Et qui vous dit que cette « tête » se trouve à Paris?

— Le cerveau, le vrai, est à Pékin : nous le savons tous. Mais le principal rouage est sans doute ici... Estimez-vous, puisque vous avez appris à la juger mieux que quiconque, qu'une Ngô Thi Maï Khanh puisse être ce rouage essentiel?

Après un nouveau temps de réflexion, Serge Martin répondit, très calme :

— C'est très possible. Elle en a l'envergure.

— Dans ce cas, je vous l'abandonne.

— Carte blanche ?

— Carte blanche... Mais attention ! N'oubliez jamais qu'elle ignore absolument que nous la soupçonnons de jouer un double jeu. Actuellement encore, elle est persuadée — et nous avons fait le nécessaire pour ancrer cette conviction dans son esprit — que nous la considérons toujours comme l'un des plus efficaces de « nos agents ». Je le lui ai encore dit, il n'y a pas plus d'une semaine, lorsqu'elle est venue me rendre visite pour m'apporter quelques « renseignements » qui n'offraient, d'ailleurs, pas grand intérêt.

— Elle vous connaît donc très bien ?

— Très bien ! C'est pourquoi je ne veux pas paraître dans « le travail » assez spécial que vous allez effectuer... Il ne le faut pas ! Ce serait la pire des erreurs... Je dois rester pour la belle Mme Phu le grand patron auquel elle rend des comptes, même s'ils sont faux ! A ses yeux, il faut que je continue à passer pour « le confident » qu'elle viendra immanquablement trouver si son flair, qui est grand, lui faisait brusquement découvrir que nous la soupçonnons de nous trahir et si elle s'apercevait que nos filets se resserrent sur sa double activité... Rusée et femme comme elle sait l'être, elle ne manquera pas alors de se plaindre à moi, de s'indigner même que l'on puisse mettre en doute sa sincérité et sa probité à notre égard ! Ce jour-là, vous pourrez compter sur moi : je la rassurerai... C'est la raison pour laquelle je ne puis, en aucun cas, paraître à vos côtés dans cette affaire. Je dois même vous ignorer et, s'il le faut, vous renier...

— Ce ne sera pas la première fois que vous agirez ainsi à mon égard!

— C'est là, hélas, l'une des plus tristes obligations de ma profession : laisser mes meilleurs agents faire cavalier seul... Bien entendu, vous et moi nous resterons en liaison permanente, mais très discrète. C'est pourquoi je vous ai trouvé un logement d'où vous pourrez m'appeler par téléphone à certaines heures sans que personne ne puisse se douter de votre véritable identité, ni du nouveau rôle que vous allez jouer... Parce que je sais que vous n'avez pas de domicile à Paris.

— Comment en aurais-je un depuis des années que j'ai quitté la France ? Et à quoi diable m'aurait-il servi ?

— J'ai longuement réfléchi à cet autre problème qui a, pour nous deux, une grande importance... Toutes les solutions s'offraient à nous mais aucune ne me donnait entière satisfaction... Vous loger à l'hôtel? C'est trop dangereux, les hôtels : on y croise beaucoup de monde et les fiches de police y sont surveillées quotidiennement. Il ne faut, à aucun prix, que votre nom, même fabriqué, figure sur ces listes imbéciles de « meublés et garnis » qui courent de commissariat en commissariat ou qui traînent dans les services de contrôle routinier de la Préfecture. Donc pas d'hôtel! Pas de meublé non plus, ni de garçonnière louée à la sauvette...

— Ce qui m'interdit toutes fredaines ?

— Si vous en faites, débrouillez-vous pour que personne ne s'en aperçoive! Et puis enfin, ce n'est plus de votre âge, Serge Martin!

— Qu'est-ce que vous en savez?

— A ce propos... Et ne m'en veuillez pas de me mêler de choses assez intimes qui ne me regardent nullement, mais j'aimerais assez — si ce n'était pas trop vous demander ? — que vous évitiez autant que possible, tant que vous n'aurez pas abouti dans la nouvelle tâche que je vous confie, d'avoir ces fréquentations masculines juvéniles que certains rapports, ultra-secrets, nous ont signalées à votre sujet lorsque vous viviez en Extrême-Orient et plus spécialement à Saïgon...

— M'aurait-on étiqueté, sur vos fichiers, dans la catégorie bien déterminée des homosexuels ?

— On vous y a étiqueté, mon cher, dans la catégorie de ceux dont il est impossible de déterminer les véritables aspirations sexuelles... Est-il pour les hommes ? Aime-t-il les femmes ? Vous voyez qu'il y a une nuance... Vous ne m'en voulez pas trop d'être aussi franc ?

— Au contraire ! Cela m'enchante... La franchise de la part d'un grand chef de « nos » services est tellement rare qu'elle mérite d'être encouragée... Et puis je trouve assez flatteur pour moi d'avoir réussi, après tant d'années de luttes secrètes et de vagabondages organisés par vos soins, à laisser planer un certain « mystère physique » sur ma personne ! C'est la preuve irréfutable que j'étais vraiment fait pour exercer le métier que j'ai choisi... Donc pas de meublé, pas de garçonnière pouvant favoriser le scandale... Pourquoi pas alors un vulgaire appartement aussi banal que le vôtre, dans un immeuble essentiellement « bourgeois » ?

— C'est là, en effet, la meilleure solution : celle à laquelle j'ai fini par me rallier après avoir éliminé également le pavillon de banlieue trop éloigné, à mon gré, du centre principal de votre prochaine activité, la villa des environs de Paris et même certains de ces immeubles-casernes qui sont réservés à des fonctionnaires ou membres de la police, et dans lesquels vous pourriez au moins avoir la certitude d'être entouré d'une protection relative...

Non, il ne faut rien de tout cela! Il ne reste donc que la chambre confortable, dotée d'une bonne salle de bains et de placards, sous-louée dans un appartement bourgeois déjà habité.

— Qu'est-ce que vous me racontez là?

— Je vous décris le cadre discret dans lequel vous allez vivre — ou tout au moins dormir — pendant quelque temps et qui vaudra tout autant pour vous qu'un dortoir communautaire à Shangaï ou une cellule dans un couvent de Macao! Et vous aurez, comme tout sous-locataire de qualité, une clef personnelle qui vous permettra d'entrer et de sortir de cet appartement à n'importe quelle heure du jour ou de la nuit sans déranger les habitants.

— Qui cela, les habitants?

— C'est certainement la plus grande surprise de notre long entretien. « Les habitants » — locataires de cet appartement, situé dans l'une des rues les plus paisibles du vieux VIIe arrondissement, la rue Vaneau exactement — se résument à une seule personne : une femme...

— Avec laquelle vous voulez que je cohabite?

— Avec laquelle vous habiterez : là aussi, il y a une nuance.

— Après tout, connaissant les mille et un tours que vous cachez dans votre sac à malices, peut-être n'espérez-vous, en agissant ainsi, qu'à me voir reprendre goût aux femmes?

— Mon bon Serge, vous devenez insultant! D'autant plus que je ne me fais plus aucune illusion à votre égard dans ce domaine.

— Et vous avez raison! A mon âge, on ne se convertit plus! Donc je serai sous-locataire dans un appartement où habite une femme... De quel âge, cette personne?

— Un âge tout ce qu'il y a de plus canonique et qui me

paraît s'harmoniser avec le vôtre... De plus, c'est une veuve... Vous avez donc, pour le personnage de vieux colonial que vous incarnez, une certaine chance... Une veuve qui n'a jamais été en Asie, ni en Extrême-Orient, mais qui est hantée périodiquement, chaque année, par le Vietnam, qu'il soit du Nord ou du Sud... Il faut dire que ce pays lui a fait beaucoup de mal à distance en lui prenant, alors qu'elle était déjà veuve depuis longtemps, son fils unique. Celui-ci dort, depuis douze ans déjà, de son dernier sommeil dans un cimetière de Hanoï... Un fils magnifique que nous avons bien connu, vous et moi... Oui, mon vieux, ne me regardez pas avec ces yeux effarés! C'est décidé : vous allez habiter rue Vaneau chez Mme veuve Burtin, la mère de Pierre.

— J'ose espérer que c'est là votre dernière invention de la journée?

— Oui. Mais pour peu que vous y réfléchissiez, vous vous apercevrez que ce n'est pas la plus mauvaise : aucun choix de domicile ne pouvait être plus judicieux pour vous! D'ailleurs Mme Burtin mère est une femme charmante qui se réjouit déjà de vous accueillir. Je lui ai annoncé l'arrivée de son sous-locataire pour cet après-midi. En sortant d'ici, vous n'aurez qu'à vous rendre directement chez elle pour y laisser vos bagages.

— Mes bagages?

— Retournez-vous : vous n'avez donc pas remarqué, depuis le temps que vous êtes dans cette pièce, ces deux grosses valises recouvertes d'étiquettes colorées de la Compagnie des Chargeurs Réunis? Elles prouvent que vous venez de débarquer à Marseille de l'un des rares paquebots mixtes assurant encore la liaison entre la vieille Métropole et l'Extrême-Orient. Voyez plutôt : toutes les escales, que vous êtes censé avoir connues au cours de votre voyage de retour, sont indiquées par de chatoyantes étiquettes : Singapour, Colombo, Saint-Pierre de la Réunion, Diégo-Suarez, Le Cap, Pointe-Noire, Dakar, Casablanca... Car vous avez pris tout votre temps pour faire le grand tour de l'Afrique en vieux colonial endurci qui veut « en voir » le plus possible... Vous êtes resté trente-sept jours en mer! Ce n'est pas merveilleux, ça? Vous pouvez également constater que ces valises sont marquées de vos nouvelles initiales : *P. R...* Patrice Rumeau, l'homme né à Saïgon en 1900... Vous ne pouviez arriver chez Mme Burtin sans bagages! Cela n'aurait pas fait sérieux.

— Sans doute lui avez-vous également dit que j'ai été là-bas le chef de son fils et que celui-ci a rendu le dernier soupir dans mes bras?

— Je ne lui ai rien dit de tout cela, préférant vous laisser le soin de le faire vous-même si vous estimez un jour que c'est nécessaire... Mais je crois que, pour le moment, vous feriez mieux de vous taire sur un sujet aussi épineux pour vous que douloureux pour une mère... Non! J'ai simplement expliqué à la vieille maman de Pierre que vous répondiez exactement au type idéal de sous-locataire qu'elle recherchait pour lui permettre de continuer à vivre dans cet appartement, où elle habite depuis quarante-cinq ans, et dont le loyer a considérablement augmenté ces derniers temps. C'est très lourd un appartement pareil pour une femme seule! La seule solution était de trouver un sous-locataire... Maintes fois, quand j'ai été lui rendre visite pour parler avec elle de son cher disparu, Mme Burtin m'a fait part de ses soucis matériels. Certes, elle vit de la pension que nous lui faisons sur nos « fonds secrets » et que nous lui devons bien depuis la mort de son fils qui était son seul soutien, mais cela ne va pas tellement loin!

Aussi ai-je fini par lancer l'idée du sous-locataire... Au début la pauvre femme ne voulait pas en entendre parler! Vous vous rendez compte; un inconnu, un étranger, qui logerait dans l'ancienne chambre de son fils bien-aimé... Chambre qu'elle a transformée en véritable petit musée du souvenir où chaque gravure, chaque meuble a appartenu à « son » Pierre! Chambre dont elle a toujours laissé les volets fermés depuis le départ de celui-ci pour ce Vietnam d'où il n'est pas revenu, et où elle a été la seule à pénétrer, la seule à avoir le droit d'y caresser avec amour les objets et parfois aussi de les épousseter... Car il n'a jamais été question qu'une femme de ménage entrât dans ce Saint des Saints! C'eût été, dans le cœur de la maman solitaire, un véritable sacrilège!

» Doucement, très doucement, je suis revenu à la charge, et finalement l'idée a été acceptée. Mais il ne fallait pas n'importe quel locataire! Pas de femme surtout! Elle déteste les femmes depuis qu'elle sait que c'est l'une d'elles, « une horrible créature jaune », qui est responsable de la mort de son fils. Elle ne veut qu'un locataire homme, qui ne soit pas trop jeune — pour qu'il n'amène pas de femmes dans l'appartement — et calme : quelqu'un de posé, ayant aussi des rentes suffisantes pour payer régulièrement chaque mois le montant de la sous-location... Cet homme, je l'ai trouvé : vous! Les femmes ne vous intéressent pas tellement... Quant aux rentes, nous vous les fournissons... Je vous signale que j'ai payé, en votre nom, six mois d'avance : ce qui a complètement tranquillisé Mme Burtin. En ce qui vous concerne personnellement, je lui ai seulement dit que vous étiez un vieil ami à moi, ayant pratiquement toujours vécu à Saïgon où vous aviez une pharmacie.

— Voyez-vous ça! Moi qui déteste les médicaments!

— Aucune importance ! Un pharmacien en retraite, ça fait cossu. Et comme vous avez vendu votre fonds avant de venir vous retirer en France, vous n'aurez plus à en parler... Vous devez bien vous douter, en tout cas, que lorsque je lui ai annoncé que le sous-locataire auquel je pensais pour elle était un monsieur actuellement en route pour revenir du Sud-Vietnam, son visage s'est irradié d'une immense joie ! Sa première phrase fut alors : « Peut-être a-t-il connu mon fils ? » Ce à quoi j'ai répondu : « Saïgon est une grande ville et le Vietnam est vaste, madame... Mais enfin, on ne sait jamais ! »

— Cette réponse était très facile à faire pour vous, mais elle le sera beaucoup moins pour moi si cette femme me pose la même question ! Franchement, je trouve que cette idée de me faire loger chez la propre mère de Burtin, ex-amant de Ngô Thi Maï Khanh, est pour le moins saugrenue !

— Mon bon ami, je la crois au contraire géniale !

— Vous vous figurez que ça va être agréable pour moi de vivre ainsi dans les meubles de Pierre ? Parce que je pense qu'elle va me loger dans sa chambre-musée, à moins qu'elle n'en ait une autre ?

— Vous serez en effet dans la chambre-musée : celle qui reste imprégnée de la présence de notre ami... Ne croyez-vous pas qu'une telle ambiance décuplera votre volonté de mater une Ngô Thi Maï Khanh devenue Mme Phu ?

— Il y a chez vous une sorte de sadisme.

— Il y a surtout, Serge Martin, l'obligation où je suis de vous apporter quelques solides atouts pour amener une redoutable adversaire à la raison... Écoutez-moi encore : Mme Burtin ignore que vous avez connu son fils, mais elle ne sait pas non plus que celle qui fut la terrible maîtresse de ce dernier vit maintenant à Paris... Si elle le savait, je crois qu'elle la tuerait! Car il y a une chose que je ne vous ai pas encore dite : chaque année, quand revient l'anniversaire du jour où j'ai été contraint de rendre visite à Mme Burtin — dans ce même appartement où vous allez habiter — pour lui annoncer la mort de son fils là-bas, Mme Burtin devient comme folle. C'est chez elle une crise qui se produit avec une régularité effrayante! Quinze jours avant la date fatidique, la pauvre maman commence à perdre la raison et à se conduire d'une telle façon que son médecin — avec lequel je suis toujours resté en contact — est contraint de la faire entrer dans une maison de repos spécialisée où l'on veille sur elle jour et nuit, et où on lui administre des calmants. Si on la laissait seule dans son appartement de la rue Vaneau, ressassant son inconsolable chagrin, elle serait capable de se suicider dans la chambre de son fils ou même de tuer n'importe quelle femme qu'elle rencontrerait en l'accusant de lui avoir volé son unique enfant... La crise se prolonge encore pendant une autre quinzaine de jours après la date que vous connaissez aussi bien que moi et qui est un 3 septembre... Puis tout rentre dans l'ordre et la pauvre femme est ramenée dans son appartement où elle reprend sa vie normale comme si rien ne s'était passé... Autrement dit, vous devez considérer, comme nous, que, chaque année, du 15 août au 15 septembre, la maman de Jacques est une démente qu'il faut enfermer. Le médecin et moi, nous avons pris l'habitude, pour éviter de prononcer le mot « folie », d'appeler cette triste période : « Les Grandes Vacances... ». Tout cela est atroce mon vieux, mais c'est vrai! Et il n'y a rien à faire! Les plus grands spécialistes ont examiné la malheureuse pendant ces crises et leur seule conclusion, que vous ou moi aurions pu tirer tout aussi bien, est que l'amour maternel blessé à mort est la plus grande douleur que puisse connaître une femme... Si je vous révèle dès maintenant ces faits, que vous ne manquerez pas de découvrir vous-même en août prochain, c'est pour que vous compreniez combien vous devez faire attention à ce que vous direz à la maman de Pierre. Pour le moment, contentez-vous de lui parler du pays dans lequel a vécu son fils en prenant soin d'en rester aux généralités... Pas trop de précisions surtout!

— Tout ce que vous me dites est, certes, très affligeant, mais je comprends de moins en moins pourquoi vous voulez que j'habite chez cette femme.

— D'abord vous la verrez peu. Vos relations se limiteront aux quelques paroles de pure courtoisie que l'on échange entre locataire et sous-locataire se rencontrant dans un vestibule... Votre chambre — enfin l'ex-chambre de Pierre — est très isolée, au fond d'un couloir, et donne sur une cour intérieure: vous y serez tranquille quand vous aurez besoin de vous reposer, ou plutôt de réfléchir... Parce que le repos et vous, ça fait deux! Je n'ai d'ailleurs pas l'impression que vous serez souvent dans cet appartement, avec le travail très spécial qui vous attend... Il me paraît quand même important que vous restiez en contact, discret mais permanent, avec la veuve Burtin : n'oubliez pas, après ce que je viens de vous révéler, qu'étant la mère de Pierre, elle est automatiquement la grand-mère de la jeune Siao et ceci, sans que ni elle ni sa petite-fille eurasienne ne s'en doutent... Vous et moi sommes les seuls à le savoir : connaissant votre habileté, j'ai l'impression que cette situation de famille assez paradoxale risque de vous servir un jour ou l'autre pour faire pression sur Mme Phu si celle-ci se montrait décidément trop rétive.

— Vous voulez dire que je pourrais éventuellement me

servir de la haine que la mère de Pierre porte à la maîtresse jaune pour obtenir de cette dernière les révélations que nous recherchons sur le financement de la révolution future ? Cela m'étonnerait ! Et je répugne à utiliser un tel procédé.

— Vous, connaître des scrupules quand il s'agit d'avoir « la peau » — parce que cette fois-ci c'est bien le seul mot qui convienne — de celle que vous considérez comme votre pire ennemie ? Permettez-moi de sourire... Vous êtes beaucoup trop froid et trop méthodique dans votre comportement pour avoir la moindre hésitation dans ce domaine ! Et je suis persuadé — que vous l'admettiez aujourd'hui ou non — qu'un moment viendra, beaucoup plus proche que vous ne le croyez, où vous n'hésiterez pas à dresser la mère éplorée contre la maîtresse criminelle pour remporter la victoire finale. Et vous aurez parfaitement raison d'agir ainsi : ce sera de bonne guerre ! C'est pourquoi j'ai tenu, après vous avoir tout dit sur la famille de l'ex-Ngô Thi Maï Khanh, à ce que vous habitiez très près de Mme Burtin.

— Que celle-ci ignore la présence de la Chinoise à Paris et l'existence d'une petite-fille née des amours de son fils avec cette femme, je le crois bien volontiers, mais qu'une Mme Phu ne connaisse pas l'adresse d'une veuve Burtin, cela me surprendrait beaucoup !

— Elle la connaît certainement, mais elle se gardera bien de s'y rendre... Qu'irait-elle y faire ? Se mettre volontairement entre les mains d'une mère rendue folle par le chagrin ? Ce serait stupide de sa part... Mieux vaut pour elle prendre le parti d'ignorer délibérément l'existence, presque végétative, de cette maman dont elle ne s'est jamais souciée et qui, dans son esprit, peut bien mourir de vieillesse là où elle est ! Par contre, si l'inverse se produisait et que Mme Burtin apprît que la maîtresse haïe dirige à Paris un restaurant, ce serait tout autre chose ! C'est la raison pour laquelle je persiste à croire que la vieille maman de Pierre sera la plus puissante, et certainement la plus efficace, de vos armes secrètes face à la « famille » de Mme Phu... A vous de juger et de l'employer à bon escient.

— Je n'ose vous remercier de m'avoir donné un pareil atout !

— De ce que je viens de vous dire découle la raison de la nouvelle transformation psychologique et vestimentaire que je vous ai imposée et que vous sembliez me reprocher au début de notre entretien... Le vieux colonial un peu désabusé que vous êtes devenu produira un effet certain sur une Mme Burtin. Elle attend avec fièvre son arrivée chez elle avec l'espoir de pouvoir parler, de temps en temps, de ce pays qu'elle déteste parce que son fils unique l'a préféré à son pays natal, la France, mais qui l'intrigue aussi depuis les douze années de solitude qu'elle vient de vivre en ne cessant de se poser cette question, angoissante entre toutes pour elle : « L'Asie est-elle vraiment tellement plus passionnante et plus forte que l'Europe pour avoir ainsi attiré mon fils ?... » Ce vieux colonial risque aussi — quand le moment viendra pour vous de prendre directement contact avec elle — d'étonner, de séduire et peut-être même de subjuguer une Mme Phu parce qu'il aime aussi intensément qu'elle la race jaune dont ses propres origines maternelles l'empêchent de se détacher tout à fait... Sincèrement, je crois que maintenant, pour toute la durée de la mission que vous allez remplir, vous n'aurez plus besoin de changer de visage : celui-ci vous convient... Attendez cependant, avant de tenter la redoutable confrontation, que vos moustaches aient poussé.

— J'attendrai cela, et peut-être même autre chose... Vous me faites confiance sur ce point ?

— Entière confiance, grand artiste !

« La vieille chouette » avait décroché le récepteur téléphonique :

— J'appelle un taxi qui va vous transporter, avec vos bagages « exotiques », rue Vaneau... Et je ne veux plus vous voir ici avant que tout soit terminé, c'est-à-dire quand nous aurons gagné définitivement cette nouvelle bataille... Si vous veniez ici, vous risqueriez un jour ou l'autre d'y rencontrer « notre » agent Mme Phu : ce qui flanquerait par terre tout le savant édifice de « surveillance spéciale » que nous venons d'édifier. Et il faudrait, une fois encore, tout recommencer ! Mais vous pouvez me joindre quand même à n'importe quelle heure par le téléphone. Vous savez que je ne bouge pratiquement pas de chez moi : je suis un vieux casanier... Aucun inconvénient non plus à ce que vous m'appeliez de chez Mme Burtin, à condition, bien entendu, que vous limitiez vos messages à ces « banalités » que vous connaissez aussi bien que moi et qui nous permettent de nous comprendre à demi-mot... Votre logeuse trouvera très logique, puisque je lui ai dit que vous étiez un ami de longue date, que vous m'appeliez pour me donner de temps en temps, de chez elle, de vos nouvelles. Je ne manquerai pas, de mon côté, d'en faire autant si le besoin s'en faisait sentir... Je vous signale que, rue Vaneau, le téléphone est dans le vestibule.

Puis, après avoir regardé par la fenêtre :

— Le taxi est là. Je crois sincèrement que nous n'avons plus rien à nous dire pour le moment.

— Vous ne me souhaitez même pas « bonne chance » comme l'ont fait Klein à Macao et le major Benjafield à Kowloon ?

— C'est inutile avec un homme tel que vous : la chance vous habite... A bientôt!

Quand Serge Martin monta dans le taxi avec ses valises, il n'eut aucun regard vers la façade de l'immeuble qu'il venait de quitter. A quoi cela lui aurait-il servi? Il savait très bien que là-haut, de son perchoir du cinquième étage, « la vieille chouette » continuait à l'observer, embusquée derrière un rideau, pour vérifier une dernière fois si la silhouette du vieux colonial était parfaitement réussie. Et il mit son point d'honneur à faire plaisir au « patron ».

La veuve Burtin habitait, elle, au deuxième étage d'un immeuble, construit avant 1914, mais dont l'apparence extérieure était nettement plus attrayante que celle de la maison délabrée où logeait le colonel Sicard. L'ascenseur en était un peu asthmatique mais de bonne noblesse; l'escalier ne sentait pas le moisi. Arrivé sur le palier, le voyageur constata qu'un petit œilleton avait été pratiqué dans la porte de l'appartement. Détail qui lui fit penser que la locataire était une femme sachant s'entourer de quelques précautions... Avant de sonner, il prit le temps de bien « ajuster » son nouveau personnage à l'idée que celle qui l'attendait avait dû se faire de lui... Il ne fallait surtout pas la décevoir, la première impression étant presque toujours déterminante chez une femme qui se fie beaucoup plus à son propre instinct qu'à ce qu'on a pu lui dire pour juger un nouveau venu. Mais cette courte pause venait aussi du fait qu'en dépit de l'impassibilité qu'il s'imposait, Serge Martin se sentait très ému à la pensée de se trouver, pour la première fois de sa vie, en présence de cette maman dont son ami Pierre lui avait si souvent parlé quand ils travaillaient ensemble au Vietnam et dont il lui avait dit en particulier :

« Elle est le type même de la mère abusive, mais je l'adore telle qu'elle est parce que je lui dois tout! Je n'ai pratiquement pas connu mon père, enlevé par une crise cardiaque alors que je n'avais encore que trois ans. Ma mère a eu seule, sans l'aide de personne et sans fortune autre que les primes d'une assurance-vie que mon père avait contractée pour elle, à supporter tout le poids de mon éducation. C'est pourquoi j'ai fini par accepter les conditions financières très avantageuses que m'a offertes « la vieille chouette » si je consentais à m'exiler, pendant quelques années, ici en Extrême-Orient pour travailler dans ce réseau que vous dirigez. Je sais maintenant que, même s'il m'arrivait quelque chose, une rente plus importante permettrait à ma mère de vivre tranquille jusqu'à la fin de ses jours. »

Vivre tranquille? Était-ce vraiment ce qu'avait connu la veuve solitaire depuis la mort de son fils?... Une pauvre femme qui, à soixante-dix ans passés, connaissait périodiquement des crises de démence.

Serge Martin — l'homme sans scrupules pour qui l'aventure était devenue une sorte de catéchisme, celui qui ne redoutait personne et qui ne croyait plus en rien, ayant été mieux placé que quiconque pour juger de la vanité des choses et de la vilenie des hommes — manquait de courage, peut-être pour la première fois de sa vie. Il hésitait à sonner. Il en voulait beaucoup aussi à cette « vieille chouette » qui l'obligeait à faire connaissance avec l'une des seules personnes au monde qu'il n'aurait jamais voulu rencontrer! Comme il l'avait dit à son chef, depuis douze années un terrible remords n'avait cessé de le hanter. Il ne pourrait l'apaiser que par une vengeance éclatante, celle qu'il allait préparer avec soin et à laquelle il n'avait cessé de penser malgré toutes les autres missions qui lui avaient été confiées entre-temps... Car il se reprochait de n'avoir pas su protéger son jeune adjoint au dernier moment — celui de l'assassinat — comme il avait pourtant réussi à le faire pendant les mois difficiles où ils avaient vécu et œuvré ensemble dans le secret du S.R... C'était la Chinoise qui avait eu alors le dernier mot... Le dernier? Non, l'avant-dernier seulement, parce que le dernier, Serge Martin se le réservait.

Mais comment expliquer tout cela à la maman de Pierre? Il ne le pouvait pas, il n'en avait pas le droit. Il devait continuer à se taire en jouant une fois de plus un nouveau personnage créé de toutes pièces pour les nécessités du métier. Jamais elle ne saurait qu'il avait été, là-bas, le chef direct de son fils et que c'était lui qui l'avait jeté, pour suivre les ordres venus d'en haut, dans les bras d'une maîtresse qui l'avait fait ensuite exécuter. L'homme, qui attendait encore sur le palier, se sentait un monstre. Le colonel Sicard aussi était un monstre dans son genre. Ils étaient tous des monstres dans leur profession inavouable. Mais seuls les monstres peuvent abattre d'autres monstres, tels que celle qui avait fait le malheur d'une mère.

Et il sonna.

Pendant quelques secondes, il n'entendit rien de l'autre côté de la porte, mais il se sentait observé et minutieusement détaillé à travers l'œilleton.

Enfin la porte s'entrouvrit, maintenue à l'intérieur par un crochet de sûreté. Un visage encadré de cheveux blancs, un pauvre visage ridé de femme usée, apparut dans l'entrebâillement pendant qu'une voix douce, mais nette, disait :

— Ah! c'est vous, monsieur Rumeau? Je vous attendais...

La porte se referma l'espace d'un instant pendant lequel le crochet de sécurité fut manœuvré, puis elle se rouvrit, toute grande, sur la silhouette frêle et menue d'une femme vêtue de noir tandis que la voix douce reprenait :

— Je vous en prie : entrez, monsieur Rumeau... Le colonel Sicard m'a téléphoné hier soir pour m'annoncer que votre bateau était enfin arrivé à Marseille et que vous seriez ici aujourd'hui. Voulez-vous que je vous aide pour vos bagages ?

— Je vous en prie, madame...

En disant ces mots, il pensa intérieurement : « Comment pourrait-elle faire pour soulever seulement une seule de ces valises ? Elle paraît n'être animée que par un souffle ! »

Le vestibule était clair. Tout l'appartement d'ailleurs l'était. Sans être luxueux, ni d'une qualité rare, le mobilier dénotait ce confort intime que l'on trouve souvent dans les intérieurs bourgeois de France. Il se dégageait surtout de l'ensemble une impression de propreté méticuleuse qui apportait un fabuleux contraste dans la vie de celui qui, la veille, s'était arraché à la crasse misérable de l'autobus de Canton.

— Peut-être aimeriez-vous, monsieur, que je vous conduise tout de suite à votre chambre ?

— Oh ! Rien ne presse, madame ! Le long voyage que je viens de faire m'a habitué à la patience...

— Ce dut être un merveilleux voyage, n'est-ce pas ?

— Très instructif, en effet.

— Comme j'aurais aimé voyager, moi aussi, mais je ne l'ai pas pu ! Et surtout connaître ce pays d'où vous venez ! Mon pauvre fils a eu, lui, cette chance...

— Mon vieil ami de jeunesse, le colonel Sicard qui a

bien voulu servir d'intermédiaire entre nous m'a dit quelques mots, quand je lui ai téléphoné hier soir de Marseille, du terrible drame que vous avez connu.

— Oui, monsieur... Un drame qui a bouleversé ma vie.

— Croyez bien, madame, qu'ayant vécu tant d'années dans ce pays où repose maintenant monsieur votre fils, je compatis plus que personne à votre douleur.

— Merci, monsieur Rumeau.

Et, esquissant aussitôt un faible sourire par volonté de chasser l'attendrissement, la maman continua sur un ton qu'elle s'efforça de rendre plus gai :

— Puisque vous avez le temps, je serais très heureuse de vous accueillir dans mon salon pour vous offrir un modeste rafraîchissement...

— Vraiment, madame, je ne sais...

— Si, si ! Venez... Laissez vos bagages dans ce vestibule.

Elle avait déjà ouvert la porte vitrée donnant sur le salon où elle le précéda en disant :

— J'ai pensé aussi qu'un homme tel que vous, ayant vécu aussi longtemps sous des climats très différents du nôtre, n'aimerait pas le thé ?

— Mais j'adore le thé, chère madame !

— Vous ? Comme c'est étrange ! Moi je le déteste depuis que j'ai su que cette horrible femme, qui est responsable de la mort de mon fils, avait essayé, dès les premiers temps où elle l'a connu, de l'empoisonner lentement avec un dérivé du dicoumarol qui est, paraît-il, soluble dans le thé. Si je n'avais pas fait alors appel à un grand spécialiste des cas d'empoisonnement, mon pauvre Pierre serait mort ici, dans mes bras, à son retour du Vietnam... Aurait-ce mieux valu que de le voir retourner là-bas deux années plus tard pour y être assassiné sur l'ordre de cette même femme qu'il recherchait désespérément ?

— Il l'aimait donc tant que cela ?

— On ne peut pas aimer une pareille créature ! Il n'a été la rejoindre que parce qu'elle l'avait envoûté... Vous qui connaissez ces femmes jaunes, vous devez bien savoir que ce sont des démons ?

— Je crois en effet qu'elles peuvent cacher, sous des sourires candides et derrière des visages extatiques, des âmes dont la noirceur de sentiments atteint des degrés insoupçonnés en Occident.

— J'aime à vous l'entendre dire, monsieur Rumeau ! Enfin quelqu'un qui me comprend ! Même votre ami, le colonel Sicard, ne semble pas me croire quand je lui avoue ce que je pense de ces femmes ! Il me répond chaque fois : « Il ne faut pas généraliser, madame Burtin... Ce n'est pas parce que vous avez été douloureusement atteinte dans votre affection la plus chère qu'il faut accabler toutes les femmes de race jaune ! En Extrême-Orient, comme chez nous, et pas plus qu'ailleurs, il existe des êtres bons et des gens néfastes. » Vous ne trouvez pas très surprenant qu'un homme aussi intelligent et aussi sympathique puisse dire des choses semblables ?

— Il y a bien longtemps que je n'ai vu le colonel Sicard, madame... Mais je ne manquerai pas de lui rendre visite dès que je le pourrai : c'est un ami très sûr.

— Il me l'a prouvé au moment de la mort de Pierre en me proposant de faire rapatrier son corps. Mais j'ai refusé.

— Pourquoi, madame ?

— J'ai estimé que mon fils devait être inhumé dans cette terre d'Asie qui l'avait englouti... Il repose au cimetière français de Hanoï.

— Je connais ce cimetière.

— Vraiment ? Oh, monsieur, ce que vous me dites là me bouleverse... Il y a longtemps que vous vous êtes rendu en ce lieu ?

— Quelques années...

— Seulement ? Mais alors peut-être avez-vous vu la tombe de mon fils avec son nom inscrit sur la dalle : PIERRE BURTIN... Il y a douze ans qu'il y dort... Ça ne vous dit rien ?

— Je ne me souviens pas, madame... Il y a tellement de noms français dans ce cimetière qui est, d'ailleurs, très bien entretenu.

— Le colonel Sicard me l'a dit. Il a même eu la délicatesse de charger l'un de ses amis, qui est resté là-bas, de fleurir la tombe à chaque anniversaire : le 3 septembre...

Elle s'était tue pendant que son visiteur l'observait avec une réelle émotion : l'expression crispée du visage accentuait encore les rides ; les paupières s'étaient baissées comme si la malheureuse endurait une souffrance atroce. Puis, par un nouvel effort de volonté, elle rouvrit les yeux et dit avec vivacité :

— Pardonnez-moi... Tout cela, après tout, ne doit guère vous intéresser ! Détestant, comme je viens de vous le dire, le thé et ayant eu tort de croire que vous ne l'aimiez pas non plus, j'ai pensé au whisky... Mon fils en était grand amateur : la marque que vous voyez là était sa préférée... C'est pourquoi j'ai été en acheter ce matin une bouteille à votre intention. Seulement, je vous demanderai de vous servir vous-même car, n'en buvant pas moi-même, ni aucun alcool, je ne saurais pas verser la quantité qui convient... Pierre me disait toujours que le dosage est très important selon qu'on boit le whisky avec de la glace, de l'eau naturelle ou de l'eau gazeuse...

Oui, il m'apprenait beaucoup de choses! Jc vous en prie, monsieur, n'hésitez pas : sur ce plateau il y a tout ce qu'il faut.

Pendant qu'il se servait, elle reprit :

— Quelle sensation éprouvez-vous à vous retrouver en France après tant d'années passées aussi loin de notre pays?

Il eut une courte hésitation avant de répondre :

— Une sensation de bien-être tempérée cependant par un certain malaise...

— Vraiment?

— Oui, madame. Le bien-être vient de la chaleur de votre accueil. Quant au malaise, il finira bien par se dissiper : il n'existe que lorsque je me souviens brusquement de quelques amis merveilleux que j'ai laissés là-bas...

Son regard était tombé en arrêt sur une photographie encadrée et placée sur une table :

— C'est lui?

— C'est Pierre... C'est la dernière photographie qui a été faite de lui ici quand il était revenu du Vietnam. Elle est très ressemblante.

Le visiteur se retint pour ne pas dire : « En effet. » Car c'était bien son ami, tel qu'il l'avait connu, avec ses yeux d'un bleu très clair qui semblaient toujours avides de regarder la vie.

— Là vous le voyez après la complète guérison de son empoisonnement et surtout après qu'il eut retrouvé la vue car il m'était revenu aveugle de Saïgon...

— Aveugle?

— Il appartenait au Service de Renseignement que dirige ici votre ami le colonel Sicard. Des gens qui devaient lui en vouloir avaient placé une charge de plastic sous la capsule d'une bouteille Perrier. Quand il la débouchа, justement pour boire un whisky, la bouteille lui éclata à la figure. J'ai heureusement trouvé ici une remarquable oculiste, la doctoresse Norther, qui — grâce à un traitement de piqûres — a réussi à lui rendre la vue en quelques mois... Oui, j'ai tellement chéri ce fils unique que je crois que le ciel a voulu me mettre à l'épreuve en l'affligeant successivement de tous les maux, et ceci jusqu'à sa fin tragique! Mais à l'époque où cette photo a été prise, lui et moi nous avions retrouvé la joie : il était fiancé.

— Avec une Française?

— Bien sûr! Vous n'auriez pas voulu qu'il épousât cette Chinoise avec laquelle il avait vécu là-bas! C'est la raison pour laquelle j'ai tout fait pour lui trouver une femme ici... Mais je me suis, hélas, trompée! Il n'a pas été heureux avec cette jeune femme qui semblait pourtant, au départ de leur union, avoir tout pour lui apporter le bonheur et surtout l'apaisement... Après une année de mariage, elle a été enceinte, mais l'enfant, un garçon, est mort au moment de l'accouchement... Pierre ne s'en est jamais consolé et le ménage s'est désuni. Son épouse n'a pas su le garder et, brusquement, il est reparti pour le Vietnam avec le secret espoir d'y retrouver son ancienne maîtresse jaune qui lui avait pourtant déjà fait tant de mal! Il n'a pas pu résister à son appel lointain : ces femmes-là, je le sais, ensorcellent les hommes blancs, monsieur!

— Elles peuvent être, en effet, des sorcières...

Un silence se fit, dont la durée ne compta pas mais pendant lequel mille visions du passé surgirent, avec la fulgurance de l'éclair, dans la mémoire du « vieux colonial ». Et, parmi elles, il vit, se superposant l'un à l'autre, les visages tellement différents de son ami Pierre et de la brune Ngô Thi Maï Khanh... Mais à quoi cela servait-il de remuer le passé ?

Rompant le silence, il dit d'un ton volontairement détaché :

— Je crois, chère madame, que je vais rejoindre la chambre que vous avez bien voulu me réserver, pour y défaire mes bagages.

— Venez, monsieur. Je vais vous y conduire.

Elle le précéda dans un couloir assez sombre après qu'il eut repris ses valises laissées dans le vestibule. Arrivée devant une porte, elle se retourna pour confier avant de l'ouvrir :

— C'était la chambre de mon fils... Elle n'a jamais été habitée depuis son départ. Je n'ai consenti à cette exception, à la demande du colonel Sicard, que lorsque j'ai su que vous reveniez du pays où il est mort. Je me suis dit que c'était lui, sans doute, qui vous envoyait à moi pour vivre là où il avait vécu. Et je n'ai pu refuser... Mais je vous demanderai une seule chose : de ne rien changer à l'ameublement de cette chambre et, si cela vous était possible, de ne pas déplacer les objets qui s'y trouvent... Ils sont restés à chaque endroit où mon fils les avait laissés avant de repartir pour toujours. Cette chambre est pour moi une sorte de sanctuaire.

— Je vous promets, madame, de respecter ce pieux désir. Mais peut-être pourriez-vous me loger dans une autre chambre ?

— Je n'en ai pas d'autre, sauf la mienne. Et puis je tiens à ce que vous habitiez là... Je suis sûre que, si Pierre vous avait connu et vous avait envoyé à moi, il m'aurait écrit pour me dire de vous loger ici. Il faut toujours respecter la volonté de ceux qui, n'étant plus de ce monde, prennent des voies détournées et impénétrables pour nous faire parvenir certains messages...

Elle ouvrit lentement la porte, en mettant dans ce geste toute la douceur et toute la piété dont seule une maman est capable.

Il faisait noir dans la pièce. Sans allumer l'électricité, elle se dirigea vers la fenêtre pour tirer les rideaux, ouvrir les battants, puis les volets avant de se retourner vers son sous-locataire :

— J'ai attendu, pour que la lumière du jour revienne dans cette chambre, que quelqu'un comme vous l'habite... A gauche vous avez l'entrée de la salle de bains et cette porte à droite donne sur une penderie où j'ai fait hier de la place en retirant les vêtements d'hiver que mon fils y avait laissés et que j'ai rangés dans mes propres placards... Si vous aviez besoin de quoi que ce soit, n'hésitez pas à me le demander : dans la journée je suis presque toujours dans mon salon, là où nous parlions tout à l'heure. J'y tricote des layettes pour enfants que j'envoie à un orphelinat : ça me donne un peu l'impression que mon petit-fils, lui aussi, n'est pas mort et que je travaille pour lui... Ah! Voici une clef de l'entrée. Bien entendu, maintenant que vous habitez ici, je ne mettrai plus le crochet de sûreté pour que vous puissiez entrer et sortir comme vous le voudrez : quand on est une femme seule, il faut bien prendre quelques précautions, surtout avec tous ces vols qui ont lieu en ce moment! Mais maintenant je ne me sens plus seule puisque vous êtes là... Et si l'envie vous en prenait, n'hésitez pas non plus à venir bavarder avec moi : vous me ferez un grand plaisir. Vous me raconterez tout ce que vous avez connu là-bas... Ce doit être tellement étrange! Et moi, je vous parlerai un peu de Pierre : cela me fera du bien! C'est vrai, à l'exception du colonel Sicard, qui a été son chef et qui vient de temps en temps me rendre visite, je n'ai plus personne avec qui parler de lui.

— Si seulement je l'avais connu, madame!

— Vous l'auriez aimé, monsieur Rumeau! On ne pouvait pas ne pas l'aimer... A bientôt, j'espère?

La silhouette menue s'était enfuie discrètement dans le couloir après avoir refermé la porte.

La fenêtre, donnant sur une cour silencieuse, était restée ouverte. Serge Martin décida aussitôt qu'il en serait ainsi le plus longtemps possible pour aérer la pièce qui, après avoir été inhabitée et plongée dans l'obscurité depuis tant d'années, suintait le renfermé et la tristesse. Elle n'avait pourtant pas dû être sinistre, cette chambre de jeune homme, quand Pierre l'habitait! Ne regorgeait-elle pas de tous ces bibelots ou objets, sans grande valeur, mais sympathiques, qu'un garçon a choisis parce qu'il les aimait? Cela allait des albums de timbres à une collection de médailles anciennes en passant par un meuble-vitrine où avaient été réunis des coquillages aux reflets multicolores assez rares. Les murs étaient tapissés de caricatures et de dessins humoristiques que Pierre avait découpés dans des magazines et fixés avec des punaises. Par contre, il n'y avait aucune photographie de femme : peut-être la veuve Burtin les avait-elle fait disparaître?

Ce qui attira surtout l'attention du « locataire » fut un *bloc-pratic*, fixé à une tablette posée sur le bureau et dont la page, ouverte à la date du 4 mars 1957, soit douze années plus tôt, portait, écrits hâtivement à la main, ces quelques mots : *Vol 743 Air-France, départ à 15 h 12 Orly...* Cette écriture, Serge Martin l'aurait reconnue dans n'importe quelle circonstance : c'était celle de Pierre. La date était celle du dernier jour qu'il avait passé dans la chambre; les mots indiquaient l'heure de départ de l'avion qui devait l'emporter pour toujours... Avant cette date, il y avait d'autres rappels de rendez-vous griffonnés sur les pages du bloc, mais après, il n'y avait plus rien. 4 mars : c'était la page de l'adieu que sa mère avait laissée telle quelle pour bien marquer que la vie s'était arrêtée pour elle ce jour-là alors que, dans la réalité des faits, Pierre n'avait été assassiné à Lao-Kaï que six mois plus tard, le 3 septembre... Poussé par un sentiment de curiosité presque morbide, Serge Martin feuilleta une fois encore les pages restées vierges pour voir s'il y avait quelque chose d'écrit de la main de la maman à la date fatidique. La page était blanche.

Machinalement, sans hâte et sans goût, « le colonial » défit ses valises et commença à examiner — avant de les ranger dans la penderie — les vêtements que « la vieille chouette » lui avait fait préparer, sans lui demander son avis, pour compléter et parachever le nouveau personnage qu'il lui imposait. Et il dut reconnaître que le choix avait été remarquablement habile : avec une telle garde robe, allant du smoking blanc au costume de chantoung, il possédait toute la gamme indispensable pour pouvoir jouer avec efficacité les « Patrice Rumeau » à n'importe quelle heure de la journée et dans toutes les circonstances qui se présenteraient. Il se faisait un peu l'effet d'être une réincarnation de Sherlock Holmes, prêt à se lancer dans une nouvelle enquête criminelle, et doublé d'un truand qui, lui, n'hésiterait pas à s'imposer dans le camp de ceux qui tuent.

Un pli assez amer se dessina sur ses lèvres à la pensée qu'il était en train de reprendre contact avec la civilisation occidentale entre les quatre murs d'une chambre d'un appartement bourgeois de la rive gauche et avec, pour tout horizon, la vision d'une cour exiguë d'immeuble parisien, alors qu'il venait de vivre, alternativement, pendant de longues années, au milieu des foules grouillantes des villes surpeuplées d'Asie et dans la solitude grandiose des plaines de Chine. Il y avait, dans cette nouvelle façon de vivre qui lui était imposée, quelque chose de ridicule et d'étriqué qui l'étouffait... Aussi se promettait-il, dès qu'il en aurait terminé avec sa nouvelle mission, de demander à son chef d'être réexpédié vers cet Extrême-Orient dont il ne pouvait pas plus se passer que celui qui avait habité, avant lui, dans cette même chambre. Pour lui, le Continent jaune était une drogue beaucoup plus puissante, et plus attirante, que toutes celles que les trafiquants — à la poursuite desquels il devait se lancer sans tarder — répandaient sur le monde occidental avec la volonté de le pourrir définitivement.

Il fut arraché à sa rêverie un peu mélancolique par deux coups discrets frappés à la porte. C'était Mme Burtin dont la voix disait à travers la cloison :

— Monsieur Rumeau, excusez-moi de vous déranger, mais c'est votre ami, ce cher colonel, qui téléphone pour savoir si j'avais de vos nouvelles. Je lui ai dit que vous étiez déjà là et que j'allais vous chercher.

— Merci, madame.

Il ouvrit la porte et suivit son hôtesse jusqu'au vestibule où se trouvait effectivement, comme le lui avait annoncé Sicard, le téléphone. Il en saisit le récepteur pendant que la petite vieille rentrait dans le salon dont elle referma, derrière elle, la porte vitrée.

— Allô ? oui, c'est moi.

— Pouvez-vous, mon cher Rumeau, me confier, en langage discret bien entendu, vos premières impressions sur votre logeuse et sur votre nouveau gîte ?

— Cher ami, elles sont excellentes...

— Tant mieux! Et votre garde-robe, en êtes-vous satisfait?

— Un chef-d'œuvre!

— Votre aimable logeuse vient de me remercier de ce que je lui ai trouvé un sous-locataire de votre classe... Elle paraît ravie et s'est confondue en marques de gratitude... Sacré Patrice Rumeau! Quand il le faut, vous savez avoir un de ces charmes avec les dames!

— C'est ce qu'on m'a souvent dit.

— Écoutez-moi bien maintenant : les événements se précipitent... Je viens de recevoir un appel de la Préfecture m'informant qu'ILS ont l'intention de « remettre ça » très prochainement à l'occasion de la venue ici du président d'un État capitaliste qu'ils n'aiment pas et qu'ils auraient, cette fois, la volonté de tout casser... Ce qui me porte à croire qu'ils ont été payés grassement... Vous me comprenez?

— Nous nous comprendrons toujours...

— Peut-être pourriez-vous aller faire, dès ce soir, un tour du côté de cet excellent restaurant dont je vous ai indiqué le nom?

— Avant même que vous n'ayez terminé votre phrase, j'y pensais... Comme il faut, de toute façon, que je dîne quelque part parce que je commence à avoir faim, autant que ce soit là!

— Pour la moustache, qui n'a pas encore poussé, ça ira?

— Grâce à vous, une fois de plus il n'y aura pas de problème.

— Vous avez trouvé, au fond de l'une des valises, la petite boîte contenant les postiches et la colle pour les fixer sur votre épiderme?

— J'ai trouvé.

— La teinte des poils poivre et sel est bien celle que vous désiriez ?

— Celle-là même.

— Et vous avez pu constater que les poils sont nettement brûlés par l'abus du tabac comme vous le souhaitiez ?

— Vous êtes le plus prévenant des amis...

— Vous avez une clef pour rentrer à n'importe quelle heure ?

— J'ai tout ce qu'il faut pour mener la vie de garçon.

— Dans ce cas, cher ami, il ne me reste plus qu'à vous souhaiter une excellente soirée.

— Grâce à vous, elle risque d'être saupoudrée de charme et de beauté !

— Vous me téléphonez demain ?

— Dès que je le pourrai et à condition que je sois encore vivant.

— Vous le serez ! Vous êtes coriace... N'oubliez pas, cependant, de vous munir du cadeau que vous a offert le major Benjafield.

— Je n'y manquerai pas... Ne doit-on pas avoir toujours un cadeau sur soi quand on est reçu par une dame ?

— Bonne nuit.

— Bonne nuit, vous aussi... Et merci encore, mon cher colonel, pour cet appel qui me prouve une fois de plus que, chez vous, l'amitié n'est pas un vain mot !

Après avoir raccroché, il alla frapper à la porte vitrée du salon. Il y trouva Mme Burtin assise dans une bergère, près de l'une des fenêtres. Elle tricotait.

— Je tiens à vous remercier, chère madame, dit-il, pour

toutes ces choses trop gentilles que vous avez bien voulu dire sur moi à notre ami commun.

— Mais, cher monsieur Rumeau, je n'ai fait qu'exprimer ce que je pensais.

— Le colonel m'a invité à dîner. Bien que je sois assez fatigué, il m'est difficile de refuser cette invitation. Et ça va me faire un tel plaisir de le revoir !

— Depuis combien de temps ne vous êtes-vous pas vus ?

— Oh ! Des années, chère madame ! Je ne veux même pas les compter : cela nous vieillirait trop, le colonel et moi.

— Savez-vous, monsieur Rumeau, que vous faites beaucoup plus jeune que lui ?

— Vraiment ?

— Vous pourrez même lui dire de ma part que je vous trouve très bien physiquement !

— Vous me comblez, madame Burtin ! Mais je ne manquerai pas de transmettre un message aussi flatteur... Je me permets de prendre congé de vous dès maintenant ne voulant à aucun prix vous déranger une nouvelle fois lorsque je sortirai.

— Vous ne me dérangerez jamais ! Bonne soirée, monsieur Rumeau.

— Merci, madame.

Après avoir refermé la porte du salon et alors qu'il se dirigeait vers sa chambre pour se « préparer » soigneusement à affronter la perspicacité de Mme Phu, il pensa : « J'ai produit une grosse impression sur la veuve Burtin... Comme le dirait « la vieille chouette », ça pourra peut-être servir ? On ne sait jamais ! »

Trois heures plus tard, la nuit venue, la veuve Burtin, toujours assise dans la bergère, entendit son locataire passer discrètement dans le vestibule, puis ouvrir et refermer la porte donnant sur le palier en faisant le moins de bruit possible. Ce fut le moment qu'elle choisit pour abandonner son travail de tricot, fermer les rideaux du salon et revenir prendre place dans sa bergère après avoir tourné le bouton du poste de télévision qui était placé, face à elle, dans l'axe du fauteuil. Et elle commença à s'abîmer dans la contemplation des images en pensant qu'elle avait bien agi en ne faisant pas fonctionner cet appareil, parfois assez bruyant, tant que « son » locataire était là : un homme véritablement charmant, ce M. Rumeau, qui, après un tel voyage, avait sûrement besoin du plus grand repos...

LA LAMPE DE JADE

La couleur dominante de la façade et des deux salles intérieures de la *Lampe de Jade* était le vert, justifiant l'appellation de l'établissement. Ce vert n'avait rien d'agressif et il était mis en valeur par un mobilier fait de tables et de sièges laqués rouge. Chaque table était recouverte d'une natte en paille de riz tenant lieu de nappe, rappelant les rares tapis du couvent de Macao ; la lumière, irisée et discrète, provenait de lanternes dont les parois en parchemin étaient collées sur des montants de bois sculpté rouge et qui, elles, ne manquaient pas d'analogie avec les luminaires entrevus aussi bien à l'entrée que dans les « salons » voluptueux de la très accueillante maison de Mme Tsi-Han à Kowloon.

Tout cela, le nouveau « client » — qui venait de pénétrer dans le restaurant — l'avait remarqué en quelques secondes. Il put constater égalcment que l'accueil était dans la bonne tradition d'hospitalité, à la fois obséquieuse et méfiante, d'une race experte dans la pratique de l'éternel sourire. Car tout le personnel de l'établissement, sans exception aucune, était jaune. Ce qui, ajouté au décor, contribuait à affermir l'impression d'exotisme lointain que recherchait la clientèle occidentale.

Monsicur est seul? avait demandé, en se courbant presque en deux et dans un français légèrement aigu, un serviteur stylé dont le vêtement, exigé lui aussi par les nécessités de la couleur locale, était fait d'un kimono de soie noire et d'une petite calotte, de même tissu, recouvrant le sommet d'un crâne qui semblait avoir été poncé au papier de verre, tellement il brillait... Calotte qui ne fut pas sans évoquer un autre souvenir dans la mémoire du nouveau venu : celui d'un certain mandarin à la barbiche en pointe descendant avec difficulté d'un vieil autobus délabré.

Et, comme le Monsieur avait incliné la tête pour répondre par l'affirmative à la question posée, le serviteur le précéda jusqu'à une table, encore libre, placée contre le mur dans un coin de la première salle. Au moment de s'y installer, le client n'avait pas manqué de confier au serviteur ce qui était destiné au vestiaire : un curieux chapeau en paille de riz tressée qui devait avoir déjà connu une longue vie et une canne à pommeau d'argent sculpté comme en portaient souvent les hommes distingués d'une génération en voie de disparition. Pendant que le serviteur s'éloignait pour aller chercher la carte des réjouissances gastronomiques, « le Monsieur » — qui était loin d'être jeune et qui avait l'avantage de porter des moustaches poivre et sel dont l'épaisseur aurait sans doute été plus impressionnante si un bon nombre de poils n'avaient pas été brûlés par l'abus inconsidéré du tabac — eut tout le loisir de jeter, derrière ses lunettes aux verres bleutés, un regard semi-circulaire sur la clientèle.

Celle-ci était aussi nombreuse qu'hétéroclite mais, dans l'ensemble, plutôt triée. Clientèle bien élevée aussi, composée en majeure partie de connaisseurs ou d'initiés qui savaient se servir des baguettes en négligeant les couverts européens et qui, quand c'était nécessaire pour ingurgiter certains « pâtés impériaux », savaient utiliser leurs doigts avec une certaine élégance. Les petites tasses en porcelaine fine, posées sur toutes les tables, prouvaient aussi qu'aucun de ces gourmets n'ignorait qu'un bon repas chinois, ou vietnamien, ne se digère correctement que s'il est arrosé de thé, ce breuvage honni d'une veuve Burtin. Les conversations enfin étaient feutrées, s'harmonisant avec l'ambiance de rêve et de mystère habilement créée par les animateurs de l'établissement.

Ces derniers, le client moustachu les avait tout de suite repérés : ils trônaient derrière une sorte de comptoir surélevé, placé au fond de la seconde salle et masquant en partie l'entrée des cuisines. Comptoir agrémenté de panneaux laqués rouges à filets d'or qui n'avaient pas tout à fait la patine légèrement craquelée des siècles, mais qui pouvaient quand même faire illusion sous l'effet de la lumière douce. Ils servaient surtout de piédestal pour mettre en valeur la poitrine sculpturale de la femme qui semblait régner, en souveraine absolue, sur tout le petit monde de boys aux yeux bridés, et tout de noir vêtus, qui allait et venait, sans faire le moindre bruit ni même attirer l'attention, pour satisfaire les moindres désirs de la clientèle.

Pour le moment, ne pouvant contempler que la moitié de cette intéressante créature — le reste du corps restant caché par le comptoir — il était très difficile de dire si elle était grande ou petite, ni surtout si l'ensemble de la silhouette était bien proportionné. Mais, à en juger par ce qu'on voyait d'elle, on pouvait affirmer, sans grand risque de se tromper, que cette femme avait une très nette tendance à un agréable embonpoint. Les cheveux étaient d'un noir de jais, relevés sur la nuque et enserrés en un chignon qui n'avait rien de la sécheresse d'une coiffure de concierge parisienne, mais tout de l'opulente abondance d'une parure de geisha. Les yeux étaient noirs eux aussi, et en forme d'amandes. Le nez était court; les narines, épatées, révélaient une sensualité à fleur de peau — peau qui était elle-même mate et safranée. La bouche aussi était sensuelle, avec des lèvres assez épaisses et merveilleusement soulignées par une touche de rouge... Une bouche qui, lorsqu'elle s'entrouvrait, dans un sourire plus fréquent que chez une femme d'Occident, permettait de découvrir une denture dont l'alignement était sans défaut et la blancheur d'un ivoire éblouissant. Les joues pleines, et l'arrondi du visage, apportaient une impression de santé resplendissante. Les bras n'étaient pas nus, mais dissimulés sous les longues manches d'une robe de soie blanche. Celle-ci se terminait, au niveau du cou, par un col « à la Mao » contraignant la tête — comme jadis les guimpes des grand-mères européennes — à rester haute et droite. Tout le port était d'ailleurs altier, dégageant une noblesse physique qui n'avait rien de guindé et qui paraissait naturelle. Les mains, enfin, étaient potelées mais menues, aux ongles soigneusement faits, dont la longueur donnait à penser que ces jolies mains-là devaient rarement prendre part aux travaux de vaisselle. Les deux seules touches de luxe, jetées sur l'ensemble vestimentaire, venaient d'une bague, faite de trois grosses perles noires accolées et portée à l'annulaire gauche et d'un collier d'or retombant sur la poitrine et se terminant par une plaque de jade rectangulaire. Celle-ci, d'une dimension assez rare, devait être, pour celle qui la portait, le symbole de l'enseigne ayant contribué à la prospérité de la maison.

A la droite de cette femme — que l'on aurait volontiers appelée « la Présidente » et dont la seule activité se limitait à regarder, en souriant, tout ce qui se passait dans les deux salles — se trouvait un personnage beaucoup moins attrayant, mais qui ne manquait pas de pittoresque. De lui aussi, par la faute du comptoir, on n'apercevait que le buste : un buste très frêle et tellement penché en avant sur un grand livre posé sur le comptoir qu'il donnait l'impression de se terminer, dans le haut du dos, par une bosse. Et plus « le client » détaillait ce nouveau personnage, plus il acquérait la certitude qu'il était effectivement bossu.

L'homme était âgé; il avait une calotte de soie noire, la même que celle des serviteurs, d'où s'échappait — et c'était là ce qui, en le différenciant du reste du personnel masculin, faisait de lui un être à part — une longue natte qui épousait l'arrondi de la bosse. Il portait de fines lunettes, destinées sans doute à faciliter le travail d'écriture qui l'absorbait tellement qu'il ne relevait pas une seule fois la tête. Ce n'était pas difficile de deviner que le bonhomme remplissait les fonctions de caissier et que c'était à lui qu'incombait la délicate responsabilité de tenir « la main courante », cet indispensable régulateur de la comptabilité pratique de tout restaurant organisé. Le client moustachu remarqua enfin que le bossu portait — comme l'ex-vieux cuisinier chinois devenu, grâce à une savante trasformation, clergyman — une courte barbiche blanche, taillée en pointe. Celle-ci, ajoutée à la peau parcheminée qui donnait à tout le visage l'apparence d'un masque de mi-carême, faisait curieusement ressembler le caissier à un Hô Chi Minh qui n'aurait pu se tenir droit.

Au moment où le serviteur revenait vers sa table en apportant la carte, « le client » savait déjà avoir repéré les deux personnages avec lesquels il allait avoir à se mesurer pour exécuter la mission imposée par « la vieille chouette » : l'appétissante Mme Phu et son « associé », l'étrange M. Ki Ho. Quant au troisième membre de la curieuse Trinité jaune, il ne trônait pas derrière le comptoir à la gauche de sa mère : Siao demeurait invisible. Sans doute se préparait-elle, dans les coulisses, à faire une entrée fracassante quand le moment de « l'attraction », constituant l'apothéose de la soirée, arriverait.

La liste des mets proposés aux gourmets était plus qu'honorable, dans sa variété : cela allait du *Ca'Chung tuong,* ou dorade garnie à la cantonaise, jusqu'aux *Chuôi chien,* ou bananes en beignet. En vieux connaisseur, le client moustachu commanda des *Tôm xao gia* ou langoustines sautées au soja, du *Phô tai* ou soupe hanoïenne au bœuf, du *Ba zaô mang* ou poulet sauté aux pousses de bambou et, pour terminer en beauté ce repas digne de Lucullus, des *Long nhan* ou « yeux d'un dragon »... Le tout serait, comme il se devait, arrosé de thé au jasmin.

Le client avait passé sa commande en français, jugeant superflu d'attirer l'attention du personnel — qui ne manquerait pas d'en rendre compte à la direction — sur le fait qu'il y avait ce soir-là dans la salle un Monsieur parlant couramment le vietnamien et le chinois. Le pseudo Patrice Rumeau savait depuis longtemps que la méconnaissance volontaire d'une langue que l'on connaît peut devenir, dans certains cas, un précieux atout dont se servent souvent les diplomates avisés.

Le service fut rapide, prouvant que — contrairement à la cuisine française qui, selon Brillat-Savarin, est « une grande dame qu'il faut savoir attendre » — la cuisine chinoise est plutôt une coquette raffinée sachant satisfaire immédiatement l'appétit de ses admirateurs. Alors qu'il approchait de la fin du repas, le client put constater que la patronne avait quitté son poste surélevé pour descendre dans les salles. Elle en fit lentement le tour en s'approchant de chaque table et en demandant à la clientèle si elle était satisfaite. Le vieillard bossu, lui, ne bougea pas de sa place et continua à rester plongé dans sa savante comptabilité.

Debout, Mme Phu apparut, à celui qui ne cessait de l'observer derrière ses lunettes, beaucoup plus grande qu'une Vietnamienne et d'une taille correcte pour une Chinoise. Il savait depuis longtemps déjà que ses véritables origines se trouvaient dans la Chine de l'Est. Incontestablement, l'ex-Ngô Thi Maï Khanh était encore une très belle femme : la poitrine forte et les hanches confortables étaient ramenées à d'agréables proportions grâce à la taille qui avait su rester fine et harmonieuse. Les jambes, qui apparaissaient par moments dans l'ouverture pratiquée sur le côté gauche de la jupe tombant jusqu'aux souliers, étaient longues. Les pieds, charmants, étaient chaussés d'escarpins dorés à talons très hauts.

La démarche enfin était féline, avec un rien de langueur voulue qui ne manquait pas de charme... Une démarche dont le nouvel « admirateur » se souvenait : celle d'une Ngô Thi Maï Khanh, « taxi-girl » au *Grand Monde* de Cholon, abandonnant le tabouret de bar, qui était son point fixe, pour venir dans la salle avec la secrète intention de séduire un client qui n'avait pas eu le courage d'aller jusqu'à elle... La créature un peu forte qui régnait sur la *Lampe de Jade* était, comme l'avait dit le colonel Sicard, séduisante : son charme était fait d'une féminité épanouie qu'elle n'avait pas encore lorsqu'elle était Ngô Thi Maï Khanh. Peut-être aussi une année d'existence européenne, et surtout de vie parisienne, avait-elle plus fait que des années de Chine pour transformer celle à qui la dénomination de « Madame Phu » convenait parfaitement.

Quand elle s'approcha de la table du solitaire, celui-ci comprit que le moment crucial arrivait : le reconnaîtrait-elle ou pas ? Si c'était oui, il n'avait qu'une arme : passer immédiatement à l'attaque en faisant comprendre avec fermeté à celle qui était placée maintenant sous sa coupe que, si elle ne faisait pas correctement son travail, elle serait liquidée dans les plus brefs délais... Si c'était non, il aurait un peu plus de temps devant lui pour manœuvrer selon une méthode qui lui avait toujours été chère et qu'il avait appris à perfectionner aussi bien en Chine que dans tout l'Extrême-Orient : celle de « la goutte d'eau » qui use les volontés les mieux trempées et qui les amène peu à peu, mais sûrement, à des aveux tout proches de ceux que l'on obtient par le lavage des cerveaux.

Arrivée devant lui, Mme Phu dit, après un sourire et dans un français châtié :

— Bonsoir, monsieur... Puis-je vous demander si le repas vous a convenu et si vous êtes satisfait du service ?

— Chère madame, répondit-il en souriant lui aussi, il faudrait être bien exigeant, et injuste, si l'on ne vous adressait pas les compliments que mérite votre restaurant... Car je suppose que vous êtes la patronne ?

Elle acquiesça d'un nouveau sourire avant de demander :

— Je ne crois pas vous avoir déjà vu ici... Serait-ce la première fois que vous venez à la *Lampe de Jade ?*

— C'est, en effet, la première fois... Mais, maintenant que je suis rentré définitivement en France, j'ai bien l'intention d'y revenir au moins une fois par semaine.

— Vous étiez à l'étranger ?

— J'ai vécu pendant des années à Saïgon.

— Vraiment ? J'aime beaucoup Saïgon !

— Je l'ai aimée moi aussi... Malheureusement, avec tous les regrettables événements qui s'y sont produits depuis ces dix dernières années, les choses, les gens, et surtout l'atmosphère y ont beaucoup changé! Seriez-vous de Saïgon?

— Non. Je suis née à Hué.

— La Cité des Empereurs... Je vous imagine très bien langoureusement allongée dans une barque qui remonterait la Rivière des Parfums au clair de lune pendant que le sampanier psalmodierait l'un de ces chants d'amour dont seuls les Vietnamiens du Nord possèdent le secret...

— Poète?

— A mes heures, chère madame.

— Je suis Mme Phu...

— Enchanté. Et moi Patrice Rumeau...

— Vous aviez un commerce à Saïgon?

— Le plus prosaïque de tous : pharmacien... Mais je ne pouvais plus subir tous ces bombardements! Les bruits de guerre ne me conviennent pas... Je suis un amoureux du calme et de la paix. Après avoir vendu ma pharmacie dans d'assez mauvaises conditions, je suis rentré en France depuis quelques mois déjà avec l'intention d'y finir mes jours.

— Vous avez fait là preuve de sagesse... Me permettez-vous de vous offrir, puisque, tout en étant français, vous êtes pour moi un compatriote de cœur, un verre d'alcool de riz?

— Je dégusterais volontiers quelques gorgées bienfaisantes de *Maï-que-to*, mais à condition que ce soit en votre aimable compagnie : ce qui décuplerait mon plaisir

— Maintenant ce n'est pas possible... Je dois aller rendre visite aux autres tables, sinon ma charmante clientèle me reprocherait de la délaisser à votre profit! Et je veux que tout le monde reparte satisfait de ma maison... Mais, si vous êtes encore là quand j'aurai terminé mon tour d'amitié, je vous promets de revenir bavarder encore pendant quelques instants avec vous. A tout à l'heure.

Elle s'éloigna, gracieuse et toujours souriante, après avoir donné l'ordre à un serviteur d'apporter le verre d'alcool de riz au pharmacien retraité. Celui-ci demeurait perplexe. L'avait-elle reconnu? Intentionnellement, il avait joué le jeu dangereux de l'homme-qui-revient-de-là-bas pour voir s'il y aurait une réaction quelconque. Il n'y en avait pas eu d'autre que celle d'un intérêt poli qui pouvait s'appliquer à n'importe quel client.

Pour répondre à cette politesse, et surtout parce qu'il sentait qu'à la *Lampe de Jade* les moindres gestes de la clientèle étaient minutieusement observés, il goûta du bout des lèvres le *Maï-que-to* qu'il détestait. Pendant ce temps, Mme Phu poursuivait sa tournée en posant, de sa voix très douce et très cajoleuse, la même question à chaque table :

« *Puis-je vous demander si le repas vous a convenu et si vous êtes satisfait du service?* »

L'attente de Patrice Rumeau eût été longue, et même assez fastidieuse, si un événement ne s'était pas produit... L'éclairage, qui était cependant déjà très discret, diminua encore d'intensité : seule une flaque de lumière, tombée d'un projecteur, vint éclairer au centre de la salle un espace rectangulaire qui n'était pas recouvert de tapis et constituait une piste de danse. Sur celle-ci s'avança — sans qu'elle eût été annoncée par la voix d'un speaker ou d'un présentateur — une ombre légère. Malgré la demi-obscurité, qui cachait partiellement le visage de la danseuse, le client reconnut celle dont « la vieille chouette » lui avait montré la photographie : Siao, la fille de Mme Phu... Et il ressentit une secrète émotion, assez semblable à celle qu'il avait éprouvée lorsqu'il s'était trouvé, quelques heures plus tôt, en présence de Mme Burtin : après la mère de

Pierre, il découvrait maintenant sa fille... Ce qui était beaucoup pour une même journée.

Une musique plaintive — qui semblait être jouée par des musiciens invisibles mais qui, dans la réalité, provenait d'un haut-parleur habilement dissimulé — parut sortir de l'au-delà, ou directement d'Asie, pour accompagner les pas et les gestes de la gracieuse apparition... Musique fluide, en gouttes d'eau, irréelle, dont l'enregistrement atteignait à la perfection. Parmi les instruments ainsi captés, le vieux colonial n'eut aucune peine à reconnaître le rythme du *skor-thom,* tambourin ventru dont la paroi était martelée par les grosses baguettes de l'exécutant. A ce rythme s'ajoutaient le ululement très doux de la flûte en bambou et la mélodie saccadée de la guitare à trois cordes. Et, pendant que la très jeune femme dansait, l'âme du vrai Serge Martin réapparut derrière le masque du faux Patrice Rumeau, dont il se débarrassa mentalement pendant quelques minutes d'une véritable extase.

Il n'était plus dans un restaurant où tout était truqué et conçu pour la satisfaction facile de touristes ignorant l'authentique poésie dont il s'était enivré depuis son enfance lorsqu'il écoutait les merveilleuses légendes que lui racontait sa mère chinoise. Très vite aussi, il réalisa que la danse interprétée n'était ni chinoise ni vietnamienne, mais cambodgienne, évoquant l'accouplement des *Nagas* et la *Cueillette des fleurs...* Cette peau brune, ces dents blanches, ces yeux qui brillaient dans la demi-obscurité évoquaient pour lui le souvenir d'une statue qui se serait brusquement animée : celle de la compagne du dieu *Civa,* la noble *Uma,* dont les reins souples et le visage grave étaient une nouvelle attestation de cette alliance primitive avec la vie qui, aujourd'hui encore « *fait sourire le grès des temples aux rayons mauves du soir...* ».

Une prodigieuse sensualité se dégageait de Siao, la danseuse : tout en elle, ou sur elle, depuis la bouche jusqu'aux pieds nus en passant par le costume qui était d'une extrême simplicité — fait d'une tunique de soie noire, prolongée par un pantalon bouffant dont le bas était serré autour des chevilles par des anneaux d'or — tout exhalait le besoin impérieux de plaire et de séduire. Comme sa mère, quinze années plus tôt, à l'époque où elle était « taxi-girl », Siao n'était là que pour exacerber les désirs des clients mâles de la *Lampe de Jade*. Les clientes européennes, sentant d'instinct que la danseuse était une redoutable rivale, ne pouvaient qu'être ses ennemies.

Siao, elle aussi, n'était venue au monde que pour la satisfaction de l'homme. Et n'était-ce pas normal puisqu'elle était la plus authentique des enfants de l'amour ? Elle était belle parce que ceux qui l'avaient engendrée étaient beaux... Mais sa beauté était sienne : elle ne ressemblait — comme l'avait déjà révélé la photographie — ni à Pierre Burtin ni à sa maîtresse. Moins typée que sa mère, Siao avait ce charme indéfinissable qui provient des mélanges de races. Aussi avait-elle raison de s'exhiber dans une danse du Cambodge, ce pays plus apte que la Chine ou que le Vietnam à s'assimiler aux exigences de la race blanche et où les femmes sont, de loin, les plus lascives.

Combien de fois Serge Martin n'avait-il pas entendu raconter qu'un ou deux jours à peine après leur accouchement, les femmes du Cambodge s'accouplent à nouveau avec leurs époux ! Et, si ceux-ci ne répondent pas à leur désir, ils sont aussitôt abandonnés ! Quand l'homme est appelé par quelque affaire lointaine, l'empêchement de faire acte d'amour n'est toléré par sa compagne que quelques nuits. Si l'absence se prolonge trop, l'épouse ne manque jamais de lui dire au retour : « Je ne suis pas un pur esprit. C'est pour moi une souffrance atroce de dormir seule. »

Revenant brutalement à la réalité présente, Serge Martin — redevenu Patrice Rumeau et songeant à ce qu'il pourrait advenir s'il décidait, pour les besoins de sa mission, de présenter la petite-fille à la grand-mère qui ignorait tout de son existence — se souvint de ce proverbe cambodgien : « *Si ta fille est jolie, ne la confie jamais à ta vieille mère qui la détestera. Considère celle-ci comme une étoile au ciel : laisse-la au loin!* » Et il en conclut que, si un pareil fait se produisait, son ancien ami Pierre Burtin ne lui pardonnerait sans doute pas, de l'au-delà, d'agir ainsi.

La danse s'était terminée sous les applaudissements de la clientèle charmée. Après avoir salué discrètement, et sans faire preuve du moindre cabotinage, Siao avait disparu pendant que la lumière s'intensifiait à nouveau pour permettre au personnel de présenter, à chaque table, l'addition préparée avec soin par M. Ki Ho et qui, elle, était une réalité. En vérifiant le montant de la sienne, Patrice Rumeau n'eut pas de peine à comprendre pourquoi l'établissement était une telle réussite financière. Il ne se hâta cependant pas de payer, espérant bien que l'aimable patronne reviendrait, selon la promesse faite, bavarder encore avec lui. Ce qui se produisit dès que les salles se furent vidées et qu'il se retrouva le seul client.

Mme Phu s'approcha, peut-être encore plus souriante que la première fois, si l'on admet qu'il puisse exister des gradations dans le sourire. Après s'être levé en signe de déférence, Patrice Rumeau poussa la table pour permettre à la patronne de prendre place à sa droite, sur la banquette. Mais elle dit, en s'asseyant face à lui, de l'autre côté de la table, sur un tabouret qu'avait apporté le serviteur :

— Je vous en prie, restez assis... Ne m'en veuillez pas mais j'estime que la place de la directrice d'un établissement de ce genre n'est pas sur la banquette! Laissons ce privilège à certaines dames spécialisées qui opèrent dans des maisons d'un autre genre... N'est-ce pas votre avis?

— C'est le mien, chère madame, seulement je crains que ce siège ne soit pas pour vous assez confortable.

— Vous êtes mieux placé que quiconque, cher monsieur, puisque vous y avez longtemps vécu, pour savoir que dans mon pays les femmes restent le plus souvent debout devant les hommes qu'elles ne connaissent pas... C'est là chez elles aussi bien une marque de respect pour l'homme qu'une preuve de dignité... Que puis-je vous offrir?

— Mais absolument rien, chère madame Phu! Vous l'avez déjà fait : votre *Maï-que-to* est, comme tout ce que je viens d'avoir le plaisir de savourer chez vous, remarquable... Sans doute le faites-vous venir directement du Vietnam?

— Comme tous les produits alimentaires que nous utilisons... Mais, avec les événements actuels qui se prolongent, cela devient de plus en plus difficile de s'approvisionner! Nous devons utiliser de véritables ruses... Heureusement pour nous qu'il y a encore, dans le Sud-Vietnam, quelques Américains avisés qui savent que la pratique du commerce prime les lois de la guerre! Sinon, je n'aurais plus qu'à fermer définitivement la *Lampe de Jade,* ne voulant pas tromper ma fidèle clientèle.

— Ce scrupule est tout à votre honneur... Que puis-je vous offrir à mon tour?

— Rien, cher monsieur. Votre aimable conversation me suffit... Et je ne bois jamais d'alcool!

— Pas même un whisky?

— Pas même...

— Une tasse de thé peut-être?

— Pas à cette heure-ci. Parlons plutôt... Qu'avez-vous pensé de notre petite « attraction »?

— Petite?... Grande, devriez-vous dire! Cette jeune femme est exquise et danse à la perfection. Son éblouissante apparition m'a fait penser à quelque bas-relief d'une pagode bouddhiste qui se serait animé.

— C'est là un charmant compliment auquel je suis d'autant plus sensible que je puis vous révéler que cette jeune artiste est ma fille.

— Non?... Alors là, franchement, vous me stupéfiez! Non pas de ce que vous ayez une enfant très jolie, mais à l'idée qu'une femme aussi jeune que vous puisse être sa mère!

— Vous n'ignorez pas pourtant que, chez nous, les femmes sont précoces?

— Bien sûr, mais quand même... Vous êtes, de loin, la plus stupéfiante — et la plus émouvante aussi — de toutes les jeunes mamans vietnamiennes que j'aie connues! Et j'en ai rencontré beaucoup, croyez-moi!

— Vraiment?

— C'est là, hélas, le privilège de mon âge!

— Savez-vous que c'est très difficile de vous donner un âge?

— Oh, madame! Si nous comptions comme on le fait dans votre pays les années que j'ai déjà vécues, je crois que l'on ne trouverait pas assez de lunes!

Et, ayant remarqué que le vieillard bossu s'était enfin levé pour quitter le comptoir et se dirigeait, avec son grand livre sous le bras, vers la cuisine, il demanda négligemment, comme quelqu'un qui ne sait plus trop quoi dire pour prolonger une conversation :

— Ce monsieur âgé, qui était assis à côté de vous, c'est sans doute votre comptable ?

— Il s'occupe, en effet, de tenir les écritures. Ce qui me rend un grand service car, dans ce domaine, je ne suis guère experte ! On ne peut pas tout faire dans une maison telle que celle-ci... Mais ce n'est pas un comptable comme les autres : c'est l'ancien propriétaire de cet établissement qu'il a créé, il y a déjà une vingtaine d'années, et dont il a trouvé d'ailleurs le nom.

— Une merveilleuse enseigne : *La Lampe de Jade !...* Un nom que même les oreilles occidentales les plus rébarbatives à la poésie de l'Extrême-Orient ne peuvent pas oublier ! Il paraît très bien, cet homme ?

— Il m'est très dévoué. Quand je lui ai racheté le fonds, je lui ai demandé de rester auprès de moi pour m'aider.

— Vous avez eu mille fois raison : rien ne vaut l'expérience des aînés ! Et je trouve que sa natte est une véritable trouvaille ! Elle apporte une note pittoresque supplémentaire dans votre établissement.

— Ce n'est pas une trouvaille, cher monsieur, ni un postiche ! C'est une vraie natte ! M. Ki Ho n'a jamais voulu la couper.

— C'eût été un crime ! Elle lui va tellement bien ! Mais elle pourrait laisser supposer que son « propriétaire » est d'origine chinoise ?

Cela avait été dit d'un ton nonchalant, comme si la question n'offrait, après tout, qu'un intérêt des plus secondaires. Mme Phu répondit le plus naturellement du monde :

— M. Ki Ho est né à Hué comme moi. Mais il appartient, en effet, à une vieille famille installée depuis des siècles au Tonkin et dont les ancêtres venaient de Chine... C'est pourquoi il conserve certaines traditions... Ce n'est pas à vous que j'apprendrai que nous sommes beaucoup plus traditionalistes dans le Nord que dans le Sud du Vietnam... Moi-même, je n'ai jamais pu m'habituer à porter des robes européennes.

— Comme je vous approuve! Elles ne conviendraient ni à votre type ni à votre classe.

— Aimeriez-vous que je vous présente ma fille?

— Ce serait pour moi une grande joie de la féliciter.

Mme Phu donna aussitôt, en vietnamien, un ordre à un serviteur. Quelques instants plus tard, Siao était à son tour devant la table. Mais elle avait abandonné sa robe de scène pour une minijupe follement agressive dont le seul avantage était de découvrir des jambes parfaites : longues et minces. Elle s'était débarrassée aussi de l'épaisse chevelure noire, nouée en un gros chignon rappelant celui de sa mère, qu'elle portait pendant la danse. Ses vrais cheveux, noirs également, étaient coupés très court : ce qui achevait de l'européaniser. Son nouvel admirateur comprit que sa jeunesse avait sacrifié à la détestable mode de la perruque que l'on ne porte qu'en certaines circonstances. Et il en éprouva quelque déception. Sans doute était-ce là une sorte de revanche d'une génération sur l'autre. Mais la mère, avec ses admirables cheveux naturels qui avaient conservé toute leur opulence et sa longue robe moulant avec pudeur ses formes, lui apparut — dans cette confrontation — comme infiniment plus intéressante. Le contraste entre les deux créatures, dont l'une était très belle et l'autre seulement jolie, était saisissant. Chez la mère on retrouvait tout le charme d'un passé qui ne pourrait jamais vieillir et, chez la fille, toute l'agressivité d'un avenir qui ne parvenait pas encore à se définir. La seule vague ressemblance se trouvait dans les yeux en amande, la peau mate et la taille qui était sensiblement la même. La plus grande différence venait de ce que l'une était véritablement « la femme », avec tout ce que cette appellation implique de charme épanoui, et l'autre « la jeune fille » dans toute sa fausse candeur.

— Ma chérie, dit la mère, voici un nouveau client, M. Patrice Rumeau, qui vient pour la première fois nous rendre visite mais qui connaît très bien notre pays où il a longtemps vécu. Il possédait une pharmacie à Saïgon.

— Mademoiselle, dit le client en serrant amicalement la main racée et fine qui lui était tendue, j'ai été agréablement surpris en vous voyant danser... Bien qu'étant vietnamienne, vous avez très bien compris l'importance du geste et des mouvements de bras dans les danses cambodgiennes. J'ai même été très ému en vous regardant évoluer avec autant de grâce et je n'ai pas pu m'empêcher de me réciter mentalement quelques-unes des strophes de ce chant de Paix où il est dit que « *les jeunes filles aux seins durs comme de jeunes mangues sont faites pour prolonger le peuple qui s'est levé pour ressusciter la parole de Bouddha* »... Ce qui prouve que vous êtes une véritable, une authentique artiste!

— Merci, monsieur.

La voix était un peu sèche, moins harmonieuse que celle de la mère. Et les yeux, immenses, regardaient avec un étonnement plus poli qu'admiratif ce vieux bonhomme moustachu qui venait de dire d'aussi belles choses... Un regard qui fit un peu mal à Patrice Rumeau : il n'avait ni la franchise de celui d'un Pierre Burtin ni le chatoiement velouté des yeux de braise d'une Ngô Thi Maï Khanh... Regard assez froid d'une adolescente qui a grandi trop vite et pour qui tout personnage nouveau est plutôt un ennemi qu'un ami parce qu'elle sait déjà que la vie ne sera pour elle qu'un perpétuel combat... Regard dans lequel stagnait aussi une nostalgie permanente, provenant peut-être du regret caché de n'avoir pas connu un père ?

Après avoir réglé l'addition en l'agrémentant d'un pourboire substantiel, le client s'était levé :

— Je crois qu'il est grand temps pour moi de partir, sinon, aussi bien vous, madame, que mademoiselle votre fille, vous pourriez m'en vouloir à juste titre de vous faire veiller trop tard... Permettez-moi de vous présenter mes hommages ajoutés à une réelle gratitude pour le charmant accueil que vous avez bien voulu me réserver.

Et, quand le serviteur lui eut apporté le vieux chapeau et la canne qu'il avait confiés au vestiaire :

— Je sens que vous regardez ces accessoires, un peu désuets aujourd'hui, avec une certaine curiosité... Mais il faut me les pardonner : je me suis tellement habitué à eux dans votre pays qu'il m'est très difficile de m'en passer maintenant dans le mien !

— Voulez-vous que j'appelle un taxi par téléphone ?

— Oh, non, madame ! J'adore déambuler la nuit dans les rues d'une ville à moitié endormie... Et la soirée est si douce ! Évidemment, s'il y avait, devant la porte, un pousse-pousse, je crois que je n'hésiterais pas ! Un parcours dans un tel véhicule prolongerait de la plus heureuse façon l'extraordinaire illusion d'Extrême-Orient que je viens de trouver à votre *Lampe de Jade*...

— Mais il ne faut pas rester sur cette unique impression cher monsieur ! Nous espérons bien que vous reviendrez.

— Ça, madame, vous pouvez en être sûre !

Pendant qu'il se dirigeait, sans hâte, vers la rue Vaneau, « le client » réfléchissait... A vrai dire, il était de plus en plus perplexe, incapable de savoir si, oui ou non, l'ex-Ngô

Thi Maï Khanh l'avait reconnu. Il penchait plutôt pour la négative, mais la femme était tellement rusée qu'il ne pouvait avoir une certitude absolue. De toute façon, si elle l'avait vraiment repéré, elle avait su, une fois de plus, faire preuve d'une étonnante maîtrise en lui donnant, à lui, l'impression que c'était la première fois qu'elle le voyait. Pas une seconde son visage toujours souriant n'avait laissé filtrer la moindre inquiétude et toutes ses paroles avaient été assez anodines pour donner l'illusion qu'elle n'avait aucun soupçon sur la véritable identité du pharmacien retraité de Saïgon. La seule chose qui intriguait le promeneur nocturne était cette offre que lui avait faite Mme Phu — et ceci presque avec insistance — de lui présenter la jeune Saio alors qu'il n'avait pas manifesté le désir de faire sa connaissance.

C'était d'ailleurs avec une sorte de fierté, assez légitime après tout chez une mère, que la patronne de la *Lampe de Jade* lui avait annoncé que la jolie danseuse était sa fille. Peut-être était-elle tellement heureuse du succès artistique de Siao qu'elle ne pouvait résister au besoin de clamer ses liens de parenté ? Mais, connaissant le mystère dont elle avait su entourer la naissance et les premières années d'existence de son enfant, on pouvait se montrer assez sceptique sur ce besoin subit de « publicité familiale » à Paris... A moins — et c'était, là aussi, une hypothèse plausible — que Mme Phu, en bonne commerçante avisée qui cherche à tout faire pour augmenter la clientèle de son restaurant, n'ait pris l'habitude de présenter ainsi la perle de l'établissement à chaque nouveau client ? Mais il y avait, dans un tel comportement, une sorte de complaisance voulue qui s'harmonisait assez mal avec la réelle pudeur et l'extrême réserve dont avait toujours fait preuve Ngô Thi Maï Khanh lorsqu'elle vivait en Extrême-

Orient... Devenue Mme Phu, elle jouerait les entremetteuses ? Cela paraissait douteux, surtout à l'égard du vieux colonial usé qu'il incarnait.

De toute manière, la soirée n'avait pas été inutile : le contact était pris avec l'élément féminin de la famille, et ceci d'une façon qui, à première vue, avait été plutôt cordiale. L'amitié n'est-elle pas une arme excellente ? Pour établir le même contact avec l'élément masculin — qui se limitait au seul Ki Ho — ce serait tout autre chose : le bossu ne donnait pas l'impression d'être un personnage avec qui l'on pouvait se lier facilement ! Mais qui sait ?...

Quand Patrice Rumeau pénétra, avec toute la discrétion dont il savait être capable, dans l'appartement de la veuve Burtin, sa surprise fut grande de constater qu'il y avait encore de la lumière dans le salon. Un regard à travers la porte vitrée lui permit d'apercevoir la vieille dame assise dans sa bergère, et lisant. Il frappa à la porte et l'entrouvrit :

— Excusez-moi, madame, de vous déranger à une heure pareille...

— Je vous ai déjà dit, cher monsieur Rumeau, que vous ne me dérangeriez jamais ! Avez-vous passé une bonne soirée chez le colonel ?

— Une soirée de vieux amis qui se retrouvent et qui ont une foule de choses à se dire !

— Je m'en doute... Eh bien, moi, j'ai eu moins de chance que vous : le programme de la télévision était tellement mauvais que j'ai tourné le bouton pour lire... Mais ce roman policier ne vaut rien ! Aimez-vous les romans policiers ?

— Pas trop...

— Moi, ils me passionnent... quand ils sont bons ! Ce

qui est de plus en plus rare! Que puis-je pour vous, cher Monsieur?

— Pour moi? Mais rien, absolument rien! Je me suis permis d'ouvrir parce que j'ai été un peu étonné de constater que vous n'étiez pas encore au lit à une heure pareille! Savez-vous qu'il est près de 2 heures?

— Il m'arrive de rester ici pendant des nuits entières... J'adore contempler le lever du jour sur les toits de Paris : on a l'impression, surtout à cette époque du printemps, que toute la ville devient rose... Et je suis à un âge où l'on n'a plus besoin de beaucoup de sommeil! Voulez-vous que je vous prépare une tisane?

— Jamais de tisane, chère madame!

— Vous préférez du whisky? Eh bien, comme je m'en doutais, je me suis permis de déposer dans votre chambre la bouteille que vous avez inaugurée cet après-midi. J'y ai joint un seau à glace mais pas d'eau Perrier que je ne veux pas plus voir chez moi que du thé depuis l'attentat qui a fait de mon pauvre Pierre un aveugle pendant plus d'une année.

— Merci mille fois pour une aussi délicate attention... Et permettez-moi de vous souhaiter quand même un bon repos.

— Bonsoir, cher monsieur.

Lorsqu'il se retrouva dans sa chambre, il put constater que le passage de sa logeuse avait dû y être beaucoup plus long que le temps nécessaire pour déposer le whisky. Et il comprit pourquoi la veuve ne s'était pas encore couchée. Non seulement elle lui avait préparé son lit mais elle y avait déposé, bien en évidence, l'un des pyjamas de la garde-robe conçue selon les directives de « la vieille chouette ». Après avoir inspecté la penderie, il put constater que tous les vêtements avaient été soigneusement repassés... Une telle sollicitude prouvait que la conquête de la veuve avait été encore plus grande qu'il ne l'avait pensé avant de sortir. A moins — et c'était peut-être la véritable explication — que la pauvre femme n'ait retrouvé, le jour où la chambre de son fils était à nouveau habitée, la pratique instinctive des gestes maternels qu'elle devait avoir quand Pierre vivait auprès d'elle ?

Lorsqu'il quitta l'appartement, le lendemain matin, vers 10 heures, sa logeuse était sortie. Mais elle n'avait pas manqué de laisser, placé en évidence auprès du téléphone dans le vestibule, un mot griffonné à son intention : « *Cher monsieur, je vais faire quelques courses. Si vous aviez besoin de la moindre chose, je serai de retour vers 11 heures. Au cas où vous désireriez déjeuner ici, j'aurai tout ce qu'il faudra. A tout à l'heure, j'espère.* » Deux choses fascinèrent le destinataire : la fermeté de l'écriture qui ne révélait aucune trace de démence et les mots terminant le message. Ils étaient comme une supplique... Ce « *à tout à l'heure, j'espère* » ne voulait-il pas dire que son auteur ne pouvait plus supporter sa solitude désespérée ?

Puisque Mme Burtin n'était pas là, son locataire aurait pu parler en toute tranquillité au téléphone avec Sicard, mais, sachant qu'elle pouvait rentrer à n'importe quel moment et même écouter du palier, à travers la porte, ce qu'il dirait à l'appareil placé dans le vestibule, il préféra se rendre dans un café d'où il appela son chef d'une cabine :

— Allô ? Ici Rumeau.

— Les choses se sont-elles bien passées ?

— Oui, si l'on admet qu'il était indispensable que NOUS fissions d'abord connaissance... Non, en ce sens que je suis encore incapable, même après la réflexion de la nuit, de me rendre compte si l'ON m'a reconnu, ou pas !

— Ce qui me porte à croire que l'ON a été très habile ?

— ON l'a été, en effet... Mais vous pensiez sérieusement qu'il pourrait en être autrement ?

— Non. Quelle impression avez-vous eue de l'ensemble ?

— C'est un établissement bien dirigé.

— A votre avis, ON a beaucoup changé... physiquement ?

— Oui, mais ce n'est pas un handicap ! On a encore de sérieuses réserves de charme...

— Je vous l'avais dit. Et l'ASSOCIÉ ?

— Aussi redoutable que sa bosse ! Aucun contact direct n'a pu encore être pris de ce côté-là. Je crois qu'il me faudra saisir un jour ce bonhomme par sa natte !

— ET LA PROGÉNITURE ?

— Attrayante mais un tantinet impertinente.

— Excellente définition qui me prouve que vous n'avez rien perdu de vos dons d'observation rapide... Notez bien que si l'on n'était pas impertinent à cet âge-là, on ne le serait jamais !

— ON a tenu à me la présenter : ce qui m'intrigue encore.

— Normal ! N'êtes-vous pas un personnage séduisant ?

— Si l'ON ne m'a pas repéré, je crois sincèrement avoir séduit ! Mais, si c'est le contraire, je vous promets que je ne me suis pas laissé séduire !

— Vous êtes donc incorrigible ? Et du côté de la VEUVE ?

— Ça marche de mieux en mieux... Je suis invité à déjeuner tout à l'heure.

— J'espère que vous avez accepté ?

— J'en avais l'intention car j'aimerais poser quelques petites questions...

— Soyez prudent, surtout!

— Comptez sur moi.

— Ensuite, quels sont vos projets?

— Assez vagues... Je vous les communiquerai en temps voulu.

— Vous savez que ça presse!

— Je sais, mais la précipitation en tout — et particulièrement à l'égard de ceux qui nous intéressent et qui savent depuis des millénaires que le temps travaille pour eux — est néfaste. Je vous demande un peu de patience. A bientôt!

Il avait raccroché.

Le repas — préparé par Mme Burtin, non pas avec soin, mais avec tendresse, comme s'il s'était agi de choyer son fils — avait été excellent. Patrice Rumeau l'avait savouré avec d'autant plus de plaisir que c'était le premier repas de vieille tradition française qu'il ingurgitait depuis bien longtemps. Et il ne put, d'ailleurs, s'empêcher de confier à son hôtesse, alors qu'ils en étaient au café :

— Chère madame, il n'y a véritablement qu'en France que l'on sache faire la cuisine!

— Croyez-vous? Mon fils m'a pourtant souvent dit que la cuisine vietnamienne, et surtout la cuisine chinoise étaient des plus raffinées.

— Pour ceux qui s'y sont habitués : ce qui ne serait peut-être pas votre cas, madame.

— J'aimerais quand même risquer une tentative... L'un des petits reproches que j'ai faits à mon cher Pierre est de n'avoir jamais voulu m'inviter, pendant le temps où il fut de retour ici, dans l'un de ces restaurants spécialisés dans ce genre de cuisine et qui semblent augmenter de plus en plus à Paris.

— Ils se multiplient, en effet...

— J'ai toujours cru que, si Pierre n'y allait pas, c'était parce qu'il avait gardé un exécrable souvenir de la race jaune après tout ce qu'elle lui avait fait endurer... Mais les événements ont prouvé, hélas, que je me trompais!

— Peut-être pas tellement, chère madame? Rien ne prouve que votre fils n'est pas retourné là-bas pour régler, précisément, un vieux compte avec celle qui lui avait fait tout ce mal.

— Oh! monsieur Rumeau... Pierre était incapable d'avoir de tels sentiments... Généreux comme il l'était, il ignorait l'esprit de vengeance.

— Et vous, chère madame? Que se serait-il passé si, après la mort de votre fils, vous vous étiez brusquement trouvée en présence de cette femme?

Elle le regarda avec une expression d'intense stupéfaction, comme quelqu'un qui ne comprend pas la question qui vient de lui être posée et elle répéta avec difficulté :

— Si... je m'étais trouvée en présence de cette... ? Mais cela n'aurait pas été possible, monsieur Rumeau! Cette femme est restée là-bas... Si elle était venue en France, je suis sûre qu'elle m'aurait tuée comme elle a fait mourir mon fils! Elle nous haïssait tous.

— Qui cela tous?

— Mais... les Burtin! Elle nous en voulait parce que Pierre, après l'avoir quittée, était revenu ici où il avait épousé une Française... Le matin même de son mariage, elle lui a fait adresser une lettre de menace! Et savez-vous ce qu'elle disait dans cette lettre, qui a été déposée ici au moment même où Pierre et moi partions pour la mairie et dont mon fils n'a pas voulu, sur le moment, me révéler la teneur? Il ne me l'a dite que beaucoup plus tard, après son retour de voyage de noces... Aujourd'hui encore, je sais par cœur ce qui était écrit : « *Tu t'apprêtes à me trahir. Tu n'en as pas le droit! N'oublie pas que nous sommes unis devant Bouddha pour tout le temps de notre passage sur terre. Tu peux encore te racheter en n'épousant pas cette femme de ton pays. Je t'attends toujours. Maï* »... Car elle s'appelait Maï! Un prénom de sauvage!... Et tout cela était écrit en vietnamien que Pierre comprenait, et qu'il m'a traduit... Écrit dans la même langue qu'un second message qu'elle a eu l'affront de faire remettre en mains propres par un inconnu, à l'issue de la cérémonie religieuse de Saint-Honoré-d'Eylau, pendant le défilé de tous nos amis à la sacristie! Dans celui-là, il était dit : « *Tu m'as trahie. Toi et tes descendants êtes à jamais maudits par le Dieu mon père...* » Un an plus tard, celui qui aurait été mon petit-fils mourait le jour de sa naissance... Les imprécations de cette mauvaise femme avaient porté leurs fruits : elle avait jeté, de son pays, un sort sur nous tous pour détruire notre famille... Les hommes sont morts, mon ex-belle-fille ne porte plus notre nom puisqu'elle s'est remariée, je reste la seule Burtin! C'est ainsi que les choses se sont passées...

Elle avait dit tout cela d'un ton monocorde, telle une machine humaine qui répéterait un texte appris par cœur depuis des années... Un texte qui lui faisait mal et que, cependant, elle n'avait dû cesser de ressasser dans son isolement moral. Depuis son arrivée, « le colonial » ne l'avait pas encore vue dans un tel état. Et il eut pitié :

— Il faut oublier tout cela, madame Burtin! C'est du passé... Vous ne devez penser qu'au présent.

— Quel présent? Rien ne m'intéresse plus, monsieur Rumeau, à l'exception du souvenir de mon fils.

— Justement votre fils... Comme vous le disiez vous-même hier, je suis sûr que c'est lui qui, d'où il est maintenant, m'a conduit jusqu'à vous... Et ceci, parce qu'il veut que je répare les petites erreurs qu'il a pu commettre à votre égard... Par exemple je suis certain qu'il désire en ce moment même que je vous fasse découvrir, comme il n'a pas voulu le faire à une certaine époque, les spécialités gastronomiques du pays où il repose. Je vous promets que prochainement, en remerciement de l'excellent repas que vous venez de m'offrir, je vous emmènerai dîner dans l'un de ces restaurants dont vous m'avez parlé... J'en connais un, où j'ai été il y a quelques années déjà au cours d'un très court séjour que j'ai fait ici pour affaires, et qui, paraît-il, existe toujours : *La Lampe de Jade*... Il a conservé une excellente réputation : nous irons un soir puisque je sais maintenant que vous ne craignez pas de veiller tard.

— Vraiment, monsieur Rameau, vous feriez cela ? Mais je suis une très vieille dame et on n'invite pas, le soir, les femmes de mon âge !

— Croyez-vous que je suis un jeune homme ? Je trouve même que nous ferons un couple très bien assorti... Et, si quelqu'un trouvait à y redire, il aurait affaire à moi !

Elle le regarda, cette fois, avec une sorte d'admiration avant de dire dans un sourire sincère :

— Vous êtes un vrai gentleman, monsieur Rumeau !

— Et vous la dernière des ladies, madame Burtin ! Vous verrez... Ce soir-là je vous ferai découvrir, dans une ambiance de rêve qui rappelle exactement celle que l'on trouve au Vietnam, des mets qui vous surprendront et que vous aimerez... En les savourant, vous penserez à Pierre et cette pensée, peut-être, rejoindra la sienne, là-bas...

Des larmes coulèrent sur le visage ridé; comme celles d'une enfant à qui l'on vient de promettre une chose merveilleuse.

— Ce sera beau, très beau ! dit-elle d'une voix exsangue. Mais il faudra me prévenir un peu à l'avance pour que je puisse me préparer... Je veux être belle, très belle ce soir-là, monsieur Rumeau! Avant-hier, en rangeant les costumes de Pierre dans l'un de mes placards pour laisser de la place dans ceux de votre chambre, j'ai retrouvé la robe que je m'étais fait faire pour son mariage... Et je ne sais pourquoi, je l'ai essayée... C'est comme si un pressentiment me faisait comprendre que, bientôt, j'aurais à l'utiliser de nouveau... C'est une robe gris perle : elle n'est pas du tout démodée pour quelqu'un de mon âge! Je la porterai pour ce dîner en me disant que c'est Pierre aussi qui me le demande pour que je puisse vous faire honneur... Le gris, c'est une teinte de demi-deuil : ce sera la première fois, après douze années, que je ne serai pas en noir.

Quarante-huit heures passèrent avant que Mme Burtin revînt frapper, un matin de bonne heure, à la porte de la chambre.

— Monsieur Rumeau, dit-elle, c'est votre ami le colonel qui est au bout du fil.

— J'y vais. Merci, madame.

Il arriva en robe de chambre dans le vestibule au moment où sa logeuse rentrait dans la cuisine qui était suffisamment éloignée de l'appareil téléphonique pour qu'il pût parler en toute liberté. Mais son interlocuteur et lui prirent quand même, plus par routine que par nécessité, les habituelles précautions qu'ils s'étaient imposées d'un commun accord.

— Oui, c'est moi. Vous me réveillez presque.

— Pas très matinal ce matin, le « pharmacien »!

— Pourquoi voulez-vous qu'il le soit? N'a-t-il pas pris sa retraite?

— Retraite ou pas, j'ai bien l'intention de le faire travailler... Et j'ai pour lui une excellente nouvelle qui va le sortir de sa torpeur : ON ne l'a pas reconnu, il y a trois jours, lorsqu'il s'est exhibé dans les parages du Panthéon...

— Qu'est-ce qui vous fait dire cela ?

— Connaissant la dame de vos pensées vengeresses, je suis certain qu'elle serait déjà venue me rendre visite pour se plaindre des « clients » que je lui envoyais... Et elle ne l'a pas fait ! Vous pouvez donc pousser l'aventure autant que vous le voudrez.

— Parce que vous vous figurez que l'ON est assez stupide pour se manifester tout de suite si l'ON a repéré l'adversaire ? Mais, mon cher ami, je m'excuse humblement de vous le dire : je crains que vous n'ayez sérieusement vieilli ! ON est beaucoup trop « expert » dans le métier pour démasquer aussi vite ses batteries...

— N'auriez-vous plus confiance dans ce que je vous dis ?

— Je reste confiant, mais prudent...

— Alors, quand retournez-vous dans le restaurant de rêve ?

— Je pense y emmener demain soir une invitée.

— Quoi ?

— Vous auriez plutôt dû me dire : Qui ?... Et je vous aurais diablement étonné en vous précisant que cette invitée sera ma charmante logeuse...

— Non ? Qu'est-ce qui se passe dans votre tête ?

— Il se passe que je respecte à la lettre la ligne de conduite que vous-même m'avez tracée : utiliser une femme pour en amener une autre à compréhension...

— Vous reconnaissez enfin que ce n'était pas une si mauvaise méthode ?

— C'est incontestablement la bonne... la seule même qui ait quelque chance de donner des fruits... Il existe aussi une deuxième raison pour laquelle je vais faire les folies d'une pareille sortie : ma logeuse — qui, je m'empresse de vous le dire, est enfermée dans sa cuisine d'où elle ne peut pas m'entendre — est, je crois, assez éprise de moi...

— Vous vous foutez de moi ?

— Ne m'aviez-vous pas dit que je pouvais plaire ? Eh bien, soyez satisfait : je plais ! Alors nous allons sortir, elle et moi, en amoureux... Après ? A la grâce de Dieu ! Nous verrons bien ce qui se passera...

— Mon cher Patrice Rumeau, je commence à me demander si certains rapports que l'on m'avait fait parvenir, jadis, sur votre comportement sexuel, n'étaient pas complètement erronés ?

— Ils l'étaient, n'en doutez pas, comme tout ce que l'on a pu vous dire sur moi ! Plus nous vieillirons, vous et moi, et plus vous vous apercevrez que vous me connaissez de moins en moins !

— C'est là, je pense, le destin de tous ceux qui, comme moi, se croient des patrons... Il ne me reste plus qu'à vous souhaiter un joyeux tête-à-tête...

— Il ne sera peut-être pas « joyeux » au sens où vous l'entendez car il sera troublé par deux présences : celle d'un disparu aimé et celle d'une créature détestée... La situation ne sera pas facile !

— Je vous fais entièrement confiance pour la débrouiller au mieux de ce que j'appellerai « nos intérêts ». Au revoir, cher ami ! Et ne manquez surtout pas de m'appeler après-demain pour me dire comment se sera passée l'entrevue entre les personnes qui nous passionnent, vous et moi.

Cette fois, c'était le colonel qui avait raccroché.

Patrice Rumeau repartit vers sa chambre en se remémorant la courte conversation qu'il avait eue, la veille au soir, avec la veuve Bertin et où il lui avait annoncé :

— Chère madame, selon le désir que vous avez exprimé d'être prévenue un peu à l'avance, je viens vous demander si vous seriez d'accord pour que nous allions dîner à la *Lampe de Jade* après-demain, mercredi ?

Elle avait aussitôt répondu :

— Ma robe sera prête... J'ai déjà procédé à quelques retouches car j'ai beaucoup maigri depuis l'époque où je l'ai fait faire ! A quelle heure partirons-nous ?

— Je commanderai un taxi pour 20 heures.

— Je vous attendrai à ma place habituelle dans le salon.

L'entrée du couple à la *Lampe de Jade* ne pouvait pas passer inaperçue d'autant plus que Patrice Rumeau avait téléphoné au début de l'après-midi pour retenir à son nom la même table qu'il avait eue la première fois. Il avait précisé que ce serait pour deux personnes. Avant de monter en taxi, il avait également dit à son invitée :

— Ma longue expérience des milieux asiatiques m'a fait comprendre que l'on y possédait au plus haut degré le culte familial. C'est pourquoi je crois préférable, et à condition que cela ne vous ennuie pas, que l'on nous prenne — quand nous arriverons au restaurant — pour deux clients ayant un certain lien de parenté... Mari et femme serait exagéré, mais frère et sœur me paraît à la fois pratique et sans grandes conséquences... Cela offrirait l'inestimable avantage que la patronne, dont j'ai eu autrefois l'occasion de faire connaissance, s'occuperait encore mieux de nous et vienne même bavarder à notre table à l'issue du repas : ainsi peut-être entendrez-vous des choses assez curieuses sur son pays ? Si nous n'usons pas de ce petit subterfuge, je crains fort qu'elle reste sur une discrète réserve à notre égard : c'est une femme charmante qui, sous des dehors affables, est assez encline à la timidité, comme d'ailleurs la plupart des femmes d'Extrême-Orient. Ma proposition vous convient-elle ?

— Ce sera follement amusant, cher monsieur, de jouer ainsi les frère et sœur ! Dois-je conserver mon nom ?

— Je pense aussi qu'il est inutile de le divulguer en un pareil lieu. Gardons-le secret pour la mémoire du cher disparu... Ils n'ont pas à savoir non plus, ces restaurateurs, que vous êtes veuve et que vous avez eu un fils assassiné dans leur pays : cela pourrait créer un malaise inutile entre ces gens, qui sont complètement étrangers au drame que vous avez vécu, et vous-même... Le plus simple serait qu'étant « ma sœur », vous vous appeliez comme moi : Rumeau... Vous pouvez très bien ne jamais avoir été mariée.

— Auriez-vous l'impression que j'aie été si laide dans ma jeunesse, au point d'avoir eu beaucoup de mal à trouver un époux ?

— Loin de moi une pensée aussi ridicule, chère madame Burtin ! Il n'y a qu'à vous regarder aujourd'hui, tellement charmante dans cette robe grise et sous cette toque de vison, pour se rendre immédiatement compte que vous n'avez pu être que la plus exquise des jeunes femmes ! Et je suis sûr que Pierre devait être très fier de sa maman.

— Je crois qu'il l'était, en effet... Eh bien, cher monsieur et ami... Vous me permettez maintenant de vous appeler ainsi ?

— Je n'osais vous le demander.

— Ce soir, selon votre amusante suggestion, sachez que je suis ravie d'être votre sœur... aînée ou cadette ?

— Cadette, madame ! Tout ce qu'il y a de plus cadette !

— ... Donc une cadette qui aime beaucoup son grand frère Patrice et qui se nomme Marguerite... Il n'y a pas d'inconvénient à ce que je conserve mon vrai prénom?

— Au contraire! Aucun ne pourrait mieux vous convenir. Vous êtes Marguerite Rumeau...

— Suis-je censée avoir vécu à Saïgon avec vous?

— Surtout pas! Vous êtes restée bien sagement, toute votre vie, auprès de « notre vieille maman » et vous attendiez avec impatience le retour de ce frère prodigue, qui est moi, pour découvrir un peu en sa compagnie les charmes de l'existence et, parmi ceux-ci, la douceur, restée toujours inconnue pour vous, de la cuisine chinoise.

— Eh bien, cher monsieur Rumeau, tout cela est clair : je serai exactement celle que vous désirez.

— Croyez bien que cette petite mise en scène est uniquement destinée, dans mon esprit, à vous rendre la soirée le plus agréable possible.

— Vous êtes un homme plein de délicatesse... Je n'ai pas manqué d'ailleurs de le dire hier matin au colonel lorsqu'il vous a appelé de très bonne heure au téléphone.

— Vous finirez par me faire rougir!... Le taxi doit être maintenant en bas devant la porte. Ma chère sœur, en toute pour la *Lampe de Jade!*

Il lui avait offert le bras gauche qu'elle accepta en confiant :

— Je crois, mon grand Patrice, que je vous suivrais volontiers ainsi au bout du monde...

Aussi, quand ils étaient entrés dans le restaurant, plus personne n'aurait osé mettre en doute leur parenté.

Un serviteur s'était précipité pour le vestiaire et un autre pour les accompagner jusqu'à la table réservée pendant que, du haut de son observatoire où elle trônait à la gauche du bossu natté toujours penché sur sa « main courante »,

Mme Phu leur adressait le plus suave des sourires. Ce qui confirma le pharmacien retraité dans l'idée que sa seconde apparition dans la maison était la bienvenue.

« Sa sœur » Marguerite était un peu éblouie par tout ce qu'elle voyait autour d'elle et qui constituait pour elle une véritable découverte : cette décoration exotique rappelant certaines descriptions que lui avait faites Pierre, ces lampadaires aux parois teintées diffusant un éclairage plein de mystère, ces serviteurs portant de petites culottes et tout de noir vêtus qui se courbaient jusqu'à terre pour saluer la clientèle, ces surtouts en paille de riz remplaçant les nappes sur les tables laquées de rouge et d'or, ce vieillard bossu avec sa longue natte et cette créature fardée aux yeux en amande qui ne cessait pas de sourire, tout cela tenait de la féerie... Et ce menu immense, présenté par un serviteur, où s'alignaient sur des pages entières les spécialités proposées... Il y avait la page réservée aux *Tmô Ca,* ou poissons et crustacés, la page des *Linh Tinh,* autrement dit : « divers », la page des *Mi* ou soupes chinoises et vietnamiennes, celle des *Canh* ou bouillons, celle des *Thit Bo* ou viandes de bœuf, celle des *Thit Heo* ou viandes de porc, celle des *Gâ Vit* ou volailles, celle enfin des *Trang Mieng* ou desserts... Devant tant de variété, quoi choisir ? Heureusement que le « grand frère », ce cher Patrice, était là pour conseiller... Ce fut lui qui décida : tout ce qu'il disait ne tenait-il pas de l'oracle ? Un tel homme ne pouvait se tromper, ni sur la qualité des gens ni sur celle des lieux ou des choses...

Selon son habitude, qui avait dû s'élever chez elle au niveau d'un rite, Mme Phu attendit que la clientèle fût repue pour entreprendre « son tour de propriétaire » et pour glaner les louanges ou des réclamations éventuelles. Quand elle arriva devant la table occupée par le pharmacien retraité et par sa très digne invitée, elle dit, toujours dans un sourire exquis :

— Bonsoir, monsieur Rumeau... Je suis très heureuse de constater que vous nous êtes revenu et que vous nous avez même amené une invitée qui est sans doute madame votre épouse ?

— Non, chère madame Phu... Cette dame est une demoiselle et, de plus, se trouve être ma sœur... Ma sœur Marguerite que j'aime beaucoup !

— Excusez-moi, mademoiselle... Ce sera donc à vous que je demanderai si notre cuisine vous a satisfaite.

« La sœur » avait entrouvert la bouche pour répondre, mais aucun son ne sortit de sa gorge, comme si elle était brusquement paralysée à la vue, toute proche, de celle qui s'adressait à elle, avec tant de gentillesse pourtant, et qu'elle regardait avec une sorte d'effarement. Il y eut un court malaise que le colonial dissipa en demandant précipitamment :

— Mais qu'est-ce qui t'arrive, Marguerite ? Cette aimable patronne te demande si tu es satisfaite. Ne viens-tu pas de me dire toi-même que cette cuisine te ravissait ? Tu n'es pas souffrante au moins ?

— Non, non ! balbutia Marguerite avant d'ajouter à l'intention de son interlocutrice : Pardonnez-moi, madame, mais je ne sais pas ce qui m'est arrivé... J'ai eu presque le souffle coupé en vous voyant d'aussi près.

— Avoue, enchaîna son « frère », que tu es encore plus émerveillée par la beauté de Mme Phu que par la qualité de son restaurant... Ma sœur est une grande timide qui sort très peu depuis la mort de « notre » mère qu'elle a soignée pendant des années avec un dévouement sans limites... Elle attendait que je sois revenu de Saïgon pour faire quelques petites escapades comme celle-ci... C'est d'ailleurs indispensable pour elle et j'ai l'intention de l'emmener dîner un peu partout.

— Vous aurez mille fois raison, monsieur Rumeau... Savez-vous, mademoiselle, que vous avez beaucoup de chance d'avoir un frère aussi gentil ?

— J'ai en effet une grande chance... répondit Marguerite dont le teint, qui avait blêmi au début de l'entretien, reprenait quelques couleurs.

Mme Phu s'adressa au frère :

— Avez-vous parlé à mademoiselle votre sœur de l'attraction ?

— Pas encore, chère madame... J'ai voulu lui réserver la surprise.

— Eh bien, elle n'attendra pas longtemps : voici Siao...

La lumière s'éteignit et il ne resta plus, selon une autre loi de l'établissement, que le projecteur éclairant la piste centrale. Et Siao parut, identique à elle-même, exécutant la même danse d'inspiration cambodgienne pour laquelle Patrice Rumeau l'avait félicitée avec chaleur. Mais il sembla cette fois au colonial que le numéro offrait un peu moins d'attrait : sa perfection même, dans les mouvements de bras et de mains savamment étudiés, diminuait l'impression de spontanéité qu'il avait cru déceler la première fois. C'était, certes, de l'excellent travail, mais trop préfabriqué. On sentait que le numéro avait été répété et mis au point à Paris pour les besoins de la couleur locale. Décidément, cette jeune Siao n'aurait jamais la personnalité de sa mère : les 50 % de sang Burtin seraient toujours là, en elle, pour opposer un barrage occidental à l'assaut du sang jaune... Le sang Burtin ? Patrice Rumeau jeta un regard vers sa « sœur » qui contemplait la danse avec une réelle expression de ravissement. Autant le visage ridé s'était assombri quand Mme Phu s'était approchée de la table, autant il s'irradiait de contentement à la vue de Siao. Mais n'était-ce pas troublant de penser que — sans qu'aucune d'elles s'en doutât — les trois femmes dont l'axe de vie avait été le même homme se trouvaient pour la première fois en présence douze années après la mort de celui qui les liait si étroitement : à la fois fils, amant et père ? Il fallait avoir toute la maîtrise d'un Serge Martin pour connaître un tel moment sans se départir de son calme.

Dès que la danse fut finie, son invitée s'exclama :

— C'est un véritable ravissement ! Tout est joli chez cette jeune femme : le sourire, les gestes, une certaine pudeur même... Je comprends combien ces Asiatiques peuvent être troublantes pour les Blancs ! Ce serait même à croire qu'elles ne recherchent que ça... Vous-même, Patrice, ne vous est-il pas arrivé d'être un peu leur victime ?

— Jamais !

Il ajouta à voix plus basse :

— Je vous en prie : tutoyez-moi puisque nous sommes frère et sœur ! Et ne m'en veuillez pas de l'avoir fait tout à l'heure devant la patronne. Cela faisait plus vrai.

Puis, haussant de nouveau le ton :

— Ceci dit, cette danseuse a beaucoup de charme... Peut-être un peu moins, cependant, que sa mère.

— Sa mère ?

— La patronne : Mme Phu.

— Ce n'est pas possible ? Et c'est à peine croyable ! Je trouve qu'elle ne lui ressemble pas du tout ! Elle donne même l'impression d'être de sang mêlé !

— Elle l'est...

— De quel pays, selon toi, pourrait être son père ? Ce n'est tout de même pas ce vieillard qui est assis là-bas devant la caisse ?

— A la rigueur celui-là pourrait être son grand-père, mais rien de plus...

— Il fait très chinois!

— Il l'est! N'en doute pas non plus.

— Et la mère?

— Vietnamienne du Nord, c'est-à-dire Tonkinoise, mais certainement originaire des régions frontalières avec la Chine où il y a eu, comme sur toutes les frontières, pas mal de mélanges.

— Crois-tu qu'elle soit apparentée avec le vieux Chinois?

— Tout est possible, mais je ne le pense pas... On dit que c'est son associé.

— Voilà, mon cher frère, une bien curieuse association!

— J'adore ton esprit de finesse, chère Marguerite!

— De toute façon, je préfère de beaucoup la fille à la mère! Je ne sais pas pourquoi mais, tout à l'heure, quand cette dame est venue nous parler, j'ai ressenti un véritable malaise... C'est un peu comme si, sous ses sourires mielleux et sous sa trop grande amabilité, se cachait la sournoiserie d'un serpent...

— D'une vipère peut-être? Marguerite, tu ferais une étonnante psychanalyste! C'est ma foi vrai que ces femmes d'Asie ont pris, depuis des siècles, l'habitude de ramper devant l'homme.

— Pas toutes! Tu oublies celle qui nous a fait tant de mal?

— Même celle-là, ma chère sœur! Ne crois-tu pas que c'est parce qu'elle a su ramper longtemps devant celui que nous ne nommerons pas ici, pour lui faire croire à son obéissance absolue, qu'elle a mieux réussi à l'abattre au moment où il s'y attendait le moins?

La vieille femme fut secouée par un frisson avant de murmurer dans un souffle :

— C'est stupide, n'est-ce pas, ce que je vais dire... Mais cette Mme Phu me fait horreur! Et je sens qu'elle ne doit pas m'aimer non plus!

— Qu'est-ce qui te fait dire cela?

— Je ne sais pas... Nous autres, les femmes, nous devinons ces choses...

— Votre fameux instinct?

— Peut-être...

Et elle ajouta, très bas, à l'oreille :

— Si Pierre était encore vivant et l'avait rencontrée ici, je ne serais pas tranquille!

— Ne penses-tu pas que nous devrions rentrer?

— J'allais te le demander.

Après avoir fait signe à un serviteur d'apporter l'addition, il reprit :

— Malgré ce que tu ressens, je te demande, puisque cette femme s'est quand même montrée très aimable à notre égard, de ne rien lui laisser voir de l'opinion que tu as d'elle et qui, je t'assure, est un peu exagérée.

— Patrice! Douterais-tu que ta sœur sache se tenir en public?

Puis elle dit en souriant :

— Mon pauvre frère! Pour une fois que tu me sors, je te donne beaucoup de soucis! Je sens que tu ne m'inviteras plus.

— Je t'inviterai, mais pas ici! Moi qui voulais te faire plaisir!

— Tu y as merveilleusement réussi! Et oublie tous mes radotages de vieille femme qui, dans son isolement, en veut un peu à tout le monde! Tu vas voir : pour te fairc honneur, je saurai me montrer très gentille...

Dès qu'elle les avait vus se lever de table, la patronne était accourue.

— Vous partez déjà ? demanda-t-elle sur un ton désolé. Moi qui voulais vous offrir le *Maï-que-to* traditionnel!

— Qu'est-ce que c'est que cela, chère madame? demanda Marguerite.

— Un alcool de riz, mademoiselle.

— De l'alcool? Mais vous ne m'imaginez pas, à mon âge, m'adonnant aux boissons fortes! Vous avez dû le remarquer : je n'ai même pas bu de thé!

— Ma sœur n'aime que l'eau, dit précipitamment le colonial. C'est là l'un des rares sujets de discorde qui existe entre nous!

— Mais... vous reviendrez quand même nous voir? insista la patronne.

— Je ne peux rien promettre, chère madame... Mon frère vous l'a dit : je ne sors pratiquement pas le soir... Seulement je suis certaine que lui reviendra, n'est-ce pas, Patrice?

Et, avant qu'il ait eu le temps de répondre, elle continua :

— Il a vécu tellement longtemps dans votre pays qu'il ne peut pas résister à tout ce qui lui en rappelle l'ambiance... Celle que vous avez su créer est véritablement extraordinaire! J'en conserverai un souvenir inoubliable! Bonsoir, madame...

— Mademoiselle... Monsieur... à bientôt quand même!

Le retour en taxi jusqu'à la rue Vaneau fut silencieux. C'est seulement lorsqu'ils se retrouvèrent dans le vestibule de l'appartement, après avoir verrouillé la porte, qu'il lui demanda :

— Vous ne regrettez pas trop votre soirée?

— Cher ami, c'est la plus belle que j'aie passée depuis longtemps! Je dirai même que c'est la seule...

— Sincèrement?

— Oui... Pendant que nous rentrions en taxi, si je ne vous ai pas parlé, c'est parce que je m'imaginais que j'avais encore mon fils à côté de moi et que c'était lui qui avait enfin accepté de me faire connaître l'un de ces restaurants... Et je me disais : « La soirée a été en tous points réussie à l'exception de la présence de cette patronne... Justement, parce qu'elle est belle et qu'elle risque de plaire à Pierre, elle ne me plaît pas à moi! »... Que voulez-vous, monsieur Rumeau, ç'a toujours été plus fort que ma volonté : chaque fois que je rencontrais une femme dont mon fils risquait d'être épris, je la haïssais! Même ma belle-fille, que je lui ai pourtant trouvée, je l'ai détestée dès le premier jour de leur mariage quand je l'ai vue partir avec lui en voyage de noces! Et maintenant qu'il n'est plus, je crois qu'il en est de même pour toutes les femmes que je rencontre. Je pense alors : « Celles-là aussi, elles auraient pu lui plaire... »

— C'est là un sentiment férocement maternel!

— Je sais... Je connaissais tellement ses goûts! Bonsoir, monsieur Rumeau.

— Bonne nuit, madame Burtin.

Quand il se retrouva, seul, dans sa chambre, Serge Martin pensa que l'instinct maternel est le plus prodigieux de tous ceux qui peuvent habiter une femme. C'est lui qui avait fait deviner — d'une façon très confuse, certes, mais quand même avec une force qui avait presque la solidité d'une conviction — à cette vieille maman que la patronne de la *Lampe de Jade* aurait pu être maléfique pour son fils... Et il en conclut que « la vieille chouette » n'était pas tellement dans l'erreur lorsqu'elle lui avait dit : « ... *Cette situation de famille assez paradoxale risque de vous servir un jour ou l'autre pour faire pression sur Mme Phu si celle-ci se montrait trop rétive.* » Décidément, il était très fort, le patron! Grâce à ses conseils, le faux Patrice Rumeau avait l'impression d'avoir accompli ce soir un pas de géant.

Le samedi suivant, à l'heure du dîner, il revenait seul à la *Lampe de Jade.* Bien qu'il n'eût rien réservé pour ne pas s'annoncer, un serviteur le conduisit directement à la même table comme s'il était établi une fois pour toutes qu'elle serait toujours la sienne, quel que fût le soir où il viendrait. Une telle prévenance pouvait laisser supposer qu'il était devenu un client définitivement « admis » par la direction. Derrière le comptoir, Mme Phu ne manqua pas d'orienter vers lui son perpétuel sourire et il eut la très nette impression que celui-ci était particulièrement appuyé. Ce qui, s'il ne l'avait pas connue de longue date, aurait pu lui faire croire que la belle patronne n'était pas insensible à sa présence. Et ce qui aurait pu faire dire au colonel, s'il avait assisté à la scène : « *Sacré Patrice Rumeau! Quand il le faut, vous savez avoir un de ces charmes avec les dames!* » Mais la dame en question l'intéressait pour de tout autres raisons. Il sentait aussi — et c'était pourquoi il avait laissé s'écouler quelques jours avant de revenir — que le moment de la première grande explication entre lui et l'ex-Ngô Thi Maï Khanh approchait...

Le repas fut sans histoire, toujours égal en qualité et se terminant par la grâcieuse exhibition de la fausse Cambodgienne dont le client commençait à connaître le numéro par cœur. La seule légère variante de la soirée vint de ce que Mme Phu, qui avait accompli sa randonnée de table en table avant le passage de l'attraction, ne s'approcha de celle de Patrice Rumeau qu'au moment où la clientèle commençait déjà à quitter l'établissement. Et, presque en même temps, sans qu'il l'eût commandé, un serviteur déposa devant lui un *Maï-que-to*. Ce qui permit à son hôtesse de dire :

— Celui-là, vous ne me le refusez pas ?

Et à lui de répondre :

— Je crois vous avoir fait comprendre l'autre jour, chère madame, que je n'avais pas les mêmes goûts que ma sœur... Je ne tremperai cependant mes lèvres dans ce verre, que vous voulez bien m'offrir, que si vous acceptez à votre tour quelque chose de moi.

— Eh bien, cher monsieur Rumeau, je vais sans doute vous surprendre, mais ce soir je ne refuse pas. J'accepte avec plaisir un *baby*.

— Vous, Boire du whisky ? Je croyais que vous ne l'aimiez pas ?

— Cela dépend des soirs... Et ma religion ne me l'interdit pas !

— Votre religion ?... Au fait serait-ce indiscret de savoir quelle est votre religion ?

— J'ai été élevée, pendant quelques années, dans un couvent de religieuses catholiques à Hué... Mais c'était uniquement pour que j'y apprenne correctement le français. Et réalité, je suis bouddhiste.

— Vous m'en voyez ravi. Je n'aurais pu vous imaginer catholique !

— Et vous ? Peut-on connaître vos croyances ?

— A vrai dire, au cours de ma longue existence j'ai vu prôner devant moi tellement de religions que je ne sais plus très bien où j'en suis ! Je dois être ce que l'on appelle un authentique athée.

— Comment pouvez-vous vivre ainsi ? Aucun homme intelligent n'a le droit de ne pas avoir de religion !

— Mais à quoi voyez-vous que je suis « intelligent » ? J'ai l'impression que vous me flattez beaucoup !

— Il n'est pas nécessaire de connaître les gens depuis longtemps pour juger de leurs capacités, monsieur Rumeau.

— Hé ! Hé ! Psychologue avec ça ?... Eh bien, chère madame Phu, je vais vous faire une confidence... Ne sommes-nous pas arrivés, vous et moi, à l'heure des confidences ? Pour moi, l'intelligence est un don très relatif... Ce qui prime tout, à mon humble avis, c'est l'association de l'instinct et de la sensibilité. Et permettez-moi de vous dire, sans que je cherche nullement à vous retourner le compliment, que vous me paraissez ne manquer ni de l'un ni de l'autre !

Elle but une gorgée de whisky avant de demander pour changer volontairement de conversation :

— Comment va votre charmante sœur ?

— Mais... très bien !

— J'ai eu l'impression qu'elle était un peu déçue par sa soirée.

— Elle était, au contraire, ravie !

— Vous ne m'aviez pas dit que vous aviez une sœur ?

— On ne peut pas, chère madame Phu, tout se dire la première fois que l'on se rencontre... Aujourd'hui ça va beaucoup mieux : nous devenons presque de vieilles connaissances.

— Vous êtes pour moi un homme fascinant !

— A ce point ?

— Oui... Vous me rappelez quelqu'un, qui ne m'aimait pas du tout, et pour lequel j'ai cependant toujours eu la plus vive admiration...

— Ah ? Quelqu'un que vous avez peut-être aimé mais qui ne l'a pas compris ?

— Je n'ai aimé qu'un seul homme dans ma vie et ce n'était pas lui... Non, ce personnage auquel vous ressemblez d'une façon assez hallucinante se nommait, si mes souvenirs sont exacts, Serge Martin...

Elle avait dit cela d'une voix suave et avec calme, après avoir brusquement perdu son éternel sourire. Puis elle but une nouvelle gorgée de whisky sans cependant quitter son interlocuteur des yeux. Celui-ci répondit avec la même sérénité et sans paraître nullement surpris :

— Dès le premier soir où je suis entré dans cet établissement, j'ai eu la quasi-certitude que vous m'aviez reconnu et c'est uniquement pour en avoir la preuve définitive que je suis revenu aujourd'hui... Je crois que la première chose que nous avons à faire, chère Ngô Thi Maï Khanh, est de boire à nos retrouvailles.

Il avait déjà levé son verre de *Maï-que-to*. Elle en fit autant avec le whisky. Et ils burent silencieusement en continuant à s'observer... Silence qui fut peut-être l'un des plus longs et des plus tendus que l'un et l'autre eussent connus au cours de leurs carrières respectives d'agents secrets. Après avoir posé leurs verres, tous deux retrouvèrent le sourire.

Ce fut elle qui rompit le silence :

— Et pourtant votre transformation est des plus réussies! Ce pharmacien retraité frise le chef-d'œuvre... Toute autre que moi s'y serait laissé prendre!

— Seulement voilà : vous êtes VOUS!... Confidence pour confidence, je dois vous avouer, chère « Fleur de sérénité »... Vous vous souvenez que je vous appelais ainsi quand vous étiez à Saïgon la maîtresse de Pierre Burtin?

— Je n'oublie ni les compliments ni les injures...

— J'ai eu maintes fois l'occasion d'apprécier la

qualité de votre mémoire! Eh bien, chère « Fleur de sérénité », vous me voyez au regret de vous dire que, vous aussi, vous avez beaucoup changé... Seulement, la grande différence entre vous et moi, c'est que vous ne l'avez pas fait exprès! C'est la vie qui s'en est chargée pour vous.

— Toujours odieux, ce Serge Martin! Mais vous devez avoir raison : nous autres femmes vieillissons plus vite que vous les hommes! Il est vrai que, dans votre cas très particulier, il n'a jamais été très facile de vous donner un âge.

— C'est là un refrain que j'ai souvent entendu! Maintenant que le moment des civilités est passé, nous pourrions peut-être en venir aux choses sérieuses?

— Je prévoyais que cet instant viendrait quand je vous ai vu revenir seul ce soir. C'est pourquoi j'ai attendu, pour venir m'attabler face à vous, que le restaurant se soit vidé de sa clientèle. Avez-vous remarqué que vous êtes le dernier client?

— J'ai remarqué. Ceci prouve que je me sens tout à fait à l'aise chez vous...

— Et que moi-même j'ai tout mon temps! Demain c'est dimanche, jour où ma maison reste fermée et où j'aurai le loisir de me reposer. Puis-je savoir d'abord ce qui me vaut le plaisir, ou l'honneur, de votre visite?

Il ne se hâta pas avant de dire :

— Ma chère Ngô Thi Mai Khanh...

— Si ce n'était trop vous demander, pourriez-vous avoir l'obligeance — ne serait-ce que pour ne pas intriguer le personnel qui peut toujours nous entendre malgré l'extrême discrétion que j'exige de lui — de m'appeler, comme tout le monde ici, « madame Phu »?

— Je n'y vois aucun inconvénient. A condition, bien

entendu, que vous ne prononciez plus le nom de ce Serge Martin que j'ai complètement oublié!

— On voit que vous n'avez pas eu affaire à lui! Quand on a eu ce rare privilège, c'est un homme dont le nom reste inoubliable! Ceci dit, j'acquiesce volontiers à votre requête.

— Voilà au moins déjà un point précis sur lequel nous sommes d'accord... Donc, très chère madame Phu, vous vous souvenez sans doute que la dernière fois où nous eûmes une conversation suivie, ce fut, il y a de cela douze années, dans un bar de Lao-Kaï, quelques heures à peine après la mort, pour le moins étrange, de ce cher Burtin... Ce jour-là, au moment de nous quitter, je vous avais promis que je vous retrouverais... Eh bien, c'est fait! Et, cette fois, je ne vous lâcherai plus avant que les ordres qui viennent de m'être donnés à votre sujet aient été exécutés.

— Puis-je connaître la nature de... ces ordres?

— Chère madame Phu, vous n'ignorez pas que vous appartenez, depuis deux années déjà, à nos services et que, comme telle, vous êtes tenue à rendre compte de votre activité à vos supérieurs hiérarchiques directs.

— C'est ce que j'ai toujours fait.

— Vous l'avez fait, mais pas entièrement, vous réservant de cacher l'une des branches de votre activité personnelle qui est loin de manquer d'intérêt... C'est ainsi, par exemple, que des rapports plus que précis nous signalent que vous êtes en contact régulier avec une organisation qui, sous l'égide camouflée du gouvernement de Pékin, distribue depuis un certain temps déjà des fonds très importants à des émeutiers professionnels. Ceux-ci sont chargés d'entraîner et d'encadrer le plus grand nombre possible de nos jeunes pour les amener à faire « la révolution finale » qui fera sombrer définitivement le monde dit « capitaliste »... Et ce n'est pas tout! Vous êtes également en liaison permanente avec des trafiquants de drogue qui doivent vous remettre des sommes d'argent prélevées sur leurs substantiels bénéfices et que vous-même répartissez entre les émeutiers. Autrement dit, vous êtes considérée comme étant l'intermédiaire direct. Jusqu'à présent vous avez réussi à passer à travers les mailles du filet invisible — dont vous ne soupçonniez certainement pas l'existence jusqu'à ma venue. Mais il s'est resserré autour de vous et de ceux qui vous entourent. Pour être tout à fait précis, on n'a pas réussi encore à vous prendre sur le fait mais comptez sur votre vieil « ami » pour qu'un pareil état de choses ne dure pas! Vous devez bien vous douter que si l'on m'a fait revenir, à grands frais et dans les plus brefs délais, de Chine où je me trouvais encore récemment, ça n'a pas été uniquement pour m'offrir un voyage d'agrément.

— C'est la seule raison pour laquelle « on » vous a fait revenir aussi rapidement?

Ceci avait été dit d'une voix très suave et avec une sorte de négligence appuyée.

— Non. Il y en a une autre... Et la question même que vous venez de me poser m'apporte la preuve que c'est vous, et vous seule, madame Phu, qui avez signalé aux services de renseignement chinois, pour lesquels vous travaillez beaucoup plus activement que pour nous, ma présence sur le territoire chinois et ceci par l'intermédiaire d'un certain Liao Ho-shu. Ce personnage accrédité auprès de la mission diplomatique chinoise à La Haye et qui fut l'une de vos relations, a été arrêté il y a quelques mois, comme vous n'êtes pas sans le savoir. Transféré par la « Central Intelligence Agency » américaine aux U.S.A., on lui a fait cracher le morceau... Mais, en ce qui me concerne personnellement, c'est là une histoire que je me charge de débrouiller plus tard. Pour le moment j'ai une mission beaucoup plus importante : celle de vous faire parler à votre tour. Je vous écoute.

Le sourire énigmatique, qui était sur les lèvres de « Madame Phu », devint à la fois méprisant et ironique. Après avoir bu une troisième gorgée de whisky, elle répondit :

— Tout ce que vous venez de dire, cher monsieur Rumeau, est passionnant; cela pourrait même faire l'excellente trame d'un roman ou d'un film d'espionnage. Vous avez de remarquables dispositions de scénariste. Le jour où vous abandonnerez votre beau « métier » actuel — soit de votre propre gré, soit parce qu'on vous aura mis d'office à la retraite pour insuffisance : moment qui ne saurait tarder! — vous pourrez trouver là une nouvelle activité sans doute beaucoup plus lucrative que celle que vous exercez actuellement... Grâce à vous, ce soir, je viens d'entendre un tissu d'inventions qui, sans manquer d'un certain pittoresque, ne sont pas loin de friser le rocambolesque et, ce qui est plus grave, l'accusation purement gratuite. Vous n'ignorez sans doute pas qu'en France, comme d'ailleurs dans tous les pays, celle-ci est sanctionnée par des peines excessivement sévères! Qu'est-ce qui se passerait si je portais plainte?

— Rien, ma chère! Absolument rien! D'ailleurs vous n'oseriez pas le faire...

— En êtes-vous tellement certain? Il se peut — précisément parce que j'appartiens maintenant au même service que vous — que j'aie le bras très long, moi aussi? Et, puisque vous semblez me faire l'honneur de me considérer comme « un agent double », peut-être ai-je également une *double* possibilité de vous faire payer très cher ce que vous venez de dire ?

— Vous me connaissez trop pour savoir que je ne suis pas un homme à qui les menaces, même proférées par la plus troublante des femmes, font peur ! La crainte est aussi absente de mon âme que de la vôtre : c'est sans doute ce qui fait « notre » charme très particulier à l'un et à l'autre ? Et c'est pourquoi j'ai jugé bon que nous ayons le plus tôt possible une franche explication qui ne se terminera peut-être pas par un combat « à la loyale » si vous vous obstinez à vous taire.

— Vous connaissant en effet, je me méfie autant de votre franchise que vous de la mienne ! Et je sais très bien que vous venez, comme cela se dit dans ce pays qui n'est pas le mien, de « plaider le faux pour savoir le vrai ». Car, en réalité, ni vous ni ceux qui vous ont envoyé vers moi, ne savent rien ! Vous-même venez de le reconnaître : « on » ne m'a pas prise sur le fait ! Vous n'avez aucune preuve de ce que vous avancez.

— Vous avez le plus grand tort de vous abriter derrière une protection aussi illusoire : pas vu, pas pris ! Elle pourrait, très rapidement, vous jouer un bien mauvais tour : vous savez aussi bien que moi que l'on peut toujours obliger quelqu'un à dire la vérité... En ce qui vous concerne, j'aurais préféré que celle-ci vînt spontanément de votre bouche.

— Pour la dernière fois je vous répète que je n'ai rien à révéler : j'ignore tout de ce que vous venez de dire sur ma prétendue activité d'agent double qui, pour obéir aux ordres du gouvernement chinois, recevrait des fonds de trafiquants de drogue et les répartirait ensuite entre des émeutiers professionnels ! Même si je n'ai pas toujours été dans le camp de la France — pour une raison que vous connaissez et qui n'est autre que la trahison de votre ami et adjoint Pierre Burtin — aujourd'hui, et depuis deux ans déjà que je me suis ralliée au monde occidental, je sers la France avec loyauté. Elle a bien voulu m'accueillir, ainsi que ma fille, après avoir facilité notre évasion de là-bas : de cela je lui serai toujours reconnaissante, même si mes convictions intimes sont diamétralement opposées à la politique d'isolement qui est menée actuellement contre le pays de mes aïeux : la Chine. C'est pourquoi je me contente d'apporter au colonel Sicard, quand j'en ai, les renseignements que je peux glaner et qui peuvent lui être utiles. Mais mon travail d'agent ne va pas plus loin! Par contre, je me consacre de plus en plus à la bonne marche de ce restaurant, dont les bénéfices constitueront la dot de Siao, et ceci avec l'aide de mon vieil associé, M. Ki Ho. Je pense maintenant que cet entretien n'a que trop duré.

— Ce n'est pas mon avis, chère madame Phu! Pour moi, il ne fait que commencer... Et même si, par la suite, il devait connaître certaines interruptions, je suis persuadé qu'il ne pourra se terminer que par votre ralliement complet et rapide à notre cause ou par... votre disparition! Vous voyez que, ce soir, je me montre très net.

— Je vois...

— Vous avez encore tellement de choses à me dire! Par exemple, vous ne vous êtes jamais vantée — comme vous le faites avec orgueil pour votre fille — des liens de parenté directe qui vous unissent à M. Ki Ho?

— Je ne comprends pas.

— Parce que vous ne voulez pas comprendre! Mais cela ne nous empêche pas de savoir, depuis longtemps déjà, que M. Ki Ho est d'abord votre père avant d'être votre associé. C'est là un point capital de votre existence, que lui et vous avez pris le plus grand soin de ne pas révéler à vos chefs. Pourquoi ?

— Qu'est-ce que cela aurait pu changer ? Ma vie privée et familiale ne regarde que moi.

— C'est vrai, mais votre réponse prouve que vous ne niez pas : donc ce cher M. Ki Ho est votre père... Il me semble d'ailleurs qu'en ce moment même, pour la première fois depuis que je viens ici, il s'est enfin arraché à ses passionnantes écritures pour nous observer, derrière sa caisse, avec une certaine inquiétude... Sans doute n'est-il pas habitué à voir sa fille chérie prolonger ainsi la soirée dans un tête-à-tête avec un inconnu ?

— Je ne pense pas que vous soyez tout à fait un inconnu pour lui.

— De mieux en mieux ! En somme, on m'avait très bien repéré dans la maison ?

— Vous êtes un personnage qui passe difficilement inaperçu !

— Je consens à prendre cette remarque pour un compliment. Mais ce qui me surprend, c'est que moi je ne me souvienne pas d'avoir jamais vu M. Ki Ho. Et pourtant, lui aussi me paraît être facilement reconnaissable. Ne réside-t-il pas en France depuis longtemps, puisqu'il a fondé cette maison il y a déjà une vingtaine d'années, alors que moi je n'y étais pas ?

— Vous êtes suffisamment du « métier » pour savoir que les moyens de signalisation d'un individu, même s'il n'est jamais venu dans un pays, sont innombrables, à commencer par la photographie.

— Votre cher père me porterait-il en photo sur son cœur ? Quelle exquise attention !

— C'est moi, monsieur Rumeau, qui vous ai « photographié » une fois pour toutes dans ma mémoire, il y a douze ans...

— Au fait, quand Pierre Burtin s'est marié ici en France, il a reçu, rédigées en vietnamien par une main anonyme, deux lettres de menaces... L'instigatrice et sans doute même l'inspiratrice de ces messages n'a pu être que vous, mais celui qui les a déposés successivement, à vingt-quatre heures d'intervalle, au domicile parisien de Pierre, puis à la sacristie de l'église Saint-Honoré-d'Eylau, ne serait-ce pas ce cher M. Ki Ho avec lequel, malgré l'éloignement, vous étiez toujours restée en relations : ce qui est très normal, après tout, avec un père bien-aimé ?

Elle ne répondit pas, gardant un visage hermétique.

— Eh bien, voilà en tout cas un mystère, vieux de douze années, qui s'éclaircit ! Personne n'avait pensé au « papa commissionnaire » pour la bonne raison que tout le monde croyait, grâce à la légende que vous aviez su créer autour de votre propre naissance, qu'il était mort, ainsi que votre mère, alors que vous étiez en bas âge : ce qui avait permis que l'on vous consacrât à Bouddha dont vous étiez l'une des filles.

— Je le suis toujours.

— Comment pourrait-il en être autrement ? On ne cesse jamais d'être la fille de Bouddha quand on a cet honneur insigne ! Aussi est-ce maintenant à la fille du Sage d'entre les Sages que je m'adresse. Cette fille est-elle bien sûre que son « divin » Père approuve sa conduite actuelle à l'égard de ce pays, la France, d'où lui est venu Pierre Burtin, celui que Bouddha lui-même avait choisi depuis des siècles pour être son « protecteur » pendant toute la durée de sa vie terrestre ? Protecteur qu'elle n'a pas craint pourtant de faire assassiner ?

Elle eut une seconde d'hésitation avant de répondre :

— Il m'a trahie et a transgressé la Loi de Bouddha en épousant une Française!

— Peut-être ne l'aurait-il pas fait s'il avait su que vous étiez enceinte de ses œuvres?

— Je ne l'ai su qu'après son brusque départ pour la France dont vous êtes le grand responsable. C'est pourquoi je vous hais! Et comment aurais-je pu le lui faire savoir puisque j'ignorais où il était?

— Maintenant que vous travaillez, vous aussi, dans l'un de « nos » services, vous pouvez vous rendre compte que je ne fus alors qu'un exécutant! Il y a, hélas, des ordres que l'on déteste et auxquels il faut cependant obéir! C'est pourquoi vous allez m'obéir maintenant, même si vous continuez à me haïr!

— Rien ne me prouve que vous êtes mon chef?

— Et vous êtes dans le vrai, car je ne suis nullement votre chef! Ma mission se limite à vous faire parler... Mais je vous garantis que je la remplirai! Si vous ne me croyez pas non plus sur ce dernier point, je puis déjà vous dire sous quel numéro vous êtes fichée au S.R. auquel vous appartenez : c'est le n° 643... Cela vous suffit-il comme preuve?

Une fois de plus, elle demeura silencieuse.

— Et lorsque vous me dites que, vous étant aperçue que vous étiez enciente, vous n'avez pas su comment le faire savoir à Pierre Burtin, je ne vous crois pas! Parce que vous avez quand même réussi à trouver son adresse. Sinon, comment papa Ki Ho aurait-il pu faire parvenir les deux messages de menace? Voyez-vous, chère madame Phu, les choses seraient tellement plus faciles avec vous si le mensonge n'était pas ancré à ce degré en vous! La vérité, c'est que vous vous êtes bien gardée de faire savoir à Pierre, ou même à moi qui étais resté là-bas, votre état de future mère. Pourtant cela aurait pu arranger beaucoup de choses! Même si nous devons parfois nous montrer féroces, nous ne sommes pas inhumains, surtout lorsqu'il s'agit de l'enfant de l'un de nos amis et collaborateurs les plus chers! Si l'un ou l'autre de nos agents, opérant encore là-bas à cette époque, l'avait su, nous aurions immédiatement averti l'intéressé et jamais Pierre n'aurait fait ce mariage qui s'est révélé un échec et qui fit son malheur... Seulement voilà : vous vous êtes laissé aveugler — comme, hélas, la plupart des femmes, qu'elles soient d'Extrême-Orient ou d'Occident! — par la jalousie. C'est elle qui a dicté chez vous tous les actes qui ont suivi : d'abord votre trahison à notre égard qui a permis à la Chine d'acquérir un document essentiel, qui revenait de droit au camp des Alliés et grâce auquel elle s'est lancée avec succès dans la fabrication de la bombe atomique... Ensuite votre fuite en Chine où vous vous êtes cachée sous le masque d'une artiste de l'Opéra de Pékin... Enfin l'assassinat de Burtin. Car c'est vous qui l'avez fait exécuter, le jour même où il vous a retrouvée à Lao-Kaï... Ne croyez-vous pas qu'il eût été préférable de l'accueillir ce jour-là en lui disant : « *Bouddha, mon Père, t'a enfin ramené à moi parce que sa volonté est puissante et sa sagesse infinie... Apprends, toi qui es mon seul protecteur sur terre choisi par lui, que, pendant ta longue absence, j'ai mis au monde un enfant de ta chair. C'est une fille; elle se prénomme Siao et elle a besoin, comme moi, de ta protection...* » C'est cela que vous auriez dû avouer il y a douze ans...

— Vous n'avez aucune preuve que c'est moi qui l'ai fait assassiner ce jour-là!

— J'en ai une : irréfutable! Souvenez-vous. C'était

dans la salle même du théâtre de Lao-Kaï pendant que se donnait sur la scène une représentation de la troupe de l'Opéra de Pékin dont vous faisiez partie. Après avoir été poignardé par un inconnu, qui s'est ensuite perdu dans l'immense foule des spectateurs, Pierre agonisait. Alors vous êtes venue, entourée de quelques artistes, pour assister, tout en restant cachée sous votre masque de théâtre, à cette agonie... Et ce n'est que lorsqu'il eut rendu, dans mes bras, le dernier soupir, que vous avez enfin levé votre masque. J'ai vu alors votre visage, Ngô Thi Maï Khanh! Ce n'était pas celui de la « madame Phu » que j'ai en ce moment devant moi, mais celui d'une femme satisfaite d'avoir apporté la mort... C'est très regrettable, n'est-ce pas, qu'un témoin tel que moi ait été là à cet instant?

Elle ne répondit rien, continuant à le regarder, impassible.

— Vous vous taisez? C'est sans doute la seule attitude que vous puissiez prendre... Croyez aussi que je suis au regret d'avoir eu à vous rappeler ce qui s'est passé. Cela me fait encore plus de mal qu'à vous de revivre en mémoire certains moments que j'aurais voulu oublier pour toujours! Mais, tant que justice ne sera pas faite, ce ne sera pas possible... Il va falloir payer votre double dette à l'égard d'un défunt qui fut mon meilleur ami et envers son pays qui vous héberge avec une magnanimité dont seul est capable un grand pays... Nous avons cru, quand vous vous êtes ralliée à notre camp, que vous aviez enfin mesuré l'ampleur de votre faute et que vous aviez pris la décision de réparer en « travaillant » pour nous. Mais nous nous trompions lourdement : vous n'êtes venue dans nos rangs que pour nous trahir une fois de plus, comme vous l'avez fait à Lao-Kaï.

» Entre autres, c'est vous, et vous seule, qui — depuis que vous êtes ici en France — avez tout mis en œuvre pour me faire supprimer en Chine où vous saviez que je continuais à opérer... L'une des principales raisons qui vous a fait entrer dans notre organisation a été de tenter de découvrir ici même, à la source, où je travaillais là-bas et sous quelle identité je m'y cachais. Comment êtes-vous parvenue à connaître certaines de nos ramifications et l'ossature très secrète de notre réseau en Chine, je l'ignore encore, mais comptez sur moi : ça aussi, je le saurai! Et vous n'avez eu de cesse, par l'intermédiaire de ce faux diplomate qui a été intercepté à La Haye par les services américains, de faire parvenir à Pékin mon signalement... Vous avez failli réussir! Votre seule malchance a été que je suis un vieux cheval de retour qui a la peau dure, très dure, et une *baraka* d'enfer! Pas plus que vous, ils ne m'ont eu là-bas! En agissant ainsi, il n'était nullement question pour vous de défendre les intérêts sacrés de votre pays, la Chine, mais seulement de vous débarrasser enfin de quelqu'un dont le souvenir vous gênait depuis des années, quelqu'un qui avait été *l'unique témoin* de l'assassinat de votre ancien amant et père de votre fille : Pierre Burtin! Cet homme-là, ce Serge Martin du diable, il fallait, dans votre esprit, le faire disparaître à jamais, sinon — parce que vous le connaissez bien! — ce serait lui qui vous ferait payer le talion! Comme je suis là devant vous ce soir, tirez-en vos conclusions... J'ai la très nette impression, puisque vous avez manqué votre sortie, que l'heure de ma rentrée a sonné. N'est-ce pas aussi votre avis?

Elle vida d'un trait ce qui restait de whisky dans son verre avant de répondre :

— Je connais aussi bien que vous les lois inexorables

de la guerre que nous sommes contraints de mener tous les deux. Je sais ce dont vous êtes capable, même à l'égard de ceux que, comme Burtin, vous considérez comme vos « meilleurs amis »... Aussi ne me suis-je jamais fait la moindre illusion sur ce que vous pouviez réserver à ceux que vous jugez comme étant « vos ennemis ». Et je sais aussi que, parmi ceux-là, je suis le numéro 1... C'est pourquoi tout ce que vous venez de me rappeler ne m'impressionne pas! A l'heure actuelle, vous et moi nous sommes à égalité : je travaille pour le bien de la France et du monde occidental, au même titre que vous... Que l'on vous ait donné l'ordre de surveiller mon activité, c'est très possible... C'est même certain! Mais que vous ayez découvert, vous et toute votre clique, ou que vous trouviez à l'avenir une seule preuve de ma complicité avec ceux qui financent une prochaine révolution ici, c'est une tout autre affaire! Quant à ce que vous appelez « la preuve » que j'ai fait assassiner Burtin, elle est des plus relatives et s'appuie uniquement sur vos impressions personnelles et nullement sur la réalité des faits! Ce n'est pas moi qui l'ai poignardé à Lao-Kaï, mais un inconnu qui s'est enfui : vous-même, vous venez de le reconnaître. Si Pierre Burtin a été tué, c'est par sa faute! Il n'avait pas besoin de retourner là-bas... Ni vos services ni moi ne le lui avions demandé! Il l'a fait de son plein gré parce que son mariage parisien était un désastre, parce que le fils qu'il avait eu de cette union était mort-né, parce qu'il ne pouvait plus se passer de l'Extrême-Orient dont il était aussi intoxiqué que vous, parce que, enfin, il était toujours secrètement amoureux de moi alors que je ne l'étais plus du tout de lui!

— Rancunière comme vous l'êtes et comme le sont généralement ceux de votre race, vous seriez aussi bien parvenue, s'il était resté en France à le faire assassiner, ne serait-ce que par votre cher papa, M. Ki Ho.

— C'est la deuxième fois, ce soir, que vous insultez mon père !

— Et vous, n'avez-vous pas insulté ce père depuis longtemps en faisant croire à tout le monde qu'il était mort et en proclamant que vous n'étiez plus que la fille chérie de Bouddha ?

— Ne vous en prenez pas maintenant à Bouddha, Serge Martin ! Car si les hommes n'ont pas réussi, jusqu'à présent, à avoir votre vilaine peau, LUI ne la manquera pas !

— La réalisation de cette « prophétie » me surprendrait : Bouddha et moi, nous sommes des amis de longue date... Il sait — lui qui sait tout ! — que je n'aspire qu'à rentrer en son sein pour connaître enfin la vraie paix... J'appartiens à la catégorie de ceux auxquels il a dit : « *Mon fils, marche toujours droit devant toi et tu mériteras les félicités éternelles.* »

— Parce que vous estimez que votre existence n'a été faite que de droiture ?

— S'il y a eu quelques entorses, elles ne m'ont été dictées que par le devoir d'obéissance... En tout cas, me sachant « fils de Bouddha », j'estime que ma filiation à son égard vaut largement la vôtre ! Et revenons au but précis de ma visite : oui ou non, êtes-vous disposée à me livrer les noms de ceux qui vous remettent de l'argent pour le but bien défini que nous connaissons ?

— Même si ces gens-là existaient, je ne vous dirais rien, pas plus que je ne vous « donnerais » la liste de ceux auxquels, selon vous également, je suis censée redistribuer cet argent.

— C'est là votre dernier mot ?

— Le dernier.

Il but d'un trait lui aussi ce qu'il lui restait de *Maï-queto*. Puis, très calme :

— C'est donc, dit-il, que le moment de l' « exécution » est arrivé... Je tiens à vous préciser qu'ayant reçu les pleins pouvoirs pour agir, même si le pire se produisait pour vous, cela n'entraînerait aucune poursuite contre moi... Disons que je suis immunisé !

Tranquillement, il avait sorti d'une poche intérieure le « cadeau » que lui avait fait le major Benjafield. Et, tranquillement aussi, il le braqua au-dessus de la table vers celle qui était toujours assise en face de lui.

Celle-ci regarda l'arme pendant quelques secondes, avec dédain; aucune expression de crainte ne s'était manifestée sur son visage.

— Je me doutais que vous n'étiez revenu aujourd'hui que pour un règlement de comptes, dit-elle, mais je ne me serais jamais imaginé qu'un homme de votre classe l'aurait fait d'une façon aussi banale et aussi vulgaire !

— Sans doute auriez-vous préféré le poignard comme à Lao-Kaï ou le dicoumarol dans le thé au jasmin ? L'ennui, c'est que ce dernier procédé n'agit qu'assez lentement...

— Mais les deux présentent l'avantage d'être silencieux !

— Détrompez-vous ! Ce « joujou » ne fait aucun bruit. Dès que « le travail » sera terminé, je me lèverai en vous laissant écroulée sur cette table et je partirai paisiblement avant même que les autres membres de votre famille, y compris le dévoué M. Ki Ho — qui sont dans l'autre salle avec tout votre personnel stylé — aient pu se rendre compte de ce qui se passait... Le bon tour sera joué ! Demain, comme vous l'avez si bien dit, on attribuera le décès de la belle Mme Phu à un vulgaire règlement de comptes. A moins que...

— A moins?... Savez-vous, Serge Martin, que vous ne m'avez jamais autant intéressée? Vous êtes un personnage passionnant !

— Je ne déteste pas une telle pointe d'humour en pareille circonstance... Je répète : à moins que vous ne reveniez sur votre décision de vous taire? Il y a, chère « Fleur de sérénité », deux moyens d'obtenir des aveux : *le direct,* que j'emploie en ce moment mais qui n'est que relativement efficace car il châtie quelqu'un qui s'est montré trop entêté sans permettre cependant d'obtenir de ce quelqu'un les précieux renseignements désirés... *L'indirect* qui, au lieu de procéder à une exécution sommaire, laisse au condamné en puissance le temps de la réflexion tout en lui garantissant que, s'il parle enfin, il bénéficiera de larges circonstances atténuantes et tout au moins de la vie sauve... J'opte donc pour cette seconde solution.

— Vous ne pouvez pas agir autrement! Vous n'avez pas le choix! Ce n'est pas en jouant les terreurs de nuit que vous obtiendrez quelque chose avec moi... De plus vous n'oseriez jamais tirer ici! Quand il y a, dans notre milieu, des règlements de comptes, ils se font d'une façon beaucoup plus discrète.

— Vous croyez que j'hésiterais à me servir de cette arme? Là aussi, vous êtes dans l'erreur. Voyez plutôt...

En un éclair, il avait levé l'arme et visé l'une des lanternes de style asiatique, suspendue au plafond, qui s'éteignit brusquement. Les deux coups avaient été tirés sans qu'il y eût la moindre détonation. Et, avec la même rapidité, le canon s'était de nouveau abaissé vers Mme Phu. Même si elle l'eût voulu, elle n'aurait pas eu le temps de bouger.

— Je connaissais depuis longtemps, dit-elle avec le même calme, votre réputation. Vous passiez dans tout le Vietnam pour un homme sachant tirer vite et d'une extrême adresse. Je mourais d'envie de vous voir à l'œuvre... Vous venez de combler l'un de mes plus chers désirs : je vous remercie.

Il la regarda, souriant :

— Quand l'insolence s'ajoute à l'humour, c'est encore plus exquis!

Au moment où la lanterne s'était éteinte et où ses montants en bambou avaient volé en éclats, M. Ki Ho avait abandonné précipitamment son poste d'observation pour rameuter tout le personnel de la salle auquel s'était joint celui des cuisines. Et ce fut une véritable petite troupe, équipée d'armements assez hétéroclites allant de gros couteaux jusqu'à des casseroles, que le faux M. Rumeau vit s'avancer, menaçante, vers sa table. S'étant levé, toujours l'arme à la main, il dit à la patronne :

— Chère madame Phu, ne vous retournez surtout pas! Connaissant et admirant l'étonnante maîtrise dont vous savez faire preuve, je crains que vous ne mouriez de honte à la vue du spectacle qui se présente dans votre dos... Il est d'un pittoresque frisant le ridicule pour un établissement aussi sélect que la *Lampe de Jade!* Je vous demande simplement d'ordonner, toujours sans vous retourner, à vos dévoués collaborateurs et tout particulièrement à leur « chef de groupe », M. Ki Ho, de ne plus avancer d'un centimètre, sinon, cette fois, je ne tire plus en l'air.

Pour la première fois depuis le début de la conversation, le visage de Mme Phu changea d'expression. Cessant d'être ironique et souriant, il se plissa dans un étrange rictus où se lisaient l'inquiétude et la haine. Sans doute venait-elle de comprendre tout à coup l'ampleur que pourrait atteindre le massacre si celui qui venait de parler avec une froideur voulue passait à l'exécution. Elle dut également réaliser, à cette vitesse où seule peut aller la pensée, le désastre qu'une telle hécatombe pourrait représenter pour l'avenir de son cher établissement et pour sa bonne réputation. Aussi, selon le conseil impératif reçu, ordonna-t-elle d'une voix rauque, dans ce vietnamien qui n'offrait aucun secret pour son vis-à-vis :

— Retournez tous immédiatement aux cuisines! Je ne veux plus voir aucun de vous ici. Monsieur est « notre » client avec qui j'ai une conversation des plus amicales. Sortez!

La petite troupe avait été stoppée dans son élan de dévouement par la voix de la patronne. Très lentement et à regret, elle obéit.

Quand il fut à nouveau seul avec elle, Serge Martin dit :

— Je vous félicite : vous avez une réelle autorité sur vos subordonnés. Ce qui me confirme dans l'idée que, non seulement vous avez l'âme d'un « chef », mais que vous en êtes un... Un chef sachant assumer ses responsabilités vis-à-vis de gens beaucoup plus puissants, et plus importants, qu'une valetaille de restaurant... Pouvez-vous me parler maintenant de vos vrais patrons?

Une fois de plus, elle demeura muette.

— Toujours silencieuse aux moments intéressants! Vous avez une prodigieuse personnalité, chère madame Phu! Elle est d'ailleurs calquée sur celle de feue Ngô Thi Maï Khanh!... Il ne me reste donc qu'à utiliser le deuxième moyen : celui de la patience qui est très à l'honneur dans votre pays... Mais ici, comme là-bas, elle a ses limites : je vous accorde quarante-huit heures de réflexion. Pas une minute de plus! Vous m'entendez bien? Ceci signifie que, si après-demain soir...

Il avait jeté un regard sur son bracelet-montre :

— Si, après-demain soir lundi, à 0 heure exactement, vous n'avez toujours pas manifesté le désir de passer à des aveux précis, vous serez immédiatement arrêtée et conduite en un lieu discret où des spécialistes se chargeront d'arracher ces aveux par n'importe quel moyen... Ne serait-ce vraiment pas regrettable pour moi d'avoir passé autant d'années de ma vie en Extrême-Orient et d'ignorer certains de ces « procédés » raffinés — appelés jadis « supplices » — qui permettent de faire parler les êtres les plus butés? Je tiens à vous signaler aussi que toute tentative de fuite de votre part, ou de quelque membre de votre famille, serait vouée à l'échec. Vous devez bien vous douter que, si je suis entré ce soir en cavalier seul dans cet établissement, il n'en est pas moins étroitement surveillé ainsi que toutes les allées et venues de ceux qui l'exploitent. Il en est de même pour l'agréable domicile de l'avenue Kléber où vous menez, en compagnie de papa Ki Ho et de la charmante Siao, une vie familiale exemplaire... Vous avez eu parfaitement raison de choisir, une fois pour toutes, le dimanche comme jour de fermeture hebdomadaire de votre *Lampe de Jade*. Rien ne vaut le repos dominical pour faciliter la réflexion... Et s'il vous arrivait d'avoir envie de « parler » avant l'expiration du délai, vous aurez toujours la possibilité de me le faire savoir à ce numéro : Turbigo 92.00... Peut-être le connaissez-vous déjà?

— C'est celui de votre domicile?

— Je n'ai pas de domicile fixe. Vous savez très bien que l'exercice de ma profession m'a toujours contraint à rester un éternel vagabond! Le numéro en question est celui de la préfecture de Police : on y trouve toujours quelqu'un, dimanche et fêtes comprises, au bout du fil... Quand vous aurez touché ce « quelqu'un », il ne vous restera qu'à demander le poste 46.80... Ça ne vous dit sans doute rien non plus? Eh bien, apprenez — ça peut toujours servir! — que c'est le poste où l'on obtient le chef adjoint de la Brigade criminelle. Celui-ci, en liaison avec nos services, s'intéresse tout particulièrement à vous en ce moment... Vous n'aurez qu'à dire, à la personne qui vous répondra, ces quelques mots très simples : « *Je désire parler à monsieur Rumeau.* » Cela suffira; dans l'heure qui suivra j'arriverai à vous joindre. N'ayez aucune inquiétude de ce côté-là! Vous vous souviendrez? Turbigo 92.00... Poste 46.80... M. Rumeau... Je sais que vous avez une excellente mémoire. Donc, inutile d'écrire les chiffres et les noms pour vous en souvenir. Bonsoir, chère madame Phu! Et merci encore pour le verre de *Maï-que-to*... Je ne vous dis pas « à bientôt » puisque je sais que nous nous reverrons de toute façon au plus tard après-demain.

Arrivé devant le vestiaire, où il n'y avait plus personne pour lui présenter ses précieux accessoires vestimentaires, il enfouit son « joujou » dans sa poche et prit sans se presser son vieux chapeau en paille de riz et sa canne à pommeau d'argent. Puis, s'étant retourné vers la patronne, qui n'avait pas bougé de la place où elle était devant la table :

— Surtout restez assise! Je n'appartiens plus maintenant à la catégorie des clients qui méritent que l'on se dérange pour eux... A ce propos, je saurai prendre lundi soir mes dispositions : je ne viendrai avec quelques adjoints en vue de procéder à votre « embarquement » qu'après que votre aimable clientèle aura déserté les lieux : l'expérience des trois soirées que j'ai déjà passées ici m'a prouvé que vos salles étaient vides aux alentours de minuit. Si j'insiste sur ces menus détails, c'est à seule fin de vous prouver que, pour rien au monde, je ne voudrais vous faire manquer une recette et pour vous donner l'assurance que tout se passera le plus gentiment du monde entre nous. Ainsi nous éviterons un genre de scandale qui risquerait, en s'ébruitant rapidement, de porter le plus grand tort à l'excellente réputation de votre établissement.

Ce furent ses dernières paroles. Quand Mme Phu, étonnée par le silence, tourna la tête dans la direction de la porte de sortie, le pharmacien retraité n'était plus là.

Dans la rue, Patrice Rumeau n'eut pas à marcher longtemps avant de remarquer, cachées dans l'encoignure des portes cochères, des ombres immobiles devant lesquelles il passa le plus naturellement du monde. Ainsi le dispositif de surveillance qu'il avait fait mettre en place avant sa visite fonctionnait avec la précision d'un mécanisme d'horlogerie. Il savait qu'il en était de même aux alentours de l'immeuble de l'avenue Kléber et qu'il en serait ainsi partout où l'un des membres de la direction — c'est-à-dire de « la famille » de Mme Phu — ou même du personnel de la *Lampe de Jade* irait à l'avenir. Et ceci durerait tant que ce serait nécessaire.

La première pensée qui lui vint à l'esprit, alors qu'il s'éloignait du restaurant, fut qu'il manquait quelqu'un lorsque la troupe de serviteurs et de cuisiniers, conduite par M. Ki Ho, s'était avancée, hostile, vers sa table. Ce quelqu'un était la propre fille de Mme Phu : absence qui lui parut assez surprenante... Une jeune fille, qui n'est plus du tout une gamine, aurait dû normalement se trouver dans le groupe des « défenseurs » de sa mère. A moins que, sa danse terminée, elle ne fût déjà rentrée avenue Kléber? Ou bien que, terrorisée, elle eût jugé préférable de rester cachée dans les coulisses ou à l'office? Car il était difficilement imaginable qu'une telle carence fût motivée par une sorte de contentement intime de la jeune Siao à l'idée que sa mère risquait de connaître quelques ennuis? De toute façon, l'absence de Siao, volontaire ou pas, ne prêtait pas à conséquence : elle aussi était « filée » de très près. Pour des raisons ne regardant que lui, Patrice Rumeau avait pris soin de bien préciser aux « anges gardiens » que s'il y avait une personne, dans le lot, à surveiller — et à protéger — avec le maximum d'attentions, c'était précisément l'enfant de Pierre Burtin.

Selon ses habitudes de noctambule, le « colonial » rejoignit sans hâte la rue Vaneau, profitant de ce qu'une fois de plus la nuit parisienne voulait bien se montrer clémente. Promenade qui lui donna tout le temps de faire le point sur la façon dont se présentait la situation... Dès qu'il avait compris que Ngô Thi Maï Khanh l'avait repéré, il avait immédiatement abattu certaines cartes, en prenant pourtant soin de conserver cachés quelques atouts majeurs parmi lesquels l'un des plus importants était la veuve Burtin. Il ne se faisait pas trop d'illusions sur l'opinion que la patronne de la *Lampe de Jade* pouvait avoir de cette prétendue « sœur » Marguerite qu'il lui avait présentée à sa précédente venue au restaurant. La Chinoise était beaucoup trop fine pour mordre à l'hameçon de cette pseudo-parenté entre un faux Patrice Rumeau et une femme sensiblement de son âge. Mais « le pharmacien » était maintenant certain d'une chose : Mme Phu n'avait fait aucun rapprochement entre cette vieille dame et la mère de Pierre Burtin qu'elle n'avait d'ailleurs jamais vue, ni cherché à connaître. La preuve en était que, ce soir, elle n'avait pas tellement insisté sur la personnalité de la dame qui avait accompagné quelques jours plus tôt le nouveau client et dont la présence semblait être passée, dans son esprit, à un plan tout à fait secondaire. Sans doute s'était-elle dit que Serge Martin n'avait amené cette femme, au cours de sa seconde visite, que dans l'intention de continuer à camoufler sa propre identité? Et, comme il n'avait pas réussi, elle devait avoir maintenant la conviction qu'elle ne reverrait pas cette vieille dame et même qu'elle n'en entendrait plus parler! Ce en quoi elle se trompait : un moment viendrait où Serge Martin ferait réapparaître la veuve Burtin pour frapper le coup décisif et achever l'effondrement de la volonté de résistance d'une Ngô Thi Maï Khanh.

Car cette volonté, déjà, devait être fortement émoussée par le faisceau de menaces que le « dernier client » de la soirée s'était ingénié à dresser contre elle. Depuis ce soir, Mme Phu ne pouvait plus ignorer qu'elle était étroitement surveillée et que son plus grand ennemi de toujours avait reçu les pleins pouvoirs pour la ramener à l'obéissance absolue et, si elle s'y refusait, pour la faire disparaître. Au cours de l'entretien, il lui avait suffisamment fait comprendre qu'il n'aurait aucune hésitation. Et il avait tout mis en œuvre pour commencer à l'effrayer.

Mais, en se remémorant maintenant les événements tels qu'ils s'étaient exactement déroulés, il se demandait s'il était réellement parvenu à déclencher chez cette femme à la volonté d'acier le mécanisme de la peur ou même d'une simple angoisse latente? De cela, il n'avait aucune certitude, étant bien obligé de s'avouer que la fausse

Mme Phu avait su se montrer égale à la vraie Ngô Thi Maï Khanh : rusée, méfiante, follement courageuse. Ce cran, dont elle venait de faire preuve une fois de plus, suscitait en lui un regain d'admiration pour celle qu'il rêvait d'abattre moralement et physiquement.

Physiquement, ce serait toujours possible : il suffisait d'une balle. N'importe qui, le premier tueur ou même le premier imbécile venu, pouvait en faire autant! La mémoire de Pierre Burtin serait radicalement vengée, mais en fin de compte cela ne servirait pas à grand-chose pour obtenir les renseignements que « la vieille chouette » lui avait ordonné de ramener dans les plus brefs délais. Mme Phu disparue, le service d'espionnage et de propagnade créé par Pékin se réorganiserait aussitôt sur d'autres bases qu'il faudrait à nouveau rechercher pendant des mois peut-être avant d'aboutir. Tandis que si l'on parvenait à amener à compréhension l'ex-Ngô Thi Maï Khanh, soit par la persuasion, soit par l'intérêt, soit par une forme plus déguisée de crainte, on avait les plus grandes chances de réussir. Ne tenait-on pas déjà, avec elle, l'un des maillons essentiels de la chaîne ennemie?

C'est donc *moralement* qu'il fallait agir et c'est pourquoi il avait risqué le jeu assez hasardeux de laisser à la patronne de la *Lampe de Jade* quarante-huit heures de réflexion... Que se passerait-il au cours de ce délai de grâce? Il y aurait d'abord — et sans doute était-il déjà commencé? — un « conseil de guerre » très secret entre Mme Phu, le vieux Ki Ho et même certains de leurs employés qui ne devaient être, en réalité, que des sous-agents du service de renseignement adverse... Conseil de guerre destiné à prendre les décisions les plus urgentes pour assurer une parade efficace aux coups durs qui se préparaient... Pékin serait immédiatement informé que

« les affaires » n'allaient plus toutes seules. Les trafiquants de drogue — qui fournissaient l'indispensable, c'est-à-dire la part de bénéfices provenant de la vente gigantesque des stupéfiants — seraient prévenus, eux aussi, d'avoir à faire preuve de la plus extrême prudence. Quant aux émeutiers professionnels, auxquels était remis cet argent pour mener à bien la préparation de la lutte finale, ils recevraient des consignes pour aller se faire payer ailleurs.

Mais il était très possible aussi — et c'était là-dessus que Serge Martin avait misé en donnant l'impression de se montrer capable de clémence — qu'à l'issue de ce « conseil de guerre » ultra-secret, l'adversaire prît la décision de faire brusquement patte de velours et d'accéder à la volonté du gouvernement français par l'arrêt — momentané bien sûr — de toute l'activité secrète de l'organisation. Les dirigeants de Pékin étaient assez retors pour ne pas hésiter à se séparer ouvertement de quelques agents subalternes en les désavouant et en les « donnant » même à leurs adversaires. Seulement, connaissant la valeur indéniable et la classe exceptionnelle d'une Ngô Thi Maï Khanh, Serge Martin avait déjà la conviction qu'elle ne se trouverait pas parmi ces agents délibérément sacrifiés. ON tenait trop à elle! Et n'était-elle pas elle-même beaucoup trop adroite pour se laisser entraîner dans un pareil guêpier? Il était donc indispensable de la faire « se mettre à table » avant qu'elle se sentît elle-même au bord d'un gouffre où ses employeurs de Pékin n'hésiteraient peut-être pas, en fin de compte, à la précipiter.

Pour cela il n'y avait qu'un moyen... Moyen que les services de « la vieille chouette » avaient répugné à utiliser à fond quelques années plus tôt mais qui, cette fois, risquait d'être efficace : le chantage sur la personne de Siao, qui pourrait même aller jusqu'au *kidnapping*... Le jour où Mme Phu se trouverait brutalement séparée de sa fille — qu'elle paraissait réellement adorer — et se demanderait avec angoisse où cette dernière pouvait bien être, il était presque certain qu'elle commencerait à voir les choses sous un autre angle et que le désespoir finirait par la faire céder.

C'était là, Serge Martin le savait mieux que n'importe qui, le plus odieux des procédés. Seulement n'avait-il pas toujours fait ses preuves, dans n'importe quel pays et à travers le temps, chaque fois que des parents avaient été frustrés de leur enfant par le fait de mains criminelles ? Il fallait avoir l'âme, ou l'étoffe, d'un véritable assassin pour agir ainsi, mais qui veut la fin prend les moyens... Et Serge Martin — ne l'avait-il pas dit lui-même à plusieurs reprises, aussi bien à Klein qu'au colonel Sicard et ce soir encore à Mme Phu ? — ne savait plus très bien où il en était, n'ayant foi en aucune religion et s'étant, depuis longtemps, fait une opinion sur les hommes. Il était « l'aventurier » avec tout ce que cette appellation comporte de courage et de prudence, de franchise et de duplicité, d'enthousiasme et de mépris, de cynisme surtout... Sans doute y avait-il en lui, dans une même proportion, le désir de servir et celui de désobéir, la mentalité d'un assassin et celle d'un sauveur ? Mais avant tout, pour lui, la seule chose qui comptait était la réussite. Dans l'affaire Pierre Burtin, c'était Ngô Thi Maï Khanh qui avait marqué des points. L'impression d'avoir essuyé un demi-échec décuplait ses forces : cette fois — il y était bien décidé — c'est lui qui gagnerait !

Aussi n'éprouvait-il pas grand scrupule à faire vibrer la corde sensible que toute vraie mère porte en elle pour l'être auquel elle a donné la vie. Mais une Mme Phu était-elle une vraie mère, ou seulement une simulatrice? Avec elle tout était possible! D'ailleurs, elle-même ne s'était-elle pas servie du chantage en adressant, douze années plus tôt, ces lettres de menaces à Pierre la veille de son mariage? Pourquoi ne pas retourner aujourd'hui l'arme contre elle? Ce serait une façon comme une autre de lui appliquer cette peine du talion qu'elle méritait pour tout le mal qu'elle avait fait. Ensuite, mais seulement quand elle aurait parlé, on lui rendrait sa fille que l'on allait cacher en un lieu sûr.

Tout l'art de « l'opération Siao » consisterait en ce que Mme Phu acquît la conviction que les auteurs de l'enlèvement n'étaient ni Serge Martin, ni « la vieille chouette », ni aucun des membres du réseau auquel elle-même appartenait. Il fallait, au contraire, lancer habilement une hypothèse — inventée de toutes pièces pour les besoins de la cause — qui conduirait automatiquement à un nom... Nom qui avait déjà pour elle des résonances lointaines et qu'elle haïrait dès l'instant où elle l'entendrait prononcer... L'unique responsable du rapt de Siao devait être, dans l'esprit de l'ex-Ngô Thi Maï Khanh, la propre mère de Pierre... C'était cela l'idée formidable, l'idée clef qui ferait s'ouvrir la dernière porte de la résistance morale derrière laquelle s'abritait actuellement Mme Phu... La mère de l'amant assassiné volant à la maîtresse coupable celle qui était sa propre petite-fille! Il était temps maintenant de révéler à Mme Phu l'existence et les agissements de celle qui aurait pu, douze années plus tôt, devenir sa belle-mère. Mais cette révélation ne serait possible qu'après avoir pris certaines mesures de protection. Car il ne fallait à aucun prix qu'une Mme Phu, ou un M. Ki Ho, ou leurs sbires, pussent savoir où se cachait cette veuve Burtin, responsable à leurs yeux du *kidnapping*.

A ce sujet, il avait déjà pris, d'ailleurs, ses dispositions, et il était prêt à tout mettre en route, avant même que fût expiré le délai de réflexion accordé à Mme Phu. Il se devait, pour le moment, de parer au plus pressé. Il verrait par la suite, selon le degré de résistance de la patronne de la *Lampe de Jade,* quelle attitude choisir : s'il devrait ou non révéler à Mme Burtin l'existence de Siao et de sa mère. C'était un gros risque à courir, si l'on pensait à la réaction de la vieille femme l'autre soir, au restaurant, mais Serge Martin ne craignait pas le risque. Et puis qui sait si une telle révélation, en arrachant la mère de Pierre à son isolement, ne la sauverait pas ? Il ne déplaisait pas au vieux « colonial » endurci de caresser le rêve d'une bonne action qui compenserait la cruauté de l'opération qu'il se disposait à lancer.

Quand il fut rue Vaneau, il put constater que, ce soir-là, sa logeuse ne veillait pas dans le salon. Toutes les lumières étaient éteintes. Et il rejoignit sa chambre avec la certitude que sa marche nocturne avait été des plus salutaires. Ne lui avait-elle pas permis de rassembler tous les fils conducteurs de la trame de plus en plus serrée qui était en train de se tisser ? Vingt minutes plus tard il s'endormait, non pas avec la conscience tout à fait tranquille, parce qu'un homme comme lui ne connaîtrait jamais un tel état de béatitude, mais en se berçant du secret espoir que l'ombre de son ami Pierre, qui hantait encore l'appartement, pourrait bientôt bénéficier de ce repos auquel accèdent les âmes de ceux qui sont vengés.

Il n'était pas loin de 11 heures, le lendemain matin, lorsque Mme Burtin vint frapper à sa porte, avec sa discrétion habituelle.

— C'est votre ami le colonel qui vous demande, dit-elle.

Comme s'il n'attendait que cet appel, le locataire ouvrit aussitôt et sa logeuse put constater qu'il était entièrement habillé. Dès qu'il eut pris l'appareil, la voix de « la vieille chouette » annonça :

— J'ai attendu que l'ON sorte d'ici et que l'ON soit repartie en taxi pour vous appeler : selon nos prévisions les plus optimistes, ON est venue se plaindre au moins pendant une heure... Ce qui prouve que l'ON est tombée dans le panneau.

— J'en suis ravi! Alors ces réclamations?

— Des jérémiades, pourriez-vous dire! Après m'avoir assuré, avec force sourires, que l'ON était la plus obéissante et la plus dévouée des agents, ON en est venu au but essentiel de cette visite matinale.

— ON était seule?

— Toute seule!

— Papa n'a pas osé venir?

— Il ne vient jamais chez moi : c'est un homme de coulisses...

— Je constate en tout cas que l'ON n'a pas perdu beaucoup de temps et que la réflexion a été rapide... Puis-je connaître la vraie raison d'une visite aussi matinale ne seyant guère à une jolie femme qui s'est couchée aussi tard! Était-ON belle au moins malgré les ravages d'une nuit d'insomnie?

— ON est toujours belle à n'importe quelle heure du jour ou de la nuit : c'est là l'un des secrets de la réussite... Eh bien, « la raison », mon cher, c'est vous...

— Ce n'est pas possible ?

— Ne pensez-vous pas que vous valez un tel déplacement ? Dites-moi : n'avez-vous pas l'impression d'y avoir été quand même un peu fort hier soir ?

— Il le fallait ! C'était un risque à prendre... La preuve, c'est que le résultat est là : ON commence à être un peu inquiète...

— Je me demande si l'exhibition du cadeau de ce cher major Benjafield était bien indispensable ?

— Peut-être pas, mais elle a produit beaucoup d'effet sur le reste de la troupe... Et il y avait trop longtemps que je portais sur moi cet instrument de persuation sans avoir pu l'essayer... Que voulez-vous ? Je crois que je resterai toujours un éternel enfant qui ne peut pas recevoir un jouet sans griller d'envie de voir ce qu'il y a à l'intérieur... Maintenant je suis comblé : le mécanisme est d'une extrême précision.

— ON ne vous a pas compté la note des dégâts matériels sur l'addition ?

— ON ne m'a même pas présenté l'addition ! ON devait être trop heureuse de me voir partir... Que vous a-t-ON dit exactement sur moi ?

— D'abord que vous vous mêliez de choses qui ne vous regardaient pas...

— Cela, hélas, a toujours été mon plus grand défaut ! Et qu'avez-vous répondu ?

— Que c'était bien mon avis si ce qu'ON venait de me raconter était vrai.

— Oh ! Vous m'avez trahi à ce point ?

— Je vous ai même renié en affirmant que je n'étais absolument pas au courant de vos activités pour la bonne raison que je ne savais même pas que vous étiez rentré en France.

— Voyez-vous ça ! C'est ainsi qu'on lâche ses meilleurs amis !

— Je vous ai prévenu que je vous ignorerais officiellement pendant toute la durée de cette affaire. Vous savez que je tiens toujours parole...

— Et vous avez l'impression que l'ON vous a cru ?

— Pas exactement, mais ON a paru quand même un peu rassurée. ON m'a même dit : « Heureusement que vous, mon chef, vous ne croyez pas un mot de toutes les accusations que m'a sorties cet homme. »

— Votre réponse a été ?

— Que je n'avais jamais cru en vous parce que vous étiez un homme de mauvaise foi.

— Ça c'est tout de même un peu trop !

— Il était indispensable de le dire et même d'ajouter : « Vous ne dépendez que de moi qui suis votre seul patron ! Je vous autorise à le répéter à ce monsieur s'il vous arrivait de le revoir... » Je pense ainsi vous avoir ménagé une prochaine entrevue car ON ne devrait pas manquer de vous faire savoir rapidement que l'ON se sent protégée en haut lieu, c'est-à-dire par moi.

— Vous connaissant tel que je vous connais, on peut être tranquille !

— N'est-ce pas ?... Avant que l'ON ne s'en aille, j'ai quand même laissé entendre que l'ON devait faire preuve d'une certaine circonspection à votre égard parce qu'il était possible que vous fussiez actuellement mandaté par d'autres « patrons » que moi.

— ON sait pourtant très bien que j'appartiens depuis toujours à votre service ?

— J'ai fait comprendre qu'il y avait déjà quelques années que vous aviez été mis par mes soins en congé illimité...

— Sans retraite ?

— Il n'y a pas de retraite pour les braves !

— Cette dernière révélation à votre belle visiteuse voulait dire que, même quand j'opérais là-bas ces derniers temps, je ne dépendais plus de vous ?

— Exactement.

— J'avoue que c'est assez habile...

— Non mais, est-ce que vous me prendriez pour un imbécile ?

— J'ai trop de respect pour cela, mon cher colonel... Donc je travaille pour un autre organisme... Lequel ?

— Pourquoi pas cette bonne D.S.T. ?

— La Défense et Sécurité du Territoire ?... Ce qui me gêne, c'est qu'il y a beaucoup de flics là-dedans... Et je déteste les flics !

— Moi aussi. Seulement ils peuvent être utiles, parfois... Ne vous aident-ils pas en ce moment, selon votre demande, à surveiller et même à « protéger » les membres de la famille qui vous intéresse ? Croyez-moi : pour l'instant donnez l'impression que vous appartenez à la Grande Maison de la rue Cambacérès alors que nous — au S.R. dont je suis le chef et auquel ON appartient — nous sommes des « indépendants » travaillant dans un autre secteur.

— De vrais artistes ?

— Si vous voulez... ON est d'ailleurs une artiste chevronnée : ne l'a-t-on pas prouvé quand on se camouflait sous un masque de l'Opéra de Pékin ?... Maintenant que je vous ai donné d'aussi excellentes nouvelles, je pense que vous n'avez plus qu'à continuer à suivre la ligne générale que nous avons tracée d'un commun accord.

— C'est tellement mon avis que j'ai déjà pris quelques

dispositions urgentes : par exemple, je déjeune tout à l'heure avec mon aimable logeuse.

— Pas à la *Lampe de Jade,* j'espère?

— C'est fermé le dimanche. Vous semblez oublier que vous venez de me déranger le jour du repos dominical? Et puisque c'est le jour du Seigneur, je déjeune ici même en toute intimité.

— Ça continue, l'idylle?

— Ça progresse! J'ai réussi à me faire désirer pendant ces derniers jours en me montrant peu : c'est pourquoi je suis attendu tout à l'heure avec une impatience accrue... Et je compte bien, puisque j'ai marqué quelques avantages, profiter de ce repas pour obtenir certaines petites concessions...

— Lesquelles?

— Mystère! Laissez-moi mes secrets d'alcôve!

— Mon bon Patrice, je vous le répète : vous êtes un véritable coquin!

— Comme j'aime vous l'entendre dire!

— Il ne me reste plus qu'à vous souhaiter bon appétit.

— Il sera excellent!

Ce deuxième repas préparé par la veuve Burtin pour « le cher M. Rumeau » fut en tous points d'une qualité comparable à celle du premier. Bien qu'elle fût vêtue à nouveau de noir — la robe grise ayant été celle d'une nuit exceptionnelle — le visage de la septuagénaire était irradié de bonheur. Il était même surprenant de constater à quel point la joie du cœur peut estomper les rides qui ne sont que le méfait du chagrin ou du temps. Même les mains parcheminées semblaient avoir retrouvé une teinte de jeunesse. Comme la première fois, M. Rumeau sut se montrer euphorique :

— Sincèrement, chère madame, je ne sais comment je

pourrais m'acquitter de la dette de reconnaissance que je dois à mon vieil ami Sicard pour m'avoir trouvé un logement chez quelqu'un d'aussi compréhensif que vous! Chaque fois d'ailleurs qu'il téléphone, je le lui répète.

— Moi aussi, monsieur Rumeau... Encore un peu de café?

— Volontiers... Le café, par exemple, voilà une des joies essentielles de la vie que l'on ignore presque au Vietnam.

— Ils n'ont que leur abominable thé!

— Ils ont aussi du café, mais depuis que les G.I. se sont installés dans le Sud, ils ne font plus que du café au « goût américain » qui n'en a aucun!

Puis, après avoir jeté un regard vers la fenêtre :

— Quelle merveilleuse journée! Décidément, ce printemps persiste à vouloir rester serein.

— C'est vous, monsieur Rumeau, qui nous l'avez amené! Depuis quelques années déjà, nos printemps parisiens étaient désastreux!

— Que comptez-vous faire aujourd'hui, chère madame?

— Mais rien de plus que les autres jours!

— Pourtant, nous sommes dimanche! et le temps est splendide! Cela ne vous donne pas envie de sortir?

— Toute seule? Où voudriez-vous que j'aille?

— Je ne sais pas... Au hasard peut-être mais n'importe où du moment que cela vous arrache à cet appartement où vous vous confinez trop en remâchant des souvenirs... Pourquoi n'iriez-vous pas au cinéma ou au théâtre?

— J'ai la télévision. Cela vaut pour une personne de mon âge tous les cinémas : on y passe quelquefois des films intéressants... Quant au théâtre, je n'y suis jamais retournée depuis la mort de mon époux.

— Pas même avec votre fils lorsqu'il était jeune homme?

— Il n'aimait pas le théâtre. C'était surtout un sportif... Mon mari, par contre, l'adorait! Nous avions un abonnement à l'Opéra-Comique... J'aimais particulièrement deux pièces : *Manon* et *Madame Butterfly*... Au fond, comme toutes les bourgeoises, j'ai toujours eu un peu la nostalgie de la vie des courtisanes! Mais aujourd'hui, si je devais revoir une pièce, ce serait *Manon* et non pas *Madame Butterfly!*

— Pourquoi ce choix?

— Il m'est souvent arrivé, surtout lorsque j'entendais chanter à la radio l'un des airs de *Madame Butterfly,* de trouver une réelle analogie entre l'histoire inventée par Pierre Loti et ce qui est arrivé à mon fils... Le héros américain de Loti était blanc, son amante asiatique... Il l'a quittée pour rentrer dans son pays où il s'est marié avec une femme de sa race comme l'a fait Pierre.

— Mais, dans l'œuvre de Loti, l'officier de marine américain avait déjà épousé la Japonaise selon le rite nippon! C'est pourquoi, après avoir mis au monde un enfant de lui, celle-ci l'a tellement attendu en regardant la mer... Et elle ne s'est donné la mort que lorsqu'elle a appris, par un ami commun, qu'il s'était marié aux États-Unis.

— Oui... C'est une terrible histoire! Cet homme a très mal agi à l'égard de cette femme, mais peut-on, quand on est officier américain, décemment épouser une femme de race jaune?

— La dernière guerre a prouvé que c'était très possible. Ce fut même assez fréquent.

— De telles unions ne peuvent pas être heureuses!

— Qu'en savons-nous, madame Burtin?

Et pendant qu'elle le regardait, étonnée, il poursuivit avec douceur :

— Quand nous occupions l'Indochine, des Français aussi ont épousé des femmes de là-bas... Et ils ont eu d'elles des enfants d'une beauté incomparable : les mélanges de races donnent souvent d'excellents produits.

— Vous ne voulez pas dire que Pierre aurait pu épouser... cette femme?

— Je n'insinue rien, madame Burtin, mais rien ne prouve non plus qu'il ne l'a pas fait selon le rite bouddhiste qui est le plus répandu au Vietnam!

— Ce n'est pas possible! Ce que vous dites là, monsieur Rumeau, est épouvantable! Pierre n'aurait jamais fait cela, ou il me l'aurait dit! Il ne me cachait rien... Il était trop franc aussi, trop honnête surtout, pour se conduire d'une façon aussi déloyale envers une femme! Celle-là n'a été pour lui qu'une aventure, bien normale chez un garçon de son âge, et il ne le lui a certainement pas caché... Le malheur, c'est qu'il s'est laissé prendre au mirage de l'Extrême-Orient comme beaucoup de ceux qui y vont... A certains moments, il pouvait être très faible... Il n'était pas un homme comme vous, monsieur Rumeau, qui avez su résister malgré les longues années que vous avez passées là-bas.

— Croyez-vous que ce soit là pour moi un bilan de victoire? Si j'ai pu résister, c'est tout simplement parce que je suis un vieux garçon-né!

— Vous, un vieux garçon? Oh non, monsieur Rumeau! Vous êtes un homme : un vrai! Je le sens!

— Peut-être l'ai-je été, madame. Mais il y a très longtemps...

— Tandis que Pierre, lui, est toujours resté très jeune de caractère... Même quand il est rentré en France après avoir eu cette aventure, il n'était encore qu'un enfant : la preuve, c'est qu'il m'a écoutée pour se marier.

— Mais ne m'avez-vous pas dit que ce fut un échec?

— C'est moi qui me suis trompée, et non pas Pierre! Et le désastre n'est venu qu'après la mort de son enfant, sinon le ménage aurait peut-être bien marché ou, tout au moins, tenu comme tant d'autres! J'aurais été là pour arranger les choses entre mon fils et ma belle-fille... Il y aurait surtout eu mon petit-fils : un enfant, ça scelle les unions...

— On le dit...

— Une autre preuve que cette femme jaune n'était pas faite pour lui, c'est qu'elle ne lui a pas donné d'enfant. Je sais que, s'il en avait eu un, il ne serait jamais revenu seul!

— Peut-être en a-t-il eu un, comme l'officier américain de Loti, sans le savoir?

La vieille dame appliqua ses mains parcheminées sur son visage comme pour cacher une vision d'épouvante. Son corps s'affaissa, secoué de sanglots. Puis, brusquement, elle se redressa en criant de toutes les forces qui lui restaient et en tendant les mains en avant pour écarter la vision :

— Non, non! Ne dites pas cela, monsieur Rumeau! Ce n'est pas vrai! Pierre n'a pas eu d'autre enfant...

Elle pleurait maintenant en silence, anéantie. Il se rapprocha d'elle.

— Ne pleurez pas ainsi, madame Burtin! murmura-t-il. Vous savez très bien que les larmes font un mal inutile... Si vous saviez comme je m'en veux du tour qu'a pris cette conversation qui avait débuté d'une façon tellement amicale! Enfin il n'y a aucun rapport entre ce qui est arrivé à Pierre et l'histoire de *Madame Butterfly,* qui n'est que du roman, ou du théâtre...

Elle le regardait, les yeux noyés :

— D'ailleurs cette femme, qui a connu mon fils, ne se serait pas suicidée comme l'a fait l'héroïne de Loti quand elle a cru qu'elle ne reverrait jamais son amant...

Et, essayant de se convaincre elle-même, elle poursuivit :

— ... C'était une créature trop dure. Elle préférait faire tuer les autres plutôt que de se supprimer elle-même!

— Peut-être, madame Burtin, venez-vous de trouver là l'une des plus grandes différences qui existent entre le comportement d'une Japonaise et celui d'une femme d'origine chinoise?

Puis ce fut le silence, un interminable silence pendant lequel il laissa la crise s'atténuer avant de reprendre sur un ton volontairement enjoué :

— Ce qui vient de se passer me prouve, chère madame, que j'ai eu mille fois raison de vous dire que vous ne pouviez pas continuer à rester perpétuellement enfermée dans cet appartement. Il faut vous en évader, ne serait-ce que pour quelque temps... Vous connaissez, naturellement, la Côte d'Azur?

— J'y suis allée en voyage de noces.

— Et depuis, vous n'y êtes jamais retournée?

— J'ai toujours pensé que, pour s'y rendre, il fallait être dans une période de bonheur...

— On peut aussi y retourner pour essayer de retrouver, sinon une impression de bonheur, du moins la vraie détente! A cette époque-ci la Côte est idéale : il n'y fait ni trop chaud ni trop frais. Et surtout, il n'y a pas la grande foule... Madame Burtin, vous n'avez pas le droit de ne pas profiter de ce qui vous attend au bord de la Méditerranée! Si je vous dis cela, c'est que nous avons comploté à trois pour vous offrir ce voyage d'agrément.

— A trois? Vous m'effrayez! Qui cela, mon Dieu?

— Le colonel Sicard, moi-même et quelqu'un qui vous aime beaucoup et pour qui vous avez, je le sais, la plus grande estime : le Dr Mariel...

— Ce cher docteur! Il me soigne, en effet, depuis des années avec un tel dévouement! Je crois bien que, si je suis encore en vie aujourd'hui, c'est à lui que je le dois!

— Eh bien, justement! Il faut continuer à l'écouter.

— Car vous ne vous doutez sans doute pas, cher monsieur Rumeau, qu'il m'est souvent arrivé, depuis que je suis seule au monde, d'avoir eu envie de mourir?

— Ce n'est là qu'une funeste conséquence de votre isolement... Aussi faut-il à tout prix chasser pour toujours ces idées noires! Et aucun remède ne sera meilleur qu'un séjour de quelques semaines sur la Côte d'Azur! Le docteur et moi nous avons tout prévu pour vous. Bien entendu, ce séjour vous est entièrement offert par nous trois.

— Mais jamais je n'accepterai, monsieur Rumeau!

— Voyez-vous ça! On joue les coquettes maintenant? Et savez-vous quand vous partez? Ce soir!

— Mais c'est impossible, monsieur Rumeau!

— Impossible est un mot qui n'est pas digne d'une Française telle que vous!

— C'est de la démence!

— Peut-être, mais de la bonne démence... Écoutez-moi : ce soir, le Dr Mariel et moi nous vous accompagnerons à la gare où une couchette a été réservée pour vous dans le Train Bleu... Ça ne vous dit rien ce nom-là, madame Burtin : le Train Bleu?

— Oh, si! Il fut une époque où je rêvais de le prendre...

— Eh bien, ce soir, ce sera fait! Et demain, après avoir dormi bercée par le roulement, vous vous réveillerez pour arriver à Nice par un soleil éclatant! Une dame charmante, grande amie du docteur, viendra vous chercher à votre compartiment pour vous accompagner jusqu'à une voiture qui vous conduira en un quart d'heure juste au-dessus de Nice, à Cimiez exactement, où elle possède une magnifique propriété. De là, vous aurez la plus belle vue du monde sur toute la baie des Anges! Elle y a spécialement fait aménager pour vous un appartement très gai où vous serez chez vous et où l'on vous servira vos repas : vous n'aurez plus de cuisine à faire! Il vous suffira de commander tous vos plats préférés! Bien entendu, vous aurez la télévision et surtout l'entière disposition d'un merveilleux parc de trois hectares dans lequel vous pourrez vous promener à votre guise et passer des après-midi entières... Enfin la propriétaire ainsi que quelques dames qui habitent avec elle — et qui toutes sont charmantes — vous tiendront compagnie. Ainsi, vous ne serez jamais seule!

— Mais... Je ne le suis plus depuis que vous êtes arrivé.

— Ce que vous dites là est très gentil. Malheureusement, comme vous avez pu le constater ces derniers jours, je suis très souvent sorti... Ayant une foule d'affaires à régler comme toute personne qui revient dans son pays après une longue absence, je ne puis vous consacrer le temps que je désirerais et je crains fort d'être de plus en plus occupé dans les prochains jours! Croyez-moi, madame Burtin, nous tenons là une solution idéale!

— Mais jamais je ne pourrai abandonner aussi vite cet

appartement que je n'ai quitté, depuis tant d'années, que pour faire de petites courses indispensables dans le quartier.

— C'est précisément ce qu'il ne faut plus! Vous devez oublier ce quartier pendant quelque temps. Vous le connaissez trop : il ne peut plus vous intéresser! Tandis que sur les hauteurs de Nice, vous aurez toute une ville, nouvelle pour vous, à vos pieds! Donc il ne faut plus réfléchir! Si moi-même j'avais hésité après avoir décidé en un temps record de quitter Saïgon, jamais nous n'aurions fait connaissance et je serais resté à me morfondre là-bas comme un malheureux! Tandis que j'ai l'impression de vivre une deuxième vie depuis que je suis à Paris... Enfin, vous n'abandonnerez pas votre appartement puisque vous y reviendrez après cette cure de soleil.

— Mais qui le gardera pendant mon absence?

— Moi, madame Burtin! Et je vous garantis qu'il sera bien gardé... Rien ne bougera! Quand la femme de ménage viendra, je serai là pour la surveiller à seule fin qu'elle ne déplace aucun des meubles ou des objets qu'a connus et aimés votre fils... Ce que je vais vous dire va sans doute vous paraître un peu présomptueux, mais j'ai la conviction de me montrer capable de prolonger ici votre pensée à son égard : cette admirable pensée maternelle qui continue à l'envelopper malgré la séparation et qui imprègne pour toujours les murs de ce logement où il a vécu et plus spécialement ceux de sa chambre... Ce sera un peu comme s'il avait été mon fils et comme si je prenais le relais pour vous permettre de vous reposer.

Elle le regarda avec étonnement :

— Jamais on ne m'a dit une chose pareille!

— C'est normal, madame. Les gens sincères ne peuvent dire que ce qu'ils pensent...

— Si vous saviez, monsieur Rumcau, comme vous venez de me faire du bien!

— Et j'ai la ferme intention de continuer, chère madame Burtin! Alors c'est décidé? « Nous » partons ce soir?

— Puisque vous me le conseillez...

— Bravo!

— Et mes bagages? Il va bien falloir que j'emporte quelques robes?

— Je vais vous aider à faire vos valises... Il ne faudra surtout pas oublier la robe grise!... D'abord parce qu'elle vous va bien et ensuite parce que sa teinte s'harmonisera merveilleusement avec le bleu méditerranéen quand vous vous promènerez dans le parc... Un petit peu de gris, beaucoup de bleu! Mais attention! Le soleil se montre parfois assez violent là-bas, surtout l'après-midi! Avez-vous une ombrelle?

— Il me semble... et le plus étrange, c'est que je crois qu'elle est grise.

— Vous voyez : l'harmonie sera complète! Nous allons avoir, avec les préparatifs de départ, une après-midi dominicale très occupée!

— Ça me changera...

— Hé oui! Le Dr Mariel viendra nous prendre ici à 19 heures avec sa voiture pour nous conduire à la gare. Oh! Nous aurons tout le temps : le Train Bleu ne part qu'à 21 heures. Mais je crois que le bon docteur veut nous inviter à dîner, avant le départ, au buffet de la gare de Lyon qui est, paraît-il, excellent.

— Le colonel sera-t-il aussi des nôtres?

— Je ne le pense pas : ce matin, lorsqu'il m'a téléphoné, il m'a dit qu'il se sentait assez grippé...

— Oh alors, qu'il se soigne! Ces grippes de printemps

sont très souvent mauvaises... C'est égal, monsieur Rumeau, je me demande ce que je serais devenue si je n'avais pas eu la chance de rencontrer d'aussi bons amis.

— C'est sûrement Pierre qui vous les a envoyés, madame.

— Oui, c'est lui...

Quand Patrice Rumeau revint, à 22 heures, dans l'appartement après avoir accompagné à la gare et fait monter dans le Train Bleu la maman de Pierre, il se sentait partagé entre la satisfaction d'avoir mené à bien cette opération d'exil et une certaine lassitude d'avoir été contraint, une fois de plus, de mentir en jouant les Bons Samaritains à l'égard de quelqu'un pour qui il avait autant d'estime que de commisération. Mais comment aurait-il pu agir autrement ? Il ne parviendrait à poursuivre la réalisation de son plan que s'il avait les coudées franches, et surtout la tranquillité d'esprit « du côté Burtin »...

La vieille femme, que l'on allait rendre responsable du pire des méfaits — le rapt de Siao — devait être mise à l'abri dans une retraite cachée sans qu'elle-même pût se rendre compte de son exil. Combien de temps cela durerait-il ? Tout dépendrait des réactions de l'adversaire. On pouvait s'attendre à ce que celles-ci fussent violentes : à l'instant même où Mme Phu constaterait qu'on avait kidnappé son enfant, elle deviendrait une tigresse capable de tout ! Et dès qu'on lui aurait laissé entendre que l'on soupçonnait très sérieusement la mère de son ancien amant d'être l'instigatrice de cet enlèvement, l'ex-Ngô Thi Maï Khanh n'aurait certainement plus qu'une idée : retrouver celle qu'elle devait avoir toujours considérée — sans la connaître autrement que par ce que lui en avait dit

Pierre — comme sa pire ennemie, pour lui faire rendre sa proie. L'affrontement des deux femmes, la mère et l'amante, risquerait d'être effroyable! Mieux valait l'éviter. Le seul moyen pour cela n'était-il pas d'éloigner la veuve Burtin?

En réalité, « la villa » de Cimiez était une maison de repos pour femmes âgées. Le Dr Mariel y avait souvent envoyé des clientes : ces dames « charmantes » qui bavarderaient avec Mme Burtin en admettant qu'elle acceptât de converser avec elles. Aucune de ces femmes n'étant jeune, on pouvait espérer qu'il en serait ainsi. Mais, que cela lui convînt ou pas, des instructions formelles avaient été données à « la propriétaire » de la villa — qui était plutôt une directrice — pour interdire à sa nouvelle pensionnaire toute sortie en dehors du parc à moins qu'elle ne fût accompagnée.

Chose étrange, cet appartement de la rue Vaneau, dans lequel il se retrouvait seul, lui sembla — maintenant que sa principale habitante en était partie — ne plus avoir d'âme et lui parut lugubre. A peine venait-il de rejoindre sa chambre, après avoir pris soin de laisser toutes les portes de communication intérieures ouvertes, que la sonnerie du téléphone retentit dans le vestibule.

C'était « la vieille chouette » qui l'appelait une fois de plus :

— Enfin vous êtes là? Cela fait dix fois que je tente de vous joindre depuis 19 h 30 et il est 22 h 15... Qu'est-ce que vous pouviez bien faire dehors un dimanche?

— Je dînais à la gare de Lyon...

— Je sais depuis longtemps que vous êtes un original, mais je ne pensais pas que ce fût à ce point-là... A la gare de Lyon! On croit rêver!... Et votre logeuse, elle ne pouvait pas répondre à l'appareil?

— Elle s'est envolée, l'excellente dame!

— Pas de son plein gré!

— Elle a consenti à écouter mes conseils : elle roule en ce moment dans le Train Bleu et, demain, elle sera à Nice sous la protection toute spéciale que lui a fait préparer le Dr Mariel.

— Vous avez bien fait d'agir vite, car ça bouge... ON a téléphoné à 19 heures à Turbigo 92.00 et au poste 46.80 pour faire savoir que l'ON était prête à vous rencontrer dès que vous le pourriez... Et, comme la Criminelle m'a aussitôt appelé, je vous transmets le message prometteur.

— Si l'ON agit ainsi, c'est signe que la visite que l'On vous a faite ce matin a ravivé la confiance dans l'impunité et que l'ON est bien décidée à me dire ce que l'on croit être mes quatre vérités! ON va sûrement m'expliquer que je ne suis qu'un besogneux et que, forte de l'assurance donnée ce matin même par un grand caïd, ON se moque pas mal de tout ce que je peux dire ou faire... Savez-vous, cher patron, que c'est très désagréable d'être traité ainsi avec autant de mépris par une jolie femme?

— Fichez-moi la paix avec vos considérations personnelles et tenez-moi au courant, heure par heure, s'il le faut.

« La vieille chouette » avait raccroché : ce qui indiquait qu'elle n'était plus d'humeur à badiner.

Sans attendre, et après avoir jeté un rapide regard sur un carnet où étaient accumulées des adresses, le locataire de la rue Vaneau, qui n'avait pas quitté le vestibule, forma sur le cadran téléphonique un numéro d'appel :

— Allô? Je suis bien chez Mme Phu?

Il y eut un léger temps avant qu'une voix douce — que le correspondant n'eut aucun mal à reconnaître — ne demandât :

— De la part de qui ?

— M. Patrice Rumeau, chère madame Phu ! Votre message vient de me joindre. Où et à quelle heure aimeriez-vous que nous nous rencontrions ?

La voix douce répondit :

— Le plus tôt serait sans doute le mieux.

— C'est également mon avis. Où cela ?

— Mon restaurant étant fermé, voulez-vous ici, chez moi ?

— Pourquoi pas ? Nous y serons certainement plus tranquilles que partout ailleurs... Eh bien, comptez que je serai là dans vingt minutes au plus tard. C'est à quel étage ?

— Au troisième...

— J'arrive...

Avant d'aller au rendez-vous, M. Rumeau prit soin de donner à ses « collaborateurs » très provisoires de la Préfecture les quelques instuctions de dernière heure que nécessitait l'évolution rapide des événements. Vingt minutes plus tard, selon la promesse faite, il sonnait, dans le XVIe arrondissement, à la porte de l'appartement où se terraient M. Ki Ho, Mme Phu et Siao. L'attente sur le palier du luxueux immeuble fut de très courte durée, mais elle lui permit quand même de remarquer que, contrairement à la porte de l'appartement de Mme Burtin, celle du domicile de la trinité jaune n'avait pas été dotée d'un œilleton permettant de repérer le visage et l'allure du visiteur qui venait de sonner. Et il trouva assez étrange que l'on parût montrer moins de méfiance chez l'ancienne maîtresse que chez la mère de Pierre.

Ce fut Mme Phu elle-même qui vint ouvrir sans que

l'on eût entendu, à l'intérieur, aucun maniement de crochet de sûreté. Décidément, la sérénité semblait régner à cet étage de la maison : impression qui ne faisait que se confirmer et même s'amplifier dès qu'on avait pénétré dans l'appartement. Autant le décor de la *Lampe de Jade* faisait « fabriqué », autant la décoration et l'ameublement de ce domicile privé étaient d'un goût très sûr.

Dès l'entrée, le visiteur tardif ne put résister à la réelle séduction qui se dégageait de tout l'ensemble. En connaisseur et en passionné du Beau, il marqua un temps d'arrêt dans le vestibule — qui était de proportions assez impressionnantes pour un appartement parisien — et dont les murs étaient recouverts, de chaque côté, par les douze panneaux d'un paravent laqué. Le nombre même aurait pu faire supposer que c'était là un chef-d'œuvre authentique et les spécialistes les plus experts de Paris ou de Londres auraient pu s'y tromper... Mais Serge Martin, lui, comprit dès le premier instant que ce n'était qu'une copie... Car il savait très bien où se trouvait l'original : à la pagode de Huong-Tich, dans la province de Phu-hy... Original qui lui avait appartenu et qu'il avait échangé, douze années plus tôt, au cours d'une étrange tractation à Hanoï avec Ngô Thi Maï Khanh, contre un plan stratégique que, finalement, elle ne lui avait pas livré : encore une fois elle s'était montrée la plus forte. Cela aussi allait se payer... Dès qu'elle avait récupéré l'authentique paravent, la Bouddhiste forcenée en avait fait don à la fameuse pagode. Ainsi les admirables panneaux avaient-ils rejoint le lieu saint pour lequel ils avaient été conçus et d'où des trafiquants sans scrupules les avaient fait sortir une quinzaine d'années plus tôt pour les lui vendre à lui, Serge Martin, l'amoureux du Beau, sans préciser leur origine sacrée.

Aussi son plus grand étonnement était-il de retrouver, en pénétrant dans cet appartement de l'avenue Kléber, une copie du chef-d'œuvre, surprenante de qualité... Tout était reproduit sur ce faux aux dimensions impressionnantes. Les petits personnages aux visages ivoirés, incrustés sur le fond noir, semblaient se mouvoir, tels de prestigieux fantoches animés par des fils invisibles, dans une immense farandole de vie et de mystère où le rêve se mêlait dans la chaleur des ors à la réalité... Les guerriers à cheval, les navigateurs sur leurs gracieuses jonques, les porteurs de lanternes, les femmes rêveuses sous les vérandas de frêles maisons sur pilotis, tous paraissaient appartenir à la même légende éternelle... Sur chaque panneau, les moindres détails — allant des clochetons pointus aux pins parasols — semblaient n'avoir été étudiés que pour orienter délicatement les regards vers le centre de la fresque où l'on découvrait, entourée d'un cercle de musiciennes accroupies devant d'étranges instruments, une princesse qui dansait... Et, de panneau en panneau, les gestes de la danseuse entraînaient le cortège de petits personnages vers l'escalier d'une pagode en haut duquel trônait Bouddha...

Cette princesse, Serge Martin l'avait devant lui, réelle et cependant mystérieuse, continuant à l'observer avec une attention soutenue alors qu'il savourait dans une réelle extase la beauté des panneaux. Ne connaissait-il pas depuis longtemps déjà l'histoire qui y était « contée »? Celle d'une enfant consacrée au « dieu vivant » et qui devient, au fur et à mesure qu'elle grandit, une princesse de rêve dont tous les hommes, et spécialement « ceux venus d'au delà des mers », tombent éperdument amoureux? N'était-ce pas l'histoire même de Ngô Thi Maï Khanh et de celui qui avait été son amant venu d'Occident : Pierre Burtin? La maîtresse jaune savait aussi tout cela : c'est pourquoi elle avait mis son point d'honneur, en fervente croyante, à rendre à la pagode de Huong-Tich le paravent volé qui traçait la ligne de sa propre existence... Par ce geste réparateur elle avait commencé à effacer le sacrilège. Par un second, l'assassinat de Burtin, elle s'était purifiée à l'égard du Dieu son père qui consentirait à l'accueillir à nouveau dans son sein quand le moment des félicités éternelles serait venu pour elle.

Mais Ngô Thi Maï Khanh n'avait pu résister au besoin d'avoir sous les yeux ce qu'elle considérait comme étant sa propre histoire et dont elle voulait se rassasier sans cesse. Grâce à ce réconfort visuel, et palpable, elle garderait la force de poursuivre sa mission terrestre, même dans un pays comme la France où la puissance et la magnanimité de Bouddha demeuraient incomprises.

Après avoir effleuré du bout de ses longs doigts maigres la surface laquée de quelques panneaux, son visiteur se retourna vers elle :

— C'est là un remarquable travail... Comme il n'est pas possible que vous ayez pu faire venir ces douze panneaux de là-bas — étant donné les conditions dans lesquelles on vous a rapatriée de toute urgence ici il y a un an, ainsi que les difficultés de transport ou de devises existant depuis ces dernières années entre le Nord-Vietnam et l'Europe — cette étonnante copie ne peut avoir été exécutée qu'ici même! Et peut-être est-ce là le plus surprenant pour moi : comment avez-vous pu trouver actuellement en France quelqu'un qui ait été capable de réaliser un pareil chef-d'œuvre du genre, et ceci dans un temps record puisque vous n'êtes dans notre pays que depuis une année?

— C'est mon père qui a fait ce travail.

— M. Ki Ho?... Eh bien, c'est un artiste prodigieux! Je savais qu'il était très apte à imiter les écritures, mais je n'aurais jamais supposé que son talent de faussaire pût aller jusqu'à manier la laque avec une telle perfection! Sincèrement, Ngô Thi Maï Khanh... Je pense qu'il n'est plus nécessaire, puisque nous sommes « chez vous » et « entre nous » de continuer à vous donner ici cette appellation de « Mme Phu », qui vous a été généreusement octroyée par les Services du colonel Sicard. Je la trouve d'autant plus banale que les « Phu » abondent à peu près autant en Extrême-Orient que les « Dupont » ou les « Dubois » chez nous!... Sincèrement vous appartenez à la plus stupéfiante des familles : un père artiste, une fille espionne, une petite-fille danseuse...

Sans répondre, elle le précéda dans le vestibule pour le conduire jusqu'à une tenture de soie brodée qu'elle souleva en disant :

— Nous serons plus à l'aise dans ce lieu pour parler comme nous avons à le faire.

Ce qu'elle avait appelé un « lieu » était une pièce qui, si l'appartement avait été habité par des Européens, aurait dû normalement être un bureau, un petit salon ou même un boudoir. Mais, sous le règne asiatique d'une Ngô Thi Maï Khanh, on se retrouvait dans une sorte de sanctuaire, dont l'ambiance, toute de recueillement, était due surtout à la discrétion de l'éclairage. La seule source de lumière provenait de *jossticks* alignés qui brûlaient en permanence, répandant leur lourd parfum d'encens, devant un piédestal sculpté. Sur celui-ci trônait l'un de ces Bouddhas dorés que l'on trouve par milliers dans les temples d'Extrême-Orient où ils ont été apportés par les fidèles — ressemblant en cela aux fidèles de France qui, eux, déposent dans des lieux de pèlerinage, tels que

Lourdes ou Lisieux, des statuettes en plâtre colorié fabriquées en série par les officines spécialisées de Saint-Sulpice. Le Bouddha, lui, avait la supériorité d'être recouvert d'or... Sur son visage extatique, animé de reflets changeants dus à la lumière indécise, le sourire semblait prendre vie... Jamais, sans doute, Serge Martin — qui était cependant un « initié » — n'avait encore senti à ce point la chaleur d'un tel sourire défiant les siècles... Ne laissait-il pas entrevoir, dans le corps impassible et figé, une âme à qui les mystères promettaient déjà l'immortalité ?

Après avoir contemplé la reproduction parfaite du paravent aux laques noir et or, le visiteur avait l'illusion de se retrouver dans la pagode de Huong-Tich où il aurait été conduit — comme les petits personnages animant le douzième et dernier panneau — jusqu'au pied de l'escalier sacré, menant au sein de Bouddha, par la Princesse vivante qui lui avait été consacrée et dont le sourire perpétuel, aussi apaisant qu'inquiétant, n'était peut-être, après tout, que le propre reflet terrestre de celui du Dieu ? Et l'homme, qui n'avait plus aucune croyance, demeura figé pendant quelques secondes devant la statuette dorée qui ne cessait pas de lui sourire... Un sourire qui était réellement celui de la Sagesse qui délivre de tout... N'impliquait-il pas le détachement total et une qualité de repos que seuls peuvent trouver les justes ? C'était aussi le sourire du prolongement de la vie, le sourire de tous ceux dont le regard est définitivement fermé sur le monde...

Se retournant alors vers celle qui ne l'avait pas quitté des yeux :

— Vous souvenez-vous de ce que vous avez dit un jour devant moi à celui qui fut votre amant ?

— Je pense que, lui et moi, nous nous sommes dit beaucoup de choses essentielles...

— Mais celle-ci, malgré les événements écoulés, me paraît avair conservé toute sa vérité : « *Aie confiance en Bouddha qui ne peut abandonner celui qui est venu d'au delà des mers pour être le protecteur de sa fille bien-aimée... Si nous subissons l'épreuve de la séparation, c'est parce que le Dieu l'a voulu pour nous faire comprendre que rien, ni le temps ni l'éloignement, ne pourra détruire notre amour!... Je vais continuer à brûler des jossticks devant l'autel de mes ancêtres et bientôt tu me reviendras plus amoureux que jamais!* »

» Vous vous souvenez de ces paroles qui furent vôtres?

— Je n'oublie jamais, Serge Martin! Et votre mémoire, à vous, est terrifiante!

— C'est la raison pour laquelle je vous conjure ce soir pour la dernière fois de me dire, dans le secret de votre sanctuaire familial, pourquoi, lorsque Pierre est revenu vers vous, « *plus amoureux que jamais* », vous l'avez fait abattre?

— Je vous le répète : parce qu'il m'avait trahie en prenant femme en France et que le Dieu, mon père, exigeait son châtiment. Je pourrais aussi vous répondre par cette prière des agonisants que j'ai entendue au chevet de ma mère mourante — avant que l'on me consacrât le lendemain à Bouddha dans la Grande Pagode de Hué : « *Le corps de l'homme ne vit pas longtemps : lorsqu'il s'éteint, ce n'est plus qu'une matière inerte abandonnée dans le monde... La vie d'un homme n'est pas limitée : personne ne peut en préciser la durée... On vient au monde et on sort suivant les desseins de Bouddha. Il faut se hâter de l'honorer et d'acquérir des mérites!* »

Après un temps, il demanda :

— M. Ki Ho et Siao sont ici?

— Vous le savez bien, puisque nous sommes tous « surveillés » par vos amis et que personne n'a quitté cet appartement depuis que nous y sommes rentrés hier soir.

— Pas même vous, ce matin?

— Je vois que vous êtes admirablement renseigné... C'est le colonel qui vous a fait part de la visite que je lui ai faite?

— Sachez que depuis des années je ne suis plus en rapport direct avec lui. J'ai été limogé de son service.

— Il se serait séparé d'un collaborateur aussi précieux que vous?

— Il en avait le droit et sans doute ai-je mérité une pareille sanction, ne serait-ce que pour m'être laissé berner par vous, il y a douze ans?

Elle resta muette.

— Vous savez aussi bien que moi, chère Ngô Thi Maï Khanh, que tout être est faillible : j'ai pu commettre de graves erreurs...

— Dans votre vie privée, c'est tout à fait possible, mais dans l'exercice de votre métier cela me surprendrait!

— Et peut-être est-ce la vraie raison pour laquelle, vous considérant comme étant la plus forte, il vous a attachée, depuis deux années déjà, à son service pour que vous m'y remplaciez?

— Pour qui « travaillez-vous » alors?

C'est pour me poser une telle question que vous m'avez fait dire, par l'intermédiaire de la Préfecture, que vous désiriez me parler... à cœur ouvert?

— Pas précisément. Mais j'aimerais savoir.

— Le choix même du numéro de téléphone que je vous ai indiqué hier soir ne vous aurait-il pas apporté la réponse?

Une expression de mépris se lut sur les lèvres de Ngô Thi Maï Khanh :

— Alors, vraiment, vous faites maintenant partie de la police ?

— On ne peut rien vous cacher ! répondit-il en souriant et avant d'ajouter : Mais je vous en prie, ne jouez pas trop les dégoûtées ! Il y a police et police... Celle de la rue, la Mondaine, l'Économique, la Criminelle... C'est avec cette dernière que j'ai l'honneur de travailler : elle ne s'intéresse qu'à des cas ou à des personnages qui en valent la peine. Aussi devriez-vous être plutôt flattée qu'elle se penche sur votre activité... Maintenant, je vous écoute.

— Ce que j'ai à dire sera simple et court. Comme vous savez déjà beaucoup de choses, je n'ai pas à nier devant vous mon appartenance au service qui vous a remercié. Et comme telle, après votre visite d'hier soir, j'ai estimé qu'il était de mon devoir de rendre compte à mon patron, qui fut le vôtre, de la teneur intégrale de notre conversation.

— Je ne puis que vous approuver d'avoir agi ainsi.

— Et savez-vous quelle a été sa réaction après qu'il m'eut écoutée ?

— Violente, je suppose ?

— Calme au contraire. Le colonel m'a dit qu'il n'y avait aucune connexion entre « notre » organisation secrète et les agissements de la police à laquelle il semblait ignorer, d'ailleurs, que vous apparteniez !

— Peut-être ai-je eu le tort, quand on m'a fait la gentillesse de m'y admettre, de ne pas envoyer de faire-part à tous mes anciens amis ? Mais, même si je l'avais fait, je me serais bien gardé d'en adresser un à cette « vieille chouette » qui m'a congédié comme un malpropre, sans indemnité aucune et sans le plus petit remerciement pour les innombrables services que je lui avais rendus pendant des années! Sicard est un homme dont nul ne peut dénier la valeur, mais qui s'est montré d'une scandaleuse ingratitude à mon égard!... Et, à ce sujet, je ne saurais trop vous mettre en garde! Permettez-moi de vous donner un petit conseil tout à fait désintéressé qui n'a rien à voir avec la mission dont je suis chargé ce soir : quand « la vieille chouette » n'a plus besoin d'un agent ou estime que celui-ci est définitivement « brûlé », il le laisse froidement tomber! Et c'est tout juste si, pour s'en débarrasser, il ne le livre pas à ses adversaires! Alors méfiez-vous!

— Il s'est peut-être conduit de la sorte avec vous, mais je ne crois pas qu'il agirait de même à mon égard... Cela peut vous paraître assez stupide de ma part, mais, jusqu'à preuve du contraire, je conserve une entière confiance en lui... Plusieurs fois déjà, et tout particulièrement lorsqu'il s'est agi de procéder d'urgence au rapatriement de ma fille et de moi-même en France pour nous arracher à ceux que vous m'avez accusée à tort hier soir de servir à nouveau, il s'est révélé mieux qu'un « chef » : un ami.

— Parce qu'il avait besoin de vous!

— Je ne tolérerai pas que vous disiez du mal de mon patron devant moi et surtout chez moi! Cela m'étonne d'ailleurs d'un homme tel que vous... Il est vrai que vous appartenez maintenant à un corps constitué où vous avez sans doute trouvé des « méthodes de travail » qui sont, pour le moins, discutables...

— Et moi, Ngô Thi Maï Khanh, je vous interdis formellement de formuler la moindre attaque verbale contre le corps d'élite auquel je suis très fier d'appartenir! C'est compris?

Et comme elle se taisait, il continua, volontairement véhément :

— Puisque vous me considérez avec raison comme tel, je vais donc, à partir de maintenant, me conduire envers vous uniquement en policier en vous posant quelques questions très précises. Si vous n'y répondez pas, vous me reverrez demain soir à votre restaurant. Et là vous n'aurez plus affaire qu'à un Serge Martin devenu un simple officier de police chargé de vous arrêter... Voici ma première question : oui ou non, avez-vous demandé à me parler aujourd'hui pour me dire seulement ce que vous venez de m'exposer, à savoir que vous vous moquiez de la police et que vous n'aviez de comptes à rendre qu'au S.R. du colonel Sicard dont vous êtes sous la protection?

— Vous m'avez très bien comprise : je ne vous ai fait venir que pour vous dire cela.

— C'est bon. Les autres questions sont donc utiles : nous nous retrouverons demain... Je tiens cependant à vous faire remarquer que j'ai pris soin, en venant chez vous ce soir, de ne pas me munir d'une arme : ceci parce que j'ai commis l'erreur de croire que vous vous étiez enfin décidée à devenir raisonnable... J'étais venu, non pas en ami, mais pas tout à fait non plus en ennemi, simplement comme quelqu'un qui souhaiterait recueillir certaines « confidences » que l'ON voudrait bien lui faire...

La voix douce de Ngô Thi Maï Khanh se fit brusquement aussi sèche que celle de sa fille, tandis que tout sourire disparaissait de son visage :

— Si un jour, dit-elle, je devais prendre, comme vous le suggérez, un « confident », je vous garantis que ce ne serait pas vous, Serge Martin! J'irais le trouver dans mon pays et certainement pas dans le vôtre où je sais que je n'ai que des ennemis !

— Mais pourtant votre « cher » colonel ?

— Lui, c'est différent... Vous le haïssez, n'est-ce pas ?

— Je ne fais que lui rendre la monnaie de son amitié... Puisque vous n'avez rien d'autre à me dire, je vais donc me retirer... en souhaitant que Bouddha sache vous inspirer pour le mieux de vos intérêts et de ceux de votre enfant... Si jamais vous éprouviez le besoin de me revoir encore pour que nous puissions « parler » avant l'heure limite de demain, vous n'aurez qu'à appeler au même numéro... Mais je vous garantis que ce ne sera pas moi, cette fois, qui me déplacerai ! On vous fixera un rendez-vous dans la journée et je vous recevrai dans une salle, spécialement prévue, de la Préfecture où vous me direz tout ! Bonsoir...

Au moment où, quittant « le sanctuaire » il soulevait la tenture, servant de séparation avec le vestibule, il se trouva face à face avec le bossu.

— Eh bien, monsieur Ki Ho, on écoute aux portes maintenant ? J'ose espérer au moins que vous tirerez vos enseignements de ce que je viens de dire ? Et je ne veux plus jamais voir un affreux gnome comme vous dans mes pattes, sinon je me fâche ! Vous feriez beaucoup mieux, au lieu de vous occuper des ennuis de Mme Phu, de continuer à produire des œuvres d'art aussi réussies que ce paravent... Ce qui m'étonne c'est que tout le reste de la famille ne soit pas là ! Où est Siao, votre petite-fille ?

Le bossu cligna des yeux derrière ses lunettes en répondant d'une voix dont l'accent guttural avait quelque chose d'assez saisissant :

— A cette heure-ci elle dort dans sa chambre, monsieur l'officier de police...

— Vous au moins, vous me donnez le titre auquel j'ai droit... Sans doute n'est-ce pas la première fois que vous avez affaire à nous ?

— Je respecte beaucoup la police, dit M. Ki Ho en s'inclinant.

— Alors continuez ! Quant à votre fille, je vous conseille de la laisser tranquille : elle est actuellement en prières...

Il partit en laissant l'homme à la natte éberlué.

Arrivée rue Vaneau, il saisit immédiatement le récepteur.

— Allô ? Le colonel Sicard ? C'est à mon tour de vous réveiller... Les choses se présentent moins mal et je crois qu'il est temps maintenant de frapper un grand coup... Je pense avoir assez bien préparé l'ambiance... Si par hasard — ce qui me surprendrait — ON revenait vous voir demain matin pour se plaindre à nouveau de moi, je vous demande de répondre qu'hélas vous n'avez aucun moyen de faire pression sur les décisions et les agissements de la Criminelle.

— C'est compris...

— Et n'hésitez surtout pas à dire que je suis un homme terrible, devenu le plus méchant et le plus dangereux des flics, avec lequel il est impossible de composer quand je mène une enquête.

— Vous tenez absolument à ce que j'en rajoute encore sur votre compte ?

— Il le faut ! Et de toute façon, nous sommes déjà quittes : ce soir j'ai dit sur vous à la Belle le plus d'horreurs que j'ai pu trouver ! J'estime avoir pris une certaine avance dans ce domaine.

— Merci quand même !

— Je ne vous rappelerai pas avant vingt-quatre heures : le temps de mener à bien « l'opération Siao »...

Et il raccrocha, sachant que maintenant les minutes étaient comptées.

Mme Phu n'avait pas appelé Turbigo 92.00, ni rendu visite à « la vieille chouette » pour lui apporter, une fois de plus, ses doléances. Toute cette journée du lundi avait été marquée par le silence complet de l'adversaire. La nuit était venue et, avec elle, le déclenchement prévu de l'arrestation à l'heure promise. Quand Serge Martin arriva, en compagnie de l'authentique « Officier de Police » que la Préfecture avait consenti à lui adjoindre — un policier de métier, pourvu du mandat nécessaire délivré en bonne et due forme, et répondant au nom corse d'Antoine Signoli — dans une discrète voiture noire devant l'entrée de la *Lampe de Jade,* il constata que l'enseigne lumineuse au néon, vulgarisant le nom de l'établissement dans la rue, était éteinte. Il semblait que la relâche du dimanche s'était prolongée... Et il dit au commissaire Signoli, à la droite duquel il était assis sur la banquette arrière de la voiture :

— D'ici qu'*elle* ait « fait la malle », selon l'expression consacrée dans votre jargon, cela ne m'étonnerait qu'à moitié!

Ce à quoi le policier patenté répondit :

— Moi, cela me surprendrait beaucoup, cher monsieur Martin! Écoutez plutôt...

La voiture était munie d'un appareil radiophonique qui permettait aux occupants du véhicule de rester en liaison permanente avec la « Centrale » d'où affluaient, à intervalles réguliers, toutes les nouvelles de la vie nocturne et criminelle de la capitale. Et, si l'on n'avait pas très bien compris ce qui était dit par des voix aussi lointaines qu'anonymes, on avait la possibilité de faire repasser une bande magnétique qui avait tout enregistré.

Antoine Signoli fit fonctionner l'appareil et l'une des voix enregistrées répéta, impersonnelle et monocorde :

« Tout le monde est parti, clientèle et personnel, entre 23 heures et 23 h 30 de l'endroit surveillé, à l'exception de la patronne... Chaque membre du personnel de l'établissement a été pris en filature... M. Ki Ho est signalé comme ayant réintégré, à 23 h 10, son domicile de l'avenue Kléber. La jeune fille n'est pas venue ce soir au restaurant et n'a pas quitté l'appartement de l'avenue Kléber. Le dispositif général est en place. A 0 heure exactement les ordres donnés seront exécutés. »

Ce qui permit à « l'adjoint » de Serge Martin de conclure :

— Donc, *elle* est toujours là et nous attend.

— C'est quand même très bizarre!

Une pensée, qu'il se garda bien de confier à Antoine Signoli, traversa l'esprit du « colonial » : « Pourvu qu'elle n'ait pas joué la dernière carte qui nous conduirait à une impasse : celle du suicide! » Et, cherchant sans doute à se rassurer lui-même, il s'obstina à ne pas vouloir croire à une aussi regrettable solution.

Respectant cependant la parole donnée l'avant-veille, il attendit, silencieux, que l'heure H, c'est-à-dire 0 heure, fût arrivée. Pendant toute la durée de cette attente, blotti au fond de la voiture stationnée à quelques mètres de l'entrée de la *Lampe de Jade,* il échafauda mille hypothèses immédiatement suivies des mille solutions qu'elles pouvaient déclencher. Qu'est-ce que pouvait bien signifier une pareille tactique chez une Ngô Thi Maï Khanh?... Le courage ou l'inconscience? La démence ou la certitude d'être dans son bon droit ? La franchise ou la rouerie ? La connaissant, il était plutôt enclin à opter pour ce dernier moteur : la rouerie... Mais, malgré tout — et en dépit de l'excellent mécanisme qu'il avait mis en marche — le grand Serge Martin, l'homme des situations inextricables ou désespérées, ne se sentait pas tellement à l'aise... La vipère s'était repliée dans l'une de ses cachettes, sans qu'il fût capable de savoir dans quel état il l'y trouverait... Si elle s'était fait justice elle-même, non seulement il serait couvert de ridicule aux regards de tous — policiers et agents du S.R. parmi lesquels se dressait la silhouette redoutable du colonel Sicard — mais tout ce qu'il avait imaginé et mis au point jusqu'à cette minute ne servirait à rien : les menaces directes faites l'arme à la main, le temps perdu à se faire « agréer » par la veuve Burtin, l'éloignement de cette dernière, son propre rapatriement à grands frais de Shanghaï et ses multiples transformations. Tout prouverait qu'il n'était vraiment pas la peine d'avoir fait revenir d'aussi loin un homme comme lui pour aboutir à un tel néant... Si l'ancienne maîtresse de Pierre s'était suicidée, cela n'apprendrait rien sauf qu'elle était coupable. Ce qu'on savait déjà ! Enfin il faudrait trouver une autre filière pour décapiter l'organisation révolutionnaire voulue par Pékin.

Ces minutes d'attente permirent à celui qui avait toujours été considéré aussi bien par ses propres patrons que par les chefs de réseaux concurrents comme « l'agent invincible », de mesurer la fragilité de la psychologie humaine. Une fois de plus, il réalisait qu'il existe un espace infini entre l'instant où l'on conçoit une tactique et la minute de vérité. La seule chose dont il pouvait avoir actuellement la certitude, c'est que la vipère était là, dans sa *Lampe de Jade*, recroquevillée, enroulée sur elle-même, s'offrant déjà morte ou s'apprêtant, dans un sursaut, à cracher le dernier venin qui, tout en étant un acte désespéré, blesserait à mort son plus terrible adversaire. Dans son âme de scorpion, Serge Martin en arrivait à souhaiter qu'il en fût ainsi, voulant se réserver le plaisir d'écraser la tête maléfique. Cette vengeance suprême, il estimait qu'elle était depuis des années son dû et que personne au monde n'avait le droit, y compris la vipère elle-même, de l'en frustrer ! Si, lorsqu'il pénétrerait dans le repaire, il ne trouvait plus qu'une peau inerte, il perdrait pour toujours la bataille : une fois de plus, Ngô Thi Maï Khanh l'aurait eu. C'est cela surtout — cette crainte de l'échec final — qui le torturait.

La rue était silencieuse : une rue de Paris, ressemblant à des milliers d'autres, et où personne, parmi ceux qui l'habitaient, ne pouvait se douter qu'il s'y livrait, à une heure aussi tardive, le plus surprenant des combats : celui qui avait commencé douze années plus tôt à Lao-Kaï, à des milliers de kilomètres, aux frontières du Vietnam et de la Chine...

Antoine Signoli dit, après avoir consulté son bracelet-montre :

— C'est l'heure...

— Allons-y ! répondit simplement « le colonial ».

Ils n'eurent qu'à pousser la porte d'entrée qui n'était pas verrouillée à l'intérieur. Et, alors qu'aucune lumière ne filtrait à l'extérieur, ils eurent la surprise de constater, après être passés devant le vestiaire, que les salles étaient éclairées exactement comme si la clientèle s'y trouvait. Et, pourtant, elles étaient vides, sans habitués, ni personnel. Le silence était absolu. Tout était en ordre comme cela se devait dans une maison aussi bien tenue : les tabourets avaient été posés, à l'envers, sur les tables pour faciliter le ménage qui serait fait le lendemain matin. Ils avancèrent avec prudence jusqu'à hauteur de la piste de danse. Arrivés là, ils s'arrêtèrent, regardant dans la direction du comptoir surélevé derrière lequel se tenait seule, à sa place habituelle, « la patronne ». Elle était vêtue de sa longue robe blanche et elle les regardait sans sourire, le visage impassible : on aurait presque dit, dans son immobilité, l'un de ces personnages de cire que l'on trouve dans certains musées spécialisés et qui fixent d'une façon gênante les visiteurs. Pendant une seconde, Serge Martin se demanda s'il ne se trouvait pas réellement devant une morte. Mais, lorsqu'il reprit sa marche, suivi du policier, dans la direction du comptoir, Mme Phu quitta sa place et vint vers eux en disant de sa voix douce et calme :

— Je vous attendais... Messieurs, je suis à votre disposition.

Après avoir présenté son adjoint :

— Mon confrère, monsieur l'officier de police Antoine Signoli...

Serge Martin ajouta :

— Nous vous remercions de votre compréhension. Si vous voulez bien nous suivre ?

Elle le fit, mais, au moment où ils passèrent devant le vestiaire, elle abaissa une manette placée sur un tableau électrique et les salles furent instantanément plongées dans l'obscurité. En accomplissant ce geste, elle ne manqua pas de dire, montrant en cela qu'elle avait le sens de l'économie :

— Le courant électrique coûte déjà bien assez cher ! Ce n'est pas la peine de faire des dépenses inutiles...

Quand ils furent dans la rue, elle ferma la porte

d'cntrée à double tour et enfouit la clef dans son sac avant de prendre place sur la banquette arrière entre Serge Martin et Signoli. A l'avant, un inspecteur, également en civil, était assis à la droite du chauffeur. La voiture démarra rapidement sans avoir attiré l'attention de qui que ce fût à cette heure tardive. La rue était d'ailleurs vide de passants : seules quelques ombres, camouflées dans les encoignures des portes cochères, attestaient qu'en l'absence de la patronne la *Lampe de Jade* serait quand même bien gardée.

Pendant que la voiture roulait, Serge Martin dit négligemment :

— Il semble, chère madame, que la clientèle et votre personnel soient partis plus tôt que d'habitude ce soir ?

— J'ai pris mes dispositions pour qu'il en fût ainsi, estimant que ce n'était pas la peine d'offrir, aussi bien à mes amis qu'à mes subordonnés, le spectacle de mon arrestation... Comme vous me l'avez si bien fait comprendre vous-même, hier soir, les choses devaient se passer « le plus gentiment du monde et sans scandale »... D'autant plus que j'ai bien l'intention de reprendre dès demain mon activité et qu'il ne saurait être question que mon restaurant fût ouvert sans que j'y sois ! La clientèle y vient surtout pour moi...

— Nous n'en doutons pas un instant, répondit Serge Martin aimable. Quant à ce qui est de « reprendre votre activité », tout dépendra évidemment des réponses que vous voudrez bien faire tout à l'heure... Mais je tiens à vous préciser que mon collègue Signoli et moi-même ne sommes venus vous chercher, selon les ordres qui nous ont été donnés, que pour vous accompagner à ce premier interrogatoire d'urgence. C'est seulement à son issue qu'une décision sera prise vous concernant.

— En somme, je suis ce qu'on appelle une « prévenue libre » ?

— Vous n'êtes pas encore une « prévenue », précisa Signoli, et — aussi surprenant que cela puisse vous paraître, étant donné l'appareil dans lequel vous vous déplacez actuellement — vous êtes entièrement « libre ».

— C'est donc que vous n'aviez pas le droit de m'arrêter ?

— J'ai sur moi, madame, un mandat d'amener délivré en bonne et due forme. Le voici...

Comme si la pièce qui lui était présentée ne la concernait pas, elle n'y jeta même pas un regard et dit :

— Je vous préviens que, cet après-midi, je n'ai pas manqué de rendre visite à mon avocat.

— C'était là votre droit le plus absolu. Seulement celui-ci ne pourra utilement vous aider que si vous êtes « inculpée » : ce qui, comme vous l'a dit M. Martin, n'est pas encore fait. Tout va dépendre de votre attitude.

— Puis-je savoir où vous m'emmenez ?

— Normalement, nous aurions dû vous conduire quai des Orfèvres, mais, pour gagner du temps, nous avons reçu l'ordre de vous accompagner directement à la D.S.T... Peut-être connaissez-vous déjà la rue Cambacérès ?

— Et pourquoi cela ? Qu'y aurais-je fait puisque je n'ai jamais rien eu à me reprocher !

— Eh bien, vous verrez ! dit Serge Martin. C'est un endroit discret dont l'ambiance est assez particulière... En ce moment, il y passe beaucoup de monde.

Dix minutes plus tard — après que la voiture eut pénétré sous un porche et que Mme Phu en fut descendue pour gravir, toujours escortée par ses cavaliers servants, un escalier et longer un couloir assez lugubre — l'élégante patronne de la *Lampe de Jade* se retrouva, assise sur une chaise en paille, devant une table-bureau. Derrière celle-ci il y avait un fauteuil en cuir usagé que n'occupait pour le moment personne. Mme Phu était seule dans la petite pièce, dont les murs nus étaient enduits d'une peinture ripolinée assez douteuse. A droite du bureau, sur lequel on ne voyait pas le moindre dossier, se dressait une petite table portant une machine à écrire. Et, devant cette table, une autre chaise en paille attendait celui, ou celle, qui taperait sur la machine. Avant de la faire asseoir dans cette pièce, l'officier de police lui avait dit :

— Attendez là. Ce ne sera pas long...

Serge Martin, lui, était resté silencieux. Et la porte donnant sur le couloir s'était refermée. Mais Mme Phu avait pu remarquer qu'un C.R.S. était placé en faction, mitraillette au poing, devant cette porte. Selon une règle, qui a été instaurée depuis longtemps pour ce genre de « cabinet » tout à fait particulier, une deuxième porte, fermée elle aussi, était pratiquée dans le mur derrière le bureau. Sur la droite et opposée à la porte du couloir, une fenêtre. Celle-ci donnait probablement sur une cour intérieure, mais impossible de voir quoi que ce soit puisqu'elle était obstruée par des volets extérieurs hermétiquement clos. Tout l'éclairage provenait d'un « plafonnier » des plus vulgaires fait d'une unique lampe électrique, surmontée d'un abat-jour en porcelaine et pendant au centre de la pièce. Le silence était total. Mme Phu ouvrit son sac pour y consulter un bracelet-montre serti de diamants et qu'en femme véritablement élégante elle n'aurait porté pour rien au monde autour de son bras gauche. Il était exactement 0 h 15. Comme l'avait dit « le compagnon » de Serge Martin, il n'y avait qu'à attendre...

Cette attente se révéla plus longue que ne l'avait laissé prévoir Signoli. Une bonne demi-heure s'écoula avant que la porte située derrière le bureau s'ouvrît enfin pour livrer passage à un personnage. Et — bien que son visage sût rester, comme toujours, impassible — « la patronne » fut quand même assez surprise de se retrouver en face de Serge Martin... Un Serge Martin qui s'installa, tout souriant et très à l'aise, dans le fauteuil placé derrière le bureau en disant :

— Ma chère Ngô Thi Maï Khanh, c'est, si mes comptes sont justes, la sixième fois que nous nous trouvons tous deux en présence depuis que l'on m'a fait revenir en France... Récapitulons, si vous le voulez bien : la première fois fut celle de ma toute première « visite » à la *Lampe de Jade;* pour la deuxième, au même endroit, je m'étais fait accompagner par « ma sœur » Marguerite; à la troisième, où nous avons eu quelques petits « accrochages », j'étais à nouveau seul; la quatrième ne s'est pas passée dans votre restaurant mais dans le mystère de votre temple personnel, avenue Kléber... Là nous étions trois : vous, moi et Bouddha... A la cinquième, qui a eu lieu tout à l'heure à la *Lampe de Jade,* nous étions encore trois : vous, moi, et mon collègue Signoli... La sixième enfin, qui vient de commencer, nous permet d'avoir un nouveau tête-à-tête... Un tel bilan prouve au moins trois choses : que ces rencontres n'ont pas été fortuites, que j'ai de la suite dans les idées et que vous êtes, de loin, la personne la plus entêtée que j'aie jamais rencontrée! Je pense que nous sommes bien d'accord sur ces trois vérités?

Et comme elle ne répondait pas, il continua :

— Votre silence même me prouve que l'accord est fait... Seulement le cadre où nous « conversons » en ce moment — à condition que vous vouliez bien parler! —

vous prouve qu'il y a quelque chose de changé... Sans aller jusqu'à dire que je me suis imposé une nouvelle transformation pour devenir juge d'instruction, je dois cependant reconnaître que — derrière ce bureau et auprès de cette machine à écrire, dans « l'intimité » surtout assez spéciale de cette pièce — j'en ai un peu l'allure... Je dis : seulement l'allure... Car, si vous vous obstinez à ne pas parler cette nuit plus que les cinq premières, je serai au regret de devoir céder ma place à un authentique juge d'instruction... Celui-ci cependant ne vous recevra qu'après une petite formalité préliminaire, mais indispensable... Ici même, si je repars aussi « bredouille » que les autres fois, je serai immédiatement remplacé par des spécialistes qui attendent dans une pièce voisine : ce sont ce qu'on pourrait appeler des « enquêteurs » de la Défense et Sécurité du Territoire. Leur rôle consistera a vous poser les mêmes questions que celles auxquelles vous avez déjà refusé de répondre... Seulement, ce nouvel interrogatoire présentera une très nette différence : il ne se fera plus, comme cela a toujours été le cas pour nos petits tête-à-tête, sous une forme... disons : amicale... Ces messieurs, que je connais bien, ne peuvent pas être considérés comme des sentimentaux. N'ayant pas eu, comme moi, la chance de vivre la grande partie de leur existence en Extrême-Orient et en Asie, il leur est très difficile de comprendre la poésie mystique qui a régi jusqu'ici et continuera, j'en suis sûr, à dicter tous vos agissements... Je l'ai déjà dit, il n'y a pas si longtemps, à quelqu'un de mon entourage : « *Il faut être poète pour comprendre une Ngô Thi Maï Khanh!* » Et je me flatte de l'être autant que vous, si ce n'est plus! Pour faire parler ceux qu'ils « cuisinent » — le mot n'est pas très joli, mais il me paraît être le seul qui convienne — ces messieurs utilisent des « méthodes » très personnelles et s'il arrivait qu'il n'obtinssent, eux non plus, rien de vous, ils n'hésiteront pas une seconde à vous délivrer un mandat d'arrêt qui sera immédiatement entériné par le vrai juge d'instruction devant lequel vous serez déférée. A ce moment-là, évidemment, votre avocat, dont vous nous parliez tout à l'heure, pourra entrer dans le circuit... Seulement vous, vous serez sous les verrous sous la triple inculpation d'*association de malfaiteurs, trafic de stupéfiants et atteinte à la Sûreté de l'État*... Notez bien qu'une seule de ces inculpations suffirait déjà à justifier ce que nous appellerons votre « mise à l'ombre ». Sans doute espérez-vous que celle-ci ne sera que très provisoire, étant donné les bons offices de votre défenseur et peut-être aussi une intervention, aussi discrète que puissante, de votre protecteur, ce cher colonel Sicard?

» Mais alors là, je crains que vous ne soyez dans l'erreur la plus absolue! Votre avocat tentera tout ce qu'il pourra, mais il pourra peu... Quant au colonel, je vous ai déjà laissé entendre qu'il avait pour habitude, quand l'un de ses agents était « mouillé », de l'abandonner à son triste sort. Ce qui est d'ailleurs une règle commune à la plupart des S.R... On ne livre pas à des juges, plus ou moins qualifiés en la matière, certains secrets dit d'État qui risquent de faire démantibuler tout un réseau pour sauver la peau ou la tête d'un agent! On préfère laisser justice se faire. Après tout, des agents, on en retrouve toujours, tandis que des « secrets » livrés par l'étalage d'un procès — même si celui-ci se déroule à huis clos! — sont irrémédiablement perdus! C'est pourquoi je m'obstine, chère Ngô Thi Maï Khanh, à croire qu'il serait de beaucoup préférable pour vous que nous profitions de ce dernier entretien — que je n'ai obtenu que par faveur insigne — pour que nous puissions enfin « bavarder » une fois pour toutes... Après ce sera fini : vous n'entendrez plus parler de moi.

— Pendant combien d'années?

— Tant que vous respecterez le pays qui vous a accueillie... Je vais même prendre ici un engagement envers vous que vous ne méritez pas après tout le mal que vous avez fait... Je vous jure que tout ce que vous me direz dans cette pièce restera strictement « notre » secret à vous et à moi. J'agirai en fonction des renseignements que vous allez me donner, mais personne d'autre que moi ne saura jamais ni comment ni par qui j'ai pu avoir ces renseignements... Vous voyez cette machine à écrire... Si « les autres » vous interrogent et arrivent à vous faire parler, tout ce que vous direz sera consigné dans un « rapport d'enquête » qui sera tapé, qu'ils vous feront signer et dont les doubles seront précieusement conservés dans des archives... Vous le savez aussi bien que moi : rien n'est moins secret que des archives secrètes! N'importe quel personnage, plus ou moins haut placé, a le droit de les consulter et ce que l'on croit être enterré pour toujours devient le secret de polichinelle... C'est pourquoi je n'utiliserai pas la machine : Il n'y aura donc aucune preuve écrite. D'autre part, dans cette pièce qui a été spécialement choisie par moi, il ne se trouve aucun micro permettant d'écouter notre conversation et donc pas d'oreilles indiscrètes.

— Comment voulez-vous que je puisse croire un homme tel que vous qui a passé sa vie à duper les autres?

— Vous me croirez parce que moi je suis disposé, de mon côté, à avoir foi en ce que vous allez me dire... Et pourtant Bouddha sait, mieux que personne au monde, que sa « fille chérie » est la plus fieffée des menteuses!

— Le Dieu mon père a enseigné que c'était un devoir « *de ne pas tout dire si le silence permet d'accéder au Bien* ».

— Vous avez une façon toute personnelle d'accommoder les préceptes du Sage d'entre les Sages qui fait mes délices! Pour une fois, c'est moi qui vous le dis : laissons Bouddha de côté et revenons au temps présent... Avez-vous confiance en ma parole, oui ou non?

— Même si je le souhaitais, ce serait impossible! Je ne puis pas oublier la façon dont vous et Burtin avez trompé ma sincérité, il y a douze années, uniquement pour recueillir aussi à cette époque ce que vous appeliez tous deux « des renseignements »! Burtin a payé, mais vous, Serge Martin, vous ne pouvez pas vous amender! Vous êtes le pire de tous les hommes! Ne croyant pas à une seule des promesses que vous venez de me faire, je me contenterai — n'est-ce pas aussi mon droit? — de vous poser à mon tour une question... une seule! En supposant — car ce ne peut être qu'une supposition! — que j'aie réellement trahi le pays où j'habite maintenant et le S.R. pour lequel je travaille depuis deux années, et que je vous livre ces « secrets » et ces noms que vous recherchez, aurai-je l'assurance qu'en échange vous oublierez définitivement l'affaire Burtin?

— Qu'entendez-vous par « affaire Burtin »?

— Sa mort à Lao-Kaï...

— Pour être tout à fait clair, vous voudriez que l'unique témoin, c'est-à-dire moi, perde complètement la mémoire de ce qui s'est passé ce jour-là? Avouez qu'il vous gêne, ce témoin?

Elle resta silencieuse. Après l'avoir longuement regardée, il finit par dire :

— Eh bien, en son âme et conscience, ce témoin ne

pourra jamais oublier, Ngô Thi Maï Khanh! Il est prêt à vous pardonner toutes vos trahisons d'hier et d'aujourd'hui, sauf une : celle qui a motivé l'assassinat de Pierre Burtin... Celle-là, il la met à part, en dehors de votre activité d'agent, parce qu'elle fut une trahison du cœur et qu'elle ne vous a jamais été imposée par des ordres reçus... C'est pourquoi « le témoin » réglera lui-même plus tard cette affaire selon un code de justice qu'il instituera lui-même et auquel vous serez contrainte tôt ou tard de vous soumettre.

— Ce n'est plus la peine d'insister. Votre réponse est la preuve que vous êtes, comme moi, incapable de modifier vos sentiments. Restons-en là et envoyez-moi ces « enquêteurs » dont vous m'avez fait un portrait peu encourageant mais qui, pour moi, ne peuvent pas être de pires ennemis que vous. Je les attends.

Comme si ce souhait se réalisait au moment même où il venait d'être formulé, la porte s'ouvrit derrière Serge Martin pour livrer passage à Signoli qui déposa sur le bureau, et sans rien dire, une note écrite. Après l'avoir parcourue rapidement des yeux, Serge Martin s'exclama :

— Quoi? Qu'est-ce que c'est que cette histoire?

Mme Phu, qui n'avait pas cessé de le fixer, remarqua nettement un brusque changement d'attitude. Ce qui l'étonna d'autant plus qu'elle ne se souvenait pas d'avoir jamais vu un Serge Martin se départir de son calme. Elle avait connu successivement sur son visage — aussi bien autrefois au Vietnam que, récemment, depuis qu'elle venait de le retrouver à Paris — les reflets de la sensualité, de la sensibilité, de la luxure, de l'enthousiasme, de la maîtrise de soi, du mépris, de l'ironie surtout, mais jamais celui de l'inquiétude. En quelques secondes — elle en était sûre — celle-ci venait d'apparaître sur ses traits.

Et la cause en était cette note écrite que son collègue de la Criminelle venait de placer sous ses yeux sans prononcer un mot.

Après avoir relu la note, il demanda à Signoli qui était resté debout derrière lui :

— Vous êtes bien sûr de cela ?

— Venez vérifier vous-même...

Serge Martin se leva en disant à Mme Phu :

— Je vous demande de m'attendre ici : nous reprendrons notre entretien dans quelques minutes.

Puis, sortant un étui d'argent :

— Voulez-vous une cigarette ?

— Vous savez très bien que je ne fume pas.

— Je ne sais rien du tout pour la bonne raison qu'après m'avoir affirmé, lors de ma première visite à la *Lampe de Jade,* que vous n'aimiez pas le whisky, vous en avez bu au cours de ma troisième visite. Aussi m'est-il impossible de vous croire également dans ce domaine.

— Je sais que vous êtes décidé depuis longtemps à ne me croire en rien !

— A défaut de cigarettes, connaissant maintenant l'un de vos goûts, je me serais fait un devoir — en remerciement des nombreux *Maï-que-to* que vous m'avez offerts dans votre restaurant — de faire apporter ici du whisky... Malheureusement je doute qu'il y en ait dans ces bureaux de la D.S.T. ! Qu'est-ce que vous en pensez, Signoli ?

— Il y a, je crois, du *Coca-Cola.*

— Pouah ! Quelle horreur ! Vous n'avez jamais vu un homme du monde traiter ses belles « invitées » avec un tel breuvage ? A tout de suite, chère madame Phu...

Elle se retrouva seule dans la triste pièce. Attente qui dura, comme la précédente, plus de « quelques minutes ».

C'est au bout d'une longue heure que Serge Martin reparut. Son visage, décomposé, indiquait une très sérieuse contrariété. Il ne s'installa pas dans le fauteuil, comme la fois précédente, mais vint s'adosser contre le bureau.

— Excusez-moi pour la durée de mon absence, dit-il, mais vous allez comprendre vous-même qu'elle était motivée... Je sais que votre plus grande qualité, Ngô Thi Maï Khanh, est le courage... Il va vous falloir en faire preuve une fois de plus... Pendant que nous étions tout à l'heure à la *Lampe de Jade* et ensuite ici, il s'est passé un événement grave... Vous êtes bien d'accord que Siao, ce soir, n'a pas quitté l'appartement de l'avenue Kléber?

— Oui.

— Quant à M. Ki Ho, il est arrivé en taxi à 23 h 10 comme nous l'ont confirmé les inspecteurs qui ont la mission de surveiller votre domicile privé. Depuis, il n'y avait aucune raison pour que l'un ou l'autre en ressortent, selon les instructions que vous aviez dû leur donner?

— Évidemment! Mais... vous m'inquiétez à mon tour! Qu'est-ce qui s'est passé?

— Votre fille a été enlevée...

— Je... Je ne comprends pas!

— Kidnappée, si vous préférez.

— Ce... Ce n'est pas possible! Et puis ce n'est pas vrai! C'est encore une de vos inventions... Il n'y a aucune raison pour qu'on ait fait ça!

— En êtes-vous bien certaine? J'en vois tout de suite une au contraire : vos « employeurs ».

— Qui cela?

— Pas le colonel bien sûr, mais « les autres »... Ceux pour qui vous travaillez à l'insu du S.R. français? Vous ne pensez pas que — sachant soit par vous, soit par votre avocat, soit même par leurs propres services — que vous étiez sur le point d'être arrêtée, ils ont employé cette tactique pour bien vous faire comprendre que vous deviez vous taire à tout prix si l'on vous interrogeait ? N'est-ce pas là pour eux un moyen très sûr de faire pression sur l'un de leurs agents les plus importants pour l'obliger à garder ses secrets ? Un agent qui sait aussi avoir un cœur de mère ?

Après l'avoir regardé pendant quelques instants avec une stupeur qui n'était nullement dissimulée, elle répondit, retrouvant un calme qui, une fois de plus, fit son admiration :

— Ils n'auraient jamais fait cela!

— « Ils » ?... Cela prouve, comme je le savais, qu'*ils* existent!

— C'est pour m'arracher cet aveu que vous avez monté de toutes pièces cette histoire de rapt d'enfant ? Vous êtes encore plus sinistre que je ne le pensais!

— Je préférerais de beaucoup être en ce moment cet homme « sinistre » que vous méprisez! Malheureusement ce n'est pas le cas... Je n'ai rien inventé : Siao a été enlevée entre 0 heure et 0 h 15, c'est-à-dire exactement pendant que nous accomplissions, dans la voiture de police, le trajet entre votre restaurant et ici.

— Et vos « inspecteurs » postés devant mon domicile, avenue Kléber, qu'est-ce qu'ils ont fait ?

— Ils n'ont rien fait pour l'excellente raison qu'ils n'ont rien remarqué. C'est cela dont je viens de m'assurer pendant mon absence... Selon eux — et ils sont dignes de foi car on leur avait donné des ordres très précis — personne n'est entré dans votre immeuble et personne n'en est sorti entre 0 heure et 0 h 15 : c'est pourquoi leur stupéfaction a été totale de voir arriver, à 0 h 30, un car de police-secours qui s'est arrêté devant l'entrée de votre maison et dont les occupants leur on dit : « Il y a eu un rapt au troisième étage. » Et comme vos « surveillants » permanents savaient que c'était celui de votre appartement, ils se sont joints à la brigade de police-secours.

— Mais qui avait prévenu ces derniers ?

— Votre père, M. Ki Ho... Quand ils sont arrivés au troisième, il les attendait sur le palier : le pauvre homme faisait, paraît-il, peine à voir... Il avait le visage tuméfié et saignait abondamment d'une plaie à la tempe droite. Il avait été assommé par les ravisseurs dans le vestibule où il s'était écroulé au pied du paravent dont il est l'artisan. Dès qu'il avait repris connaissance, il s'était traîné jusqu'à la chambre de Siao où il avait constaté qu'elle n'était plus là. Mais le désordre indescriptible qui y régnait prouvait qu'en digne fille de ses parents votre fille avait dû se défendre avec la dernière énergie... M. Ki Ho s'était traîné à nouveau jusqu'au téléphone — qui est, paraît-il, placé sur une table de chevet dans votre chambre — et il avait appelé, sans succès évidemment, la *Lampe de Jade* d'où nous venions de partir. Finalement, en désespoir de cause, il avait formé le numéro de police-secours.

— Et comment ces prétendus ravisseurs seraient-ils entrés dans l'appartement ?

— Par la porte de service donnant dans l'office. Ils sont entrés et repartis par là en emportant Siao... Je viens de refaire avec des collaborateurs, et particulièrement Signoli qui pourra vous le confirmer, l'itinéraire qu'ils ont utilisé... Vous savez que l'escalier de service de votre immeuble donne sur une cour intérieure. Celle-ci est séparée par un mur, haut de trois mètres au plus, de la cour mitoyenne d'un autre immeuble dont l'entrée principale se trouve au numéro 2 de la rue Saint-Didier, perpendiculaire à l'avenue Kléber. Ils ont franchi, à l'aide d'une échelle de corde — qu'ils ont d'ailleurs abandonnée au moment de leur fuite, pressés comme ils devaient l'être d'emporter leur précieuse proie — le mur peu élevé et, après avoir traversé l'autre cour, ils sont sortis dans la rue où les attendait certainement une voiture. Travail qui a pu être fait avec une relative aisance puisque, malheureusement, les inspecteurs chargés de votre surveillance étaient tous postés avenue Kléber. Il y en avait cependant un juste à l'angle de l'avenue Kléber et de la rue Saint-Didier, mais il n'a vu aucune voiture s'arrêter dans cette dernière entre 0 heure et 0 h 30. Ce qui était normal puisque le côté de stationnement autorisé — qui est justement le côté pair — était entièrement occupé par des voitures laissées là par leurs propriétaires pour toute la durée de la nuit. Ce qui laisserait supposer que la voiture des ravisseurs a été placée vers l'heure où les gens rentrent généralement chez eux, c'est-à-dire avant même la tombée de la nuit, à proximité de l'entrée du N° 2. Quand le coup a été fait, elle a dû démarrer très doucement et tous feux éteints dans la direction de la place Victor-Hugo pour ne pas attirer l'attention. Tel est le bilan, si j'ose dire, de cette opération...

— Et mon père, comment va-t-il ?

— J'ai pris sur moi de le ramener ici, pensant que vous seriez heureuse de le voir et surtout que vous le croiriez plus que moi. Il est dans la pièce voisine. Je vais vous laisser seule avec lui pour que vous puissiez parler... Mais, à seule fin de vous éviter un choc trop brutal, je tiens à vous redire qu'il est en piteux état... Rassurez-vous cependant : en ce qui le concerne, il n'y a rien de grave.

Avant de le conduire ici, nous avons fait un détour par l'infirmerie spéciale de la Préfecture — qui fonctionne jour et nuit — et où nous lui avons fait donner les premiers soins. Sa plaie à la tempe a été examinée par un interne venu de l'Hôtel-Dieu : elle est superficielle. On lui a fait deux points de suture après avoir procédé à une radio : rien d'essentiel n'a été enfoncé. D'ici à deux ou trois semaines, il sera complètement remis avec, m'a certifié l'interne, des cicatrices à peine visibles. Actuellement, il est encore — et n'importe qui à sa place serait dans le même état! — sous l'effet du choc qui dut être rude! L'interne pense que, pour l'assommer, on a dû se servir d'une crosse de revolver... Heureusement qu'il est solide, votre vieux Ki Ho! Mais une chose surtout l'a mis dans un état psychique épouvantable : c'est pourquoi il pleure... Ces brutes lui ont coupé au ras du crâne sa natte — à laquelle vous m'aviez dit qu'il tenait tant! et l'ont emportée sans doute comme trophée! Ce geste apparemment imbécile est ce qui m'a fait le plus réfléchir... D'autant plus qu'il a été exécuté, non pas avec des ciseaux, mais d'un seul coup avec une arme tranchante... Étant donné l'épaisseur des cheveux tressés de ce genre de natte, je ne vois que le sabre recourbé, que vous connaissez aussi bien que moi et dont seuls les Asiatiques savent se servir en véritables virtuoses! Et quand je dis « Asiatiques », j'opinerais plutôt pour les Chinois, grands spécialistes de ce genre de mutilation. Qu'en pensez-vous, Ngô Thi Maï Khanh?

Elle le regarda sans répondre.

— Autrement dit, continua-t-il, vous pensez comme moi... Oui, ce « travail » a été fait par un Jaune... Et vous savez ce que ça veut dire, là-bas, quand on coupe ainsi une natte vénérée?

— Oui.

— Aussi n'insisterai-je pas, pensant que vous en avez déjà tiré une conclusion qui doit se rapprocher de la mienne... « Ils » n'ont porté atteinte à la dignité humaine d'un très honorable citoyen que pour vous faire comprendre d'où venait la menace qui pèse désormais sur vous par l'enlèvement de votre enfant.

— Que pourraient-ils faire à Siao ?

— Vous les savez capables de tout : n'appartiennent-ils pas à votre race ? Mais voyez plutôt M. Ki Ho, maintenant qu'il commence à se remettre un peu du choc... Je vous signale aussi que je lui ai fait servir du thé à la Préfecture : là-bas ils ont tout ce qu'il faut... Cela a paru le revigorer... Je pense qu'il pourra vous raconter ce qu'il a vu lui-même avant de s'écrouler.

Il ouvrit la porte en disant à l'intention des gens se trouvant dans la pièce voisine :

— Entrez, je vous prie...

Et M. Ki Ho parut, accompagné de Signoli.

Serge Martin n'avait pas exagéré : le bossu était pitoyable. L'œil et tout le côté droit du front étaient recouverts d'un pansement, dont la bande protectrice faisait le tour de la tête. Le sommet du crâne dégarni n'était plus orné que d'un embryon de natte : une touffe de cheveux coupés très court et formant un épi ridicule. Sans doute ses lunettes avaient-elles été brisées au moment de l'agression : ce qui faisait clignoter son œil gauche — le seul dont il pouvait se servir — d'une curieuse façon qui lui donnait une apparence encore plus bridée.

Ngô Thi Maï Khanh, qui s'était levée à son entrée, le regarda sans prononcer un mot d'effusion ou d'apitoiement et sans qu'aucun sentiment pût se lire sur son visage : comme si celui qui venait d'entrer ne faisait pas partie de sa famille et l'indifférait. « Cette femme, pensa Serge Martin, a un cœur de pierre... Il faudra vraiment un choc terrible pour le faire fondre! C'est même à se demander si l'enlèvement brutal de sa fille va suffire? » Mais il dit d'une voix qu'il rendit volontairement compatissante :

— Je vous laisse avec M. Ki Ho... Venez, Signoli.

Tous deux sortirent. La porte se referma. Mais, dès qu'ils se retrouvèrent dans la pièce voisine où deux autres inspecteurs étaient assis devant une table, Serge Martin leur ordonna :

— Passez-moi vite le casque et vous enregistrez!

Ils lui tendirent un casque à double écouteur qu'il appliqua contre ses oreilles pendant qu'eux-mêmes faisaient glisser le dessus de la table pour découvrir un magnétophone dont la bande sonore était déjà en train de se dérouler. Pendant les premières minutes, ce fut le silence dans la pièce occupée par les quatre hommes. Puis Serge Martin, sans quitter son casque d'écoute, confia à Signoli :

— Il lui raconte comment, ayant entendu un bruit de pas dans le vestibule, il s'y est rendu et s'est trouvé face à face avec trois hommes masqués... Il n'eut même pas la possibilité de réagir ou de crier, l'un d'eux l'avait déjà frappé... Après, il ne se souvient de rien jusqu'au moment où il s'est retrouvé affalé sur le sol et la tête en sang.

— Et elle, que lui dit-elle?

— Rien. Elle l'écoute... Ce qui est curieux, c'est qu'il parle en chinois au lieu d'utiliser le vietnamien : sans doute pense-t-il que peu de gens, dans cette maison, sont capables de comprendre la langue céleste? J'avais pourtant affirmé tout à l'heure à sa fille qu'il n'y avait pas de table d'écoute... C'est la preuve qu'elle n'en a pas cru un mot!

— Elle sait pourtant que vous parlez chinois?

— Oui... Mais elle se figure peut-être que je ne suis pas en train d'écouter... Seule la suite de la conversation nous révélera si elle se méfie ou pas... Attendez...

Il se passe un temps assez long, puis il dit :

— C'est bien ce que je pensais : elle continue à se taire comme si elle se méfiait du vieux... C'est assez étrange parce que je sais qu'ils « opèrent » ensemble... Ah! La voilà qui ouvre enfin la bouche...

Après un nouveau temps :

— Elle ne lui raconte que des banalités et, parmi elles, elle répète qu'elle ne comprend pas pourquoi elle est là et pourquoi on veut l'interroger... Elle dit qu'elle se sait aussi innocente que « *le nénuphar qui flotte à la surface des eaux tranquilles* »... Poétesse, même dans ces moments-là! Mais, ma parole, la voilà qui déclame maintenant un poème!

Et il traduisit pour Signoli au fur et à mesure :

Entre toutes les fleurs, le chrysanthème est pur et solitaire.
Seule lui convient l'amitié des Sages.
Par malheur son beau nom est connu des gens vulgaires.
Qui brisent les barrières de l'Est.

— Cette ode est en tous points charmante!

— Et que répond le vieux Ki Ho?

— Il répond par un autre poème que je vous traduis également :

Je prends grand soin de mon corps affaibli
Pourtant, je crains de manquer le printemps
Et je prie ardemment le vent d'Est
De garder quelques fleurs pour la convalescence...

— Celui-ci me paraît tout à fait de circonstance étant donné l'état de ce vieux bougre! Et ça continue! La voilà repartie dans un autre poème! Voulez-vous que je vous dise une bonne chose, monsieur l'officier de police? Ces gens-là sont des as! A côté d'eux, nous ne sommes que des enfants de chœur... Ces poèmes, d'apparence insignifiante, sont des messages codés auxquels, même sachant le chinois, on ne peut rien comprendre si l'on n'a pas la clef... Et, celle-ci, je ne l'ai pas!... Ah! Le gala de poésie est terminé : c'est donc que les messages sont transmis de part et d'autre... Notez que si j'ai amené jusqu'ici M. Ki Ho, c'est bien parce que j'avais une petite idée derrière la tête... Et, ma foi, je ne suis pas trop mécontent!... Ils conversent maintenant en langage courant.

— Parlent-ils de l'enlèvement de Siao?

— Ils n'en ont pas dit un mot jusqu'à présent, comme si c'était une éventualité à laquelle ils avaient songé... Et pourtant, j'en suis sûr, tout a été tellement bien orchestré qu'ils ne pouvaient pas prévoir ce rapt, du moins cette nuit... Je suis certain que nous les avons pris de court et qu'ils sont très ennuyés... Comme je sens que leur conversation n'offrira plus aucun intérêt maintenant, c'est à moi de jouer et de rentrer dans l'action... Pour le reste, aucun changement aux instructions que je vous ai données cet après-midi.

— Compris, répondit Signoli.

La petite porte, placée derrière le bureau, s'était rouverte sur un Serge Martin très détendu qui demanda :

— Chère madame Phu, j'ose espérer que cet entretien avec M. Ki Ho vous a un peu rassurée sur son état?

— En effet. Je vous remercie d'avoir bien voulu l'autoriscr à venir jusqu'ici.

— Je n'ai fait là que mon devoir après ce qui vient de se passer... Comment vous sentez-vous, monsieur Ki Ho?

— Pas très bien, monsieur l'officier de police!

— On le serait à moins!... Enfin! Vous allez rentrer vous reposer chez vous accompagné de madame votre fille...

Cette dernière le regarda avec une expression de surprise qu'elle sut vite réprimer pour rendre à son visage toute son impassibilité. Puis elle demanda de sa voix douce :

— Et l'interrogatoire de « ces messieurs » que vous m'avez annoncé?

— Étant donné les nouveaux événements, nous avons jugé plus sage de le remettre à une date ultérieure... Ces messieurs, comme vous les appclez, ont fini par se ranger à mon opinion. Je pense en effet que vous ne sauriez être, après la nouvelle que vous venez d'apprendre et qui vous touche d'aussi près dans vos affections, en état normal pour leur répondre. Ils sauront attendre... D'autre part nous devons nous occuper du problème le plus urgent, et surtout le plus angoissant : celui de retrouver votre fille dans les plus brefs délais... Car nous sommes de plus en plus convaincus que, lorsque nous aurons appréhendé ses ravisseurs, beaucoup de choses, restées encore assez obscures, s'éclairciront... Avez-vous réfléchi, chère madame Phu, à l'hypothèse que j'ai avancée tout à l'heure au sujet de l'identité possible de ceux qui ont commis ce rapt?

— Oui et je suis persuadée que vous faites là fausse route.

— Avez-vous quand même relaté à M. Ki Ho ce que je pensais du mobile de cet enlèvement ?

— Non. Pourquoi voudriez-vous que cette affaire intéressât M. Ki Ho qui est avant tout un artiste et qui n'est même que cela ?

— Ne s'est-il cependant pas révélé également un excellent commerçant ? Si mes renseignements sont exacts, n'est-ce pas lui qui a su donner, pendant les dix-neuf années qui ont précédé votre arrivée en France, à la *Lampe de Jade* créée par lui, cette impulsion qui a fait le succès de l'entreprise ?

— C'est exact, mais en dehors du restaurant dont les bénéfices lui ont permis d'exercer son art, M. Ki Ho ne s'intéresse à rien !

— Vraiment ? Pas même à sa petite-fille, Siao, alors que celle-ci vient d'être enlevée pratiquement sous ses yeux et chez lui ?

— Vous oubliez, monsieur Rumeau, que Siao est uniquement la fille du protecteur que m'avait choisi le Dieu mon père... Mon père terrestre, qui est M. Ki Ho, n'a aucun droit sur cette enfant. En effet, c'est à la suite de son départ pour la France, qui équivalait pour ma mère et pour moi à un abandon, que j'ai été consacrée « fille de Bouddha »... M. Ki Ho ne compte plus en tant que père.

— Et malgré cela, vous avez poussé la grandeur d'âme jusqu'à lui confier Siao une année avant que vous ne reveniez vous-même en France ? Et vous avez affirmé aux autorités françaises qu'il saurait « *l'élever et s'occuper d'elle comme un père* »*?* Après ce que vous venez de me dire de M. Ki Ho, je trouve cela pour le moins curieux.

— C'est vous qui êtes curieux, monsieur Rumeau! Et jusqu'à présent, cela ne vous a pas tellement réussi!

— Et M. Ki Ho, que pense-t-il de tout cela? Pourrait-on, puisque nous avons la chance de l'avoir ici avec nous, lui demander son opinion sur ce point d'ordre « familial »?

Il s'était planté face au bossu dont l'unique œil visible continuait à clignoter, comme ébloui par la lumière, et dont la voix pointue répondit pendant qu'il se courbait avec humilité vers le sol :

— Que monsieur l'officier de police me pardonne, mais tout ce que dit Mme Phu est bien dit!

— Avec cela, nous voilà fixés! Mais ce n'est pas votre politesse excessive qui me convaincra le moins du monde! Donc, si j'en crois votre propre réponse confirmant ce que vient de dire Mme Phu, vous vous désintéresseriez complètement de l'enlèvement de Siao?

Toujours de sa voix pointue, le bossu répondit :

— Je n'ai pas dit cela, monsieur l'officier de police... Tout ce qui peut toucher Mme Phu, de près ou de loin, m'intéresse... N'est-elle pas mon associée?

— C'est vrai! Pour le commerce!... Ce sera donc à « l'associé » du restaurant *La Lampe de Jade* que je m'adresserai désormais pour lui dire que la police française — pas plus qu'aucune autre police au monde — ne saurait tolérer que l'on enlevât impunément, sur le territoire dont elle a la [illegible], l'enfant d'une femme qui lui a demandé droit d'asile. C'est pourquoi nous avons déjà pris toutes les dispositions qui s'imposent en pareil cas. Le signalement de Siao a été transmis non seulement à tous nos aérodromes, dans toutes nos gares, dans tous nos ports et à toutes nos frontières, mais aussi, par l'intermédiaire d'*Interpol*, à toutes les polices étrangères qui restent en liaison permanente avec la nôtre. Ce que nous appelons « le quadrillage spécial » a été mis en place : cela devrait donner, nous l'espérons du moins, un résultat... De plus, étant donné, cher monsieur Ki Ho, que l'on vous a coupé et volé votre natte, des ordres précis ont été donnés pour que l'on exerce une surveillance toute spéciale sur les milieux chinois, pro-chinois et autres... Sans doute savez-vous aussi bien que Mme Phu ce que signifie une natte coupée dans de telles conditions ?

Comme Mme Phu, quand la même question lui avait été posée, M. Ki Ho demeura muet.

— C'est donc que vous le savez, monsieur Ki Ho ! Et cela ne doit pas être sans vous inquiéter sur la véritable personnalité des ravisseurs... Notez bien que, si nous avons pris toutes ces mesures, ce n'est nullement pour vous apporter, à vous Ki Ho, la tranquillité d'esprit, puisque vous semblez vous moquer éperdument du sort actuellement réservé à la jeune Siao ! Non, nous n'avons agi ainsi que pour essayer de rassurer le plus vite possible Mme Phu... La preuve en est qu'après l'avoir fait venir ici pour lui poser certaines questions, nous la laissons repartir avec vous. Nous voulons bien espérer en effet que, dans les soins qu'elle ne va certainement pas manquer de vous prodiguer, à vous qui êtes quand même « son père terrestre », elle trouvera une sorte de dérivatif familial qui lui permettra d'avoir le courage de l'attente... Car nous sommes bien incapables actuellement de lui dire quelle sera la durée d'une telle attente. Quelques heures ? Quelques semaines ? Des mois, des années peut-être ? Nous n'en savons rien ! Tout dépendra de l'habileté des polices conjuguées et surtout du hasard ! Madame Phu, monsieur Ki Ho, je ne vous retiens pas...

Il avait entrouvert la petite porte : Signoli parut.

— Mon cher collègue, lui dit-il, voulez-vous avoir l'obligeance d'accompagner dans l'une de nos voitures Mme Phu et M. Ki Ho jusqu'à leur domicile de l'avenue Kléber... Soyez assez aimable de monter jusqu'à leur palier.

Signoli se dirigea vers la porte donnant sur le couloir, qu'il ouvrit, et devant laquelle le C.R.S. se tenait toujours en faction. Au moment où les « associés » de la *Lampe de Jade* allaient quitter la pièce, Serge Martin leur dit :

— Permettez-moi de vous donner un dernier conseil... A votre place, j'ouvrirais demain soir le restaurant comme si rien ne s'était passé. Ainsi, personne ne se doutera de quelque chose dans votre clientèle. Nous avons pris toutes dispositions pour que la presse ne soit pas informée de l'enlèvement : moins on fait de publicité à ce genre d'affaire et plus la police risque d'aboutir rapidement! Si, par hasard, quelqu'un vous demandait pourquoi la jolie danseuse n'est pas là, vous n'auriez qu'à répondre ou à faire dire par votre personnel qu'elle est partie pour une tournée à l'étranger : en Suisse ou en Belgique par exemple... Ce n'est qu'au prix de ce calme apparent que les ravisseurs finiront peut-être par se révéler. Il faut leur donner l'impression que rien n'entravera jamais la bonne marche de la *Lampe de Jade*... Parce que rien ne nous prouve non plus que nous ne nous trouvons pas en présence de vulgaires gredins qui n'ont fait le coup que pour toucher la grosse somme! Tout le monde sait que vous gagnez beaucoup d'argent avec votre restaurant. La fortune des autres, c'est toujours assez tentant... Si nous avons affaire à des gens de cet acabit, tôt ou tard ils montreront le bout de leur nez pour exiger une rançon... Vous êtes de mon avis?

— Il n'a jamais été dans nos intentions, répondit avec

calme Mme Phu, de fermer l'établissement pour des raisons qui n'ont aucun rapport avec son exploitation.

— Voilà qui est parler en femme courageuse!

— Puis-je à mon tour, continua la patronne de la *Lampe de Jade,* vous poser, monsieur Rumeau, une question avant de partir?

— Parlez, madame.

— Le fait que vous nous laissiez, M. Ki Ho et moi, rentrer chez nous et reprendre nos activités, doit-il nous laisser supposer que cette « surveillance » — qui est exercée, depuis quelques jours, aussi bien autour du restaurant que de notre domicile personnel — va enfin cesser?

– Il ne saurait en être question, chère madame Phu! Les regrettables événements de cette nuit prouvent au contraire que cette surveillance doit être maintenue et même renforcée! Réfléchissez : un premier enlèvement c'est déjà beaucoup, mais deux! Supposons que les ravisseurs se soient mis en tête de vous enlever à votre tour? S'ils ne l'ont pas fait, il y a quelques heures, peut-être est-ce uniquement parce qu'ils ne vous ont pas trouvée chez vous? Et, aussi insensé que cela puisse paraître, votre salut n'a peut-être tenu qu'à ce rendez-vous que je vous avais fixé à 0 heure, à la *Lampe de Jade?...* En ce qui concerne M. Ki Ho, c'est différent : si « on » avait voulu l'enlever, cela aurait été très facile après qu'on l'eut assommé... Non, « on » ne voulait pas de lui : seule sa natte avait du prix! Bonsoir, madame.

Il n'était pas question cette nuit-là, pour Serge Martin, de rêverie nocturne au cours d'une promenade pédestre dans Paris. Sans plus attendre, il se fit conduire rue Vaneau. Lorsqu'il eut réintégré sa chambre et qu'il se fut allongé sur le lit, il commença à réfléchir, non sans avoir pris soin de placer sur la table de nuit la bouteille de whisky offerte par Mme Burtin. Si le champagne lui apportait l'euphorie, le whisky lui permettait d'éclaicir ses pensées. Et celles-ci étaient multiples...

Avant tout, est-ce que, oui ou non, la très méfiante Ngô Thi Maï Khanh était vraiment « tombée dans le panneau » — selon une expression favorite de « la vieille chouette » — de « l'enlèvement » de sa fille ? Certes, « l'opération Siao » avait été menée avec une extrême habileté. Tout avait été soigneusement réglé, minuté, exécuté. Aucun détail n'avait été laissé au hasard et, parmi eux, ce supplément de raffinement qu'était le fait d'avoir coupé la natte de M. Ki Ho... Peut-être était-ce même cet acte qui s'était révélé le plus adroit. Couper la natte d'un septuagénaire est en Chine le plus grand affront qu'on puisse lui faire : c'est aussi la marque de l'opprobre et de la déchéance prochaine... C'est plus grave que n'importe quel supplice : s'il ne fait pas souffrir physiquement, ce châtiment est la plus sévère des tortures morales. Il indique que celui qui l'a subie est à la fois un homme méprisable, un coupable et un traître.

Le coup avait certainement porté sur le comportement de Ki Ho. Celui-ci avait, ce soir, le visage et l'attitude d'un homme beaucoup plus écrasé par la honte que par le choc reçu sur la tempe. Maintenant qu'il était de nouveau seul avec sa fille dans le repaire de l'avenue Kléber, le vieillard ne devait pas manquer de lui dire que « monsieur l'officier de police » n'était pas tellement loin de la vérité lorsqu'il insinuait que les ravisseurs de Siao pouvaient bien être « les patrons chinois ». La crainte salutaire s'était maintenant ancrée dans l'âme de Ki Ho. Seulement rejaillirait-elle sur Ngô Thi Maï Khanh ? S'il en était ainsi, elle ne manquerait pas de se renseigner auprès de ses chefs occultes et, comme toutes ses allées et venues — et ses communications téléphoniques — étaient étroitement surveillées, cela conduirait peut-être à une adresse révélatrice ceux qui ne cessaient plus de la « filer ». C'est pourquoi il fallait la laisser encore en liberté sous l'apparence d'une subite clémence née de l'apitoiement que la police elle-même ne pouvait manquer d'avoir pour son sort de mère frustrée brutalement de son unique enfant.

La nuit fut courte pour « le gardien » de l'appartement de la veuve Burtin. Il en repartit le lendemain matin de bonne heure pour se rendre, en taxi, à Marnes-la-Coquette.

Après avoir pris la précaution de faire arrêter la voiture devant la grille d'entrée du parc privé, exclusivement réservé aux habitants des somptueuses résidences qui le bordent, il alla à pied jusqu'au portail de l'une de ces maisons confortables qu'il reconnut aisément. C'était celle où il avait été conduit — après sa descente du petit avion qui l'avait déposé sur le terrain de Villacoublay — et où un adjoint du colonel Sicard lui avait remis un message écrit dans lequel ce dernier lui demandait de se métamorphoser en un vieux colonial endurci. Alors qu'il s'approchait du perron en haut duquel semblaient l'attendre deux personnages en civil, dont l'élégance vestimentaire rappelait celle des « chevaliers de la Tour Pointue », il put constater que le gazon était toujours aussi bien entretenu.

L'un des « personnages » était Antoine Signoli qui l'accueillit par ces mots :

— La nuit n'a pas été trop agitée grâce au calmant qui lui a été administré hier soir... Il y avait de quoi l'endormir pour vingt-quatre heures et, cependant, elle s'est réveillée, il y a déjà une heure, en proclamant qu'elle avait faim! La « préposée » lui a immédiatement servi, selon vos instructions, un substantiel petit déjeuner. Sur le plateau, suivant également vos ordres, nous avons mis tous les journaux de mode que nous avons pu trouver...

— Et un quotidien? Il faut que cette charmante enfant puisse se tenir au courant des événements qui se passent dans le monde... Elle constatera ainsi que l'on parle de tout, sauf de son enlèvement! Quant à la mode, ce sera sa distraction. Et la télévision?

— Le poste est déjà installé face au lit.

— C'est parfait. Quand l'heure des actualités viendra, elle s'apercevra que, là aussi, on ne parle pas d'elle... De quelle humeur est-elle après le petit déjeuner?

— Maussade! Elle voulait se lever... Elle l'a même fait... Mais la porte de la chambre fermée à double tour et les barreaux de la fenêtre qui donne sur le parc, lui ont prouvé qu'elle ne pourrait pas sortir à son gré de la chambre. Elle a commencé à frapper à grands coups de poing dans la porte et à crier par la fenêtre.

— Celle-ci peut s'ouvrir?

— Oui; mais cela n'offre aucun inconvénient. Il n'y a pas une seule propriété ou maison à moins de trois cents mètres : elle peut toujours s'époumoner!

— Tout cela me paraît en ordre. Devant cette crise de fureur, a-t-on essayé de la raisonner?

— Deux fois déjà.

— Qui a rempli cette délicate mission?

— La « préposée »...

— Qui se nomme?

— Mme Agnès...

— Nom d'une douceur extrême!

— C'est une personne très sûre qui a une grande habitude de ce genre de surveillance.

— Du moment qu'elle a été choisie par vous, mon cher Signoli, je n'en doute pas une seconde... J'aimerais quand même la voir.

— C'est très facile.

Ils étaient entrés dans le vestibule de l'agréable demeure et se trouvaient au pied du monumental escalier de pierre qui avait déjà impressionné Serge Martin la première fois où il était venu en ces lieux. Il le contempla de nouveau dans l'attente de la venue de Mme Agnès.

Celle-ci parut en haut de l'escalier qu'elle descendit avec une majesté olympienne : ce qui permit à Serge Martin de la « jauger » selon son habitude... Elle était véritablement ahurissante, cette créature! Un anthentique colosse en jupons, dont la taille et les proportions pouvaient rivaliser avec celles d'un major Benjafield... Vêtue d'une stricte robe noire, rappelant la bure d'une religieuse, elle avait le cou enserré dans un col montant qui l'obligeait — comme Mme Phu, mais avec infiniment moins d'allure, d'élégance et surtout de grâce — à conserver la tête haute et droite. Le visage, anguleux et terreux, était surmonté d'une chevelure grise relevée en un chignon qui, planté sur le haut du crâne, était un véritable défi à la féminité. Le regard, d'une couleur indéfinie, se montrait à la fois dur et terne. Les lèvres étaient minces et la bouche devait être incapable d'avoir un sourire. L'ensemble de la silhouette était celle d'un garde-chiourme.

— Bonjour, madame, dit Serge Martin. Puis-je savoir où vous étiez avant de vous trouver ici?

— J'ai appartenu à toutes les grandes maisons, monsieur : la centrale d'Haguenau, celle de Rennes, la Roquette...

La voix était sourde et impersonnelle.

— Je vois... On vous a expliqué la mission que vous aviez à remplir ici ?

— Je crois l'avoir bien comprise.

— Il faut de la fermeté avec celle que nous appellerons « votre pensionnaire », mais aussi de la douceur... Beaucoup de douceur et même une certaine gentillesse... Ceci parce que vous avez à vous occuper d'une jeune fille qui n'a certainement pas compris ce qui vient de lui arriver et qui, lorsqu'elle s'en rendra parfaitement compte, risque de ne pas faire preuve de toute la résignation qui serait souhaitable dans son propre intérêt... Quelle sera la durée de cette... disons : « détention provisoire » ? Nous n'en savons encore rien ! Elle pourra être très courte ou, au contraire, se prolonger si les opérations actuellement en cours d'un autre côté ne nous donnaient pas entière satisfaction. Mais n'oubliez jamais, étant donné vos antécédents qui vous tiennent lieu de certificats, que vous n'êtes pas en présence d'une condamnée de droit commun ou même politique. Cette jeune fille n'est coupable de rien, sinon d'appartenir — et ce n'est pas sa faute ! — à une « famille » qui nous apporte quelques soucis... Autrement dit, sa liberté et l'autorisation de sortir de son appartement mises à part, vous ne devez rien lui refuser : ni lectures, ni télévision, ni disques si elle en faisait la demande, ni surtout une excellente nourriture. Je compte sur vous pour que vous parveniez à lui faire comprendre peu à peu qu'elle n'est pas « emprisonnée », mais plutôt en villégiature dans un hôtel de tout premier ordre où le service est impeccable ! Vous me comprenez ?

— Toutes les mesures sont prises dans ce sens, monsieur.

— Avez-vous mis des fleurs dans sa chambre ?

— Pas encore.

— C'est regrettable. Je vous prie de prendre soin à l'avenir de lui apporter, chaque matin avec le petit déjeuner, des fleurs différentes. Et vous joindrez, à chacun de ces envois, une carte sur laquelle vous inscrirez « *Avec l'amitié de Patrice Rumeau* ».

— Ce sera fait, monsieur.

— Vous, qui avez cependant vécu dans les prisons, vous ne semblez pas imaginer quel pourrait y être le pouvoir adoucissant des fleurs ! N'hésitez pas non plus, s'il vous arrivait de constater que votre pensionnaire est gourmande, de joindre à ces envois fleuris quelques douceurs telles que boîtes de chocolats, de fruits confits, de marrons glacés, etc. La méthode de la main ferme dans le gant de velours... La jeune personne vous a-t-elle déjà posé des questions ?

— Elle n'a fait que hurler et pleurer en répétant tout le temps : « Pourquoi suis-je ici ? Qu'est-ce que j'ai fait ? »

— Elle n'a rien fait... Quant au pourquoi de ce séjour forcé, je vais tenter de le lui expliquer... Voulez-vous avoir l'amabilité de me conduire auprès d'elle et de vous retirer dès que vous aurez déverrouillé la porte : vous ne reviendrez que quand je vous sonnerai... Car il y a, j'espère, une sonnette dans sa chambre ?

— Oui, monsieur : auprès du lit.

— Pas de téléphone, j'espère ?

— Pas de téléphone.

— Bien. A l'exception des visites que je lui ferai régulièrement, et des vôtres pour le service, nul n'est autorisé à pénétrer dans cette chambre, ni à entrer en communication avec son occupante... Si, par hasard, elle était souffrante, vous préviendriez tout de suite M. Signoli qui ne bougera pas d'ici et qui m'avertirait : je viendrais alors avec un médecin... Mais elle me paraît être en bonne santé et aussi solide que ses parents. Elle est encore au lit ?

— Elle y était, il y a vingt minutes, quand j'ai apporté le petit déjeuner.

— Et elle a raison : les émotions de la nuit ont dû l'éreinter... Elle a besoin de repos. Nous montons ?

Mme Agnès le précéda dans l'escalier. Au deuxième étage ils trouvèrent sur le palier une autre « surveillante », à peu près aussi rébarbative, qui se tenait assise devant une table. De cette place elle pouvait voir tout ce qui se passait dans un couloir sur lequel donnaient plusieurs portes. Arrivée devant la troisième, Mme Agnès prit l'une des clefs, attachée au trousseau qui pendait en permanence à une ceinture de cuir enserrant sa taille, et l'introduisit dans la serrure. Dès que la porte s'ouvrit, Serge Martin s'engouffra dans la chambre en prenant soin de la refermer très vite derrière lui pour éviter à l'occupante de voir une fois de plus sa gardienne.

Siao, allongée dans le lit, s'était redressée, médusée. Il profita de cette seconde d'étonnement pour dire en souriant :

— Bonjour, mademoiselle... Sans doute vous souvenez-vous de moi ?

Et, comme elle le regardait, la bouche entrouverte, incapable de répondre :

— Ne trouvez-vous pas plutôt agréable, après ce qui vient de vous arriver, de vous trouver enfin devant une figure de connaissance ?

Faisant un visible effort, elle répondit en demandant :

— C'est... C'est vous qui avez manigancé tout cela?

— Admettons que j'aie été l'un des inspirateurs des événements...

Puis, déviant la conversation :

— Je suis déjà heureux de constater, en voyant ce plateau vide, que vous avez fait honneur au petit déjeuner... S'est-il révélé suffisant?

— Ça vous ennuie que j'aie faim?

— C'est le contraire, étant donné votre âge, qui me chagrinerait! Et je tiens à vous dire que vous n'avez qu'à appuyer sur le bouton de sonnette, qui est placé à la droite de votre lit, si vous désirez la moindre chose : l'impossible sera fait pour vous satisfaire.

— Et je verrai encore apparaître ce monstre que vous m'avez trouvé pour gardienne et que l'on imagine mal autrement qu'avec son trousseau de clefs à la main!

— Je reconnais que Mme Agnès n'est pas particulièrement séduisante, mais elle compense cette lacune par un dévouement illimité.

— A qui? A vous?

— A la police... Car vous devez bien vous douter, ma chère enfant, que tout cela n'est qu'une opération de police... Ce qui devrait plutôt vous rassurer : mieux vaut pour vous être entre nos mains que dans celles de gangsters qui ne vous auraient enlevée que pour réclamer à votre famille quelques millions... Cette petite réflexion faite, comment vous sentez-vous?

— Je veux partir immédiatement!

— Ceci est chez vous une réaction normale : preuve de vitalité... Et vous pouvez avoir l'assurance que vous ne resterez pas ici toute votre vie : un jour viendra, que je souhaite comme vous le moins lointain possible, où vous quitterez cet endroit de paix pour rejoindre ceux qui vous sont chers et qui, je me fais une joie de vous le dire, sont en parfaite santé.

— Mon grand-père ?

— M. Ki Ho ? Je comprends que vous ayez des inquiétudes après l'avoir vu étendu dans le vestibule de l'avenue Kléber !

— Je n'ai rien vu ! Je dormais dans ma chambre où pendant quelques secondes, j'ai ressenti une impression d'étouffement.

— Due au fait que l'on a appliqué sur votre gentil minois un tampon imbibé de chloroforme. Cela pour vous envoyer dans le pays des songes pendant toute la durée de votre transfert ici... N'était-ce pas mieux ainsi ? Ce matin, vous vous êtes réveillée dans une chambre qui est assez coquette, reconnaissez-le, couchée dans un bon lit... Que vous ayez été surprise, cela se conçoit... Mais peu à peu, au fur et à mesure que les vapeurs de l'anesthésie se sont évanouies et que vous avez repris vos esprits, vous avez commencé à réaliser que vous n'étiez plus avenue Kléber... Alors vous avez sauté du lit — avec toute cette gracieuse agilité et cette souplesse dont vous êtes capable et qui font l'émerveillement de vos admirateurs de la *Lampe de Jade* — et vous vous êtes précipitée sur les rideaux, qui laissaient filtrer le jour. Vous les avez ouverts ainsi que la fenêtre... Le spectacle de verdure et d'arbres, en pleine floraison printanière, qui s'est offert à vos yeux a quand même dû apporter une sorte de baume à votre cœur ? Votre nouvelle chambre de jeune fille ne s'est-elle pas remplie d'effluves matinaux ? Ce n'est qu'après avoir constaté successivement que la fenêtre était protégée par de solides barreaux, que la première porte ne donnait que sur une salle de bains confortable, mais sans issue, et que la seconde — qui, elle, s'ouvrait sur un couloir — était verrouillée, que vous avez commencé à hurler! N'importe qui, à votre place, et surtout à votre âge, aurait eu la même réaction!

» La porte verrouillée s'est ouverte presque aussitôt et vous avez vu s'y encadrer la silhouette assez redoutable de Mme Agnès qui, avec une poigne digne d'un « gorille », vous a contrainte à rejoindre votre lit. Ce en quoi elle a bien fait, car vous avez encore besoin de calme... Vous n'avez pas l'air de réaliser que votre nuit a été des plus agitées! Ensuite le petit déjeuner est arrivé et, sa digestion aidant, au lieu de continuer à hurler inutilement, vous avez commencé à réfléchir. Vous vous êtes demandé à qui vous pouviez devoir un tel traitement. Ma présence ici est pour vous une première réponse... Oui, ma chère enfant, je revendique à votre égard l'entière responsabilité de ce qui s'est passé et vous verrez qu'un jour viendra, beaucoup plus proche que vous ne le pensez en ce moment, où vous me serez reconnaissante d'avoir agi ainsi.

— Cela m'étonnerait! Ma mère m'a dit — après votre première apparition à la *Lampe de Jade* — vous connaître depuis longtemps et m'a prévenue de me méfier de vous parce que vous étiez le pire des aventuriers!

— Elle n'a pas médit : je ne suis, en effet, qu'un aventurier... Les moments que vous vivez actuellement le prouvent : n'êtes-vous pas, vous aussi, en train de connaître enfin une aventure? Et vous le regretteriez? Le goût de l'aventure n'est-il pas l'une des soifs les plus légitimes, et les plus sympathiques, des « moins de vingt ans »? Je reconnais évidemment que celle qui vous est offerte en ce moment ne répond peut-être pas aux tendres aspirations d'une jeune fille aussi charmante et aussi jolie que vous, mais qui sait? Rien ne prouve que, l'un de ces soirs, le Prince charmant auquel vous êtes en droit de songer ne surgira pas dans le décor de verdure qui s'étale sous votre fenêtre et ne vous jouera pas, au clair de lune, l'une de ces sérénades qui font rêver? Rassurez-vous : ce ne sera pas moi!... Et votre gracieuse silhouette, apparaissant à son tour — comme cela se passe à Séville ou à Grenade — derrière les barreaux de cette fenêtre grillagée, ne sera-t-elle pas pour ce garçon téméraire l'incarnation de « la dame de ses pensées »?

Et comme elle conservait son visage buté, il reprit :

— Je constate avec quelque regret que le souffle poétique ne semble guère vous toucher! Ce en quoi vous vous différenciez nettement de madame votre mère... Aussi suis-je contraint de revenir à la froide réalité : à savoir, comme je vous l'ai dit à l'heure, que votre incarcération provisoire n'est que l'une des incidentes d'une vaste opération de police... Il était indispensable que nous vous mettions à l'abri pour vous protéger.

— Contre qui?

— Contre ceux que les gens de votre famille ont le plus grand tort de fréquenter et qui ne leur veulent pas particulièrement du bien!

— Je ne connais aucune des fréquentations de ma mère ou de mon grand-père... Et, à propos de lui, vous n'avez pas répondu tout à l'heure à ma question : il était avec moi hier soir avenue Kléber. Que s'est-il passé pour lui?

— Un simple petit étourdissement. Maintenant il va très bien.

— Et ma mère?

— Également. Après avoir quitté la *Lampe de Jade,* elle a rejoint M. Ki Ho auprès duquel elle se trouve avenue Kléber : la seule personne qui manque là-bas, c'est vous.

— Ma mère doit être folle d'inquiétude?

— Nous avons fait tout ce qui était en notre pouvoir pour la rassurer... Heureusement, c'est une femme remarquable qui a une grande force de caractère : elle saura vite se faire une raison.

— Cela m'étonnerait! Et ce que vous venez de dire prouve que vous la connaissez beaucoup moins bien qu'elle ne vous connaît, elle! Ma mère ne peut pas vivre sans moi.

— C'est à ce point?

— Oui. Elle en est même tyrannique! Je n'ai jamais pu faire un pas ou une sortie, depuis qu'elle est venue nous rejoindre en France, sans qu'elle m'ait accompagnée... C'est tout juste si elle ne m'enfermait pas dans l'appartement! Et, quand elle n'était pas là, c'est mon grand-père qui me surveillait.

— Quand on a la chance d'avoir une fille et une petite-fille telle que vous, ma chère Siao, je conçois que l'on puisse se montrer aussi exclusif! Mais dites-moi : avant que vous ne veniez vous-même en France rejoindre, il y a deux ans, votre grand-père, vous ne voyiez pas tellement souvent votre maman à Hanoï?

— Elle ne pouvait venir me voir que de temps en temps parce qu'elle travaillait.

— Quel genre de travail?

— Vous devez le savoir puisque vous vous connaissez depuis longtemps?

— C'est exact, mais pas au point cependant de me mêler de ses occupations privées... Je crois me souvenir que, lorsque j'ai fait sa connaissance, elle était artiste?

— Elle l'est toujours : si elle s'occupe du restaurant, c'est pour aider mon grand-père qui n'est plus jeune... Mais là-bas, elle était une grande artiste, très célèbre!

— Vous êtes fière de votre maman, n'est-ce pas?

Il n'y eut pas de réponse.

— Elle, en tout cas, est très fière de vous! Sans doute parce qu'elle sent que vous marchez sur ses traces et que vous aussi, un jour, vous serez une grande artiste... Vous étiez heureuse à Hanoï?

— Je n'étais pas malheureuse.

— Vous regrettez d'en être partie?

— Non. Je préfère la vie de Paris.

— Voilà enfin une vraie réponse de jeune fille!

— Là-bas, j'étais également trop surveillée par les amis auxquels ma mère m'avait confiée.

— Décidément, ma pauvre enfant, vous n'avez pas eu de chance! Surveillée pendant votre enfance et votre jeunesse chez des amis de votre famille, surveillée au meilleur moment de votre adolescence à Paris par maman et bon papa, surveillée enfin ici par la police!

— Où suis-je?

— En France. C'est tout ce que je puis vous dire.

— Ça va durer longtemps?

— Juste le temps qui nous sera nécessaire pour empêcher définitivement ceux qui en veulent aux vôtres de leur nuire... Car je vous le répète : si vous êtes ici, ce n'est pas tellement parce que l'on veut vous surveiller, mais pour tenter de vous protéger! Dites-vous bien une chose : si, à l'heure actuelle, vous étiez entre les mains de ces criminels, vous y seriez beaucoup moins en sûreté qu'entre les nôtres et nul ne pourrait répondre de votre vie... Vous voyez, Siao, que c'est sérieux... Ces gens-là — et la police française est parfaitement renseignée! — n'auraient pas hésité à vous enlever à cette maman qui, comme vous venez de me le dire, ne peut pas se passer de vous, et ceci dans le but de faire pression sur ses décisions et sur sa façon d'agir.

— Je ne comprends pas...

— On vous expliquera tout plus tard... Pour le moment, vous devez nous faire entière confiance!

— Après ce que ma mère m'a dit de vous?

— Même après cela!

— Vous n'allez pas me faire croire que « votre » kidnapping a été fait en plein accord avec ma mère?

Au lieu de répondre, il préféra sourire : sourire ambigu qui pouvait laisser tout supposer.

Et comme elle le regardait, toujours incrédule, il dit gentiment :

— Je sais que vous me prenez pour un être sans cœur et même cruel, mais, même si j'étais ainsi, je ne trouverais pas la force de mal agir à votre égard : ceci pour une raison qu'il m'est très difficile de vous expliquer... Aussi je vous supplie de vous montrer raisonnable! Ce n'est pas très drôle, je le sais, de tourner en rond dans une chambre, aussi confortable soit-elle, mais nous n'avons pas le choix : vous ne devez pas, vous ne pouvez pas en sortir pendant quelque temps... Tout est déjà mis en œuvre pour que cette « attente » soit la plus courte possible. Des ordres formels ont également été donnés pour que vous ayez le plus de distractions que l'on puisse humainement vous accorder dans un pareil cadre.

— A vous écouter, on finirait presque par croire que vous êtes mon bienfaiteur!

— Qui sait? Je vais être franc : si je n'ai pas pour madame votre mère plus d'estime qu'elle n'en a pour moi, j'en ai conservé une, impérissable, pour celui qui fut votre père...

Il avait dit cela très simplement. Elle le regarda, ahurie.

— Qu'est-ce qui vous fait parler de mon père? demanda-t-elle.

— Vous... ou plutôt votre attitude. Je sens que c'est dans son souvenir seulement que nous finirons par nous comprendre. Oui, je l'ai très bien connu : il fut mon plus grand ami.

Après un silence, elle murmura :

— Est-ce vrai?

— Je n'ai aucune raison de vous mentir sur un pareil sujet. Votre maman vous a-t-elle parlé de lui?

Elle hésita avant de répondre :

— Une fois seulement...

— Quand cela?

— Lorsqu'elle décida, il y a deux ans, de me faire partir pour la France. Elle était venue, comme toujours, me voir entre deux tournées artistiques pour me dire : « Demain, Siao, tu vas partir pour Paris où tu habiteras chez ton grand-père en attendant que je vienne te rejoindre. Mais tu vas jurer devant Bouddha que tu ne révéleras jamais à personne au monde que ce vieil homme, avec qui tu vivras, est ton grand-père maternel : si d'autres l'apprenaient, ils pourraient te faire du mal. Lui non plus, que l'on ne connaît en France que sous le nom de Ki Ho, ne dira rien. Il est très riche et il s'occupera bien de toi... » J'ai alors juré que je me tairais. Elle m'a encore dit : « J'ai autre chose à te révéler : si je t'envoie dans ce pays, c'est parce que ton père, dont je ne t'ai encore jamais parlé, y était né. Tu es maintenant à un âge où tu dois le savoir. Mais cela aussi, tu ne le révéleras jamais à personne! Ton grand-père ne t'en parlera pas car il n'a jamais connu ton père. »

— Il a cependant dû l'entrevoir une fois, dans une sacristie d'église, à l'issue d'un mariage catholique...

— Il ne m'en a jamais parlé.

— Et pour cause! Il a d'ailleurs mieux fait de se taire! Continuez, Siao...

— J'ai donc juré aussi que je ne dirais à personne que mon père était français.

— Et vous avez pu tenir parole?

— Oui... Souvent j'ai eu envie de crier à des garçons ou à des filles rencontrés ici et qui étaient devenus mes amis : « Moi aussi je suis française par mon père! » Mais je me suis tue. Je me disais que, si ma mère m'avait demandé cela, il y avait sûrement une raison sérieuse : un père, dont on ne m'avait jamais parlé avant que j'aie quatorze ans et dont je ne portais pas le nom, que j'ignore encore, ne pouvait pas avoir été un personnage recommandable... C'est pourquoi je ne me suis jamais vantée d'être son enfant.

— Vous pouvez être fière de lui, Siao : ce fut un homme admirable! C'est moi, son plus vieil ami, qui vous l'affirme! Il possédait surtout à mes yeux une qualité essentielle : le courage... Mais, quand vous étiez chez ces amis d'Hanoï, vous ne leur avez pas posé de questions? N'était-il pas normal qu'une petite fille, voyant que tous ses camarades avaient un papa et une maman, demandât où était son père?

— Je l'ai souvent fait, mais chaque fois on m'a répondu : « Ton père est mort avant que tu viennes au monde. »

— On vous a menti! Votre père n'est mort que deux ans après votre naissance, mais il ne vous a jamais connue...

— Comment est-ce possible?

— Parce qu'il n'a jamais su que vous existiez! On le lui a caché.

— Qui cela?

— Votre mère... Je regrette d'avoir à vous révéler de tels faits, mais j'estime que, cela aussi, vous êtes capable aujourd'hui de le comprendre. Ce serait trop injuste pour la mémoire de votre père — étant donné la fausse opinion que vous avez de lui — que vous ne connaissiez pas l'autre face d'une merveilleuse médaille... Car vous êtes, mon enfant — j'ai le droit de vous appeler ainsi, étant largement aussi âgé que votre grand-père, M. Ki Ho —, l'éblouissant produit d'une vraie, d'une authentique passion, dont j'ai été le seul témoin! C'est la raison pour laquelle vous êtes belle et pourquoi aussi, sans doute, votre mère, que vous n'avez pas à juger, a préféré garder le silence sur ces amours mortes...

— Où mon père est-il décédé?

— A Lao-Kaï... C'est moi qui l'ai fait ensuite enterrer dans le cimetière français de Hanoï où il repose.

— Il était donc, lui aussi, près de moi?

— Oui...

Alors, dans cette chambre qui n'était déjà plus une prison, la volonté de Siao, qui jusqu'à cette minute était restée farouchement braquée contre son visiteur, se brisa d'un coup. La jeune fille s'effondra sur le lit, mordant le drap pour qu'on ne l'entendît pas crier, enfouissant son visage dans l'oreiller pour que ce vieil homme — quelques jours plus tôt, un inconnu pour elle — ne pût pas être le témoin de son désarroi après avoir été celui des amours de ceux qui lui avaient donné la vie.

Sachant que toute parole serait inutile dans un tel flot de chagrin, Serge Martin attendit avant de s'approcher du lit et de se pencher sur le corps secoué par les sanglots. D'un geste — où il sut mettre beaucoup de délicatesse et de tendresse — il caressa les cheveux de celle qui était l'enfant de son ami... Caresse prolongée des longues mains fines qui produisit l'effet d'un calmant. Les sanglots s'atténuèrent, puis cessèrent. Et ce fut un pauvre visage qui se leva vers lui pendant qu'il lui disait doucement, en la tutoyant pour la première fois :

— C'est fini, mon petit... Tu viens de me prouver que, derrière une apparence d'enfant butée, tu étais capable d'avoir la même sensibilité que ton père... C'est très bien cela : quand, à ton âge, on a du chagrin, il ne faut pas le cacher... Bientôt, j'en suis sûr, tu comprendras que je suis peut-être ton plus grand ami.

Une faible lueur de reconnaissance passa dans les yeux encore embués, pendant que Serge Martin trouvait un sourire pour dire :

— Mais oui, nous voilà amis!

A ce moment, on frappa à la porte qu'il alla entrouvrir : c'était Mme Agnès qui annonça à voix basse :

— Ce sont les fleurs, monsieur Rumeau.

Elle était presque méconnaissable, Mme Agnès. Le vase qu'elle portait et dans lequel s'épanouissaient des roses blanches cachait l'horrible trousseau de clefs. Sa voix avait su se faire tellement douce que l'on pouvait se demander si un prodige ne s'était pas produit : le miracle des fleurs?

— Elles arrivent à point, dit gaiement « le colonial ». Enlevez le plateau du petit déjeuner et posez-les, à sa place, sur la table, face au lit.

Après l'avoir fait, elle ressortit de la chambre avec une discrétion dont on ne l'aurait jamais crue capable. Il sembla même qu'un sourire était au bord de ses lèvres dont la sécheresse avait disparu.

Après avoir regardé les fleurs, la jeune fille dit :

— C'est très gentil à vous d'avoir eu cette attention.

— Ce n'est pas une attention, Siao ! C'est là chez moi une nécessité : je ne peux pas concevoir qu'une jeune femme, et à plus forte raison une jeune fille, puisse vivre heureuse dans une chambre où il n'y aurait pas de fleurs... A l'avenir, vous n'en manquerez jamais !

— Vous me pardonnez pour tout ce que je vous ai dit de méchant tout à l'heure ?

— Vous n'avez fait que répéter ce qu'on vous avait dit sur moi... Ce qui n'a aucune importance ! J'ai tellement l'habitude que l'on ne pense que du mal de moi !

— Savez-vous que, le soir où ma mère m'a présentée à vous à la *Lampe de Jade,* vous ne m'aviez pas plu du tout !

— Moi aussi, je ne vous ai pas appréciée beaucoup ce soir-là... Ce qui prouve que nous pouvons nous tromper tous les deux... Il ne faut jamais se fier à la première apparence !

— Je n'aime pas du tout vos moustaches !

— Moi non plus ! Et s'il n'y a que cela pour vous faire plaisir, je pourrai très bien m'en débarrasser quand je viendrai vous rendre visite...

Joignant le geste à la parole, il arracha les moustaches-postiches qu'il enfouit dans sa poche :

— Voilà ! Suis-je plus joli garçon ?

— Formidable ! Vous êtes dix fois mieux ainsi !... Mais qui êtes-vous ?

— Votre mère vous l'a dit : un aventurier.

— Donc vous ne pouvez pas être de la police ?

— Disons que je travaille depuis quelque temps avec elle pour vous faire tous sortir d'un mauvais pas...

— Qui cela, tous ?

— Vous d'abord... Puis votre mère et M. Ki Ho.

— Vraiment, vous seriez capable de nous aider s'il le fallait ?

— Capable, je n'en sais rien... Mais je suis déjà en train d'essayer.

— C'est pour cela que vous m'avez fait enlever et enfermer ?

— On ne peut rien vous cacher !

— Dois-je dire merci ?

— Attendez que l'aventure soit terminée... Connaîtriez-vous par hasard un grand ami de votre mère qui se nomme le colonel Sicard ?

— Non. Et je n'ai même jamais entendu prononcer ce nom devant moi.

— Je préfère cela... Une autre petite question : quand vous parlez avec votre mère ou votre grand-père, quelle langue utilisez-vous ?

— Cela dépend : tantôt le français, tantôt le vietnamien.

— Et le chinois ?

— Je comprends mal le chinois... Ma mère ne s'en sert que pour parler à mon grand-père qui, lui, est d'origine chinoise.

— Vous aimez la natte de M. Ki Ho ?

— Je trouve qu'elle lui va bien... Et, tandis qu'on la regarde, on remarque moins qu'il est bossu.

— Moi je trouve que c'est sa bosse qui lui va bien !

Elle éclata de rire.

— J'aime ce rire ! Ma petite Siao, il va falloir que je me sauve...

— Quand reviendrez-vous ?

— Dès demain. Je ne pourrai peut-être pas rester chaque fois aussi longtemps qu'aujourd'hui, mais je serai là.

— Vous me parlerez de mon père ?

— C'est juré !

Il sortit en lui faisant un petit signe amical de la main. Quand la porte se referma, elle entendit une clef tourner dans la serrure : elle était de nouveau prisonnière. Mais elle continua à sourire comme si cela l'indifférait.

Lorsque celui qui n'était encore pour Siao que « M. Rumeau » fut sur le perron au bas duquel l'attendait une voiture, il y retrouva Antoine Signoli et son collègue qui montaient toujours la garde.

— Vous ne bougez pas de là, leur dit-il. J'ai donné à votre collaboratrice des instructions complémentaires que je lui conseille de suivre à la lettre. Elles peuvent toutes se résumer à cette phrase que vous connaissez bien dans la police : pas de zèle intempestif!

Et, au moment de s'engouffrer dans la voiture, il se retourna vers l'officier de police :

— Ah, mon bon Signoli, si vous saviez comme je me dégoûte!

— Vous, monsieur Martin?

— Oui : là-haut, dans la chambre, j'ai fait pleurer une enfant... Je n'aime pas cela!

Puis, après un temps de réflexion, il haussa les épaules en ajoutant :

— C'était pourtant le seul moyen pour l'amener à avoir un peu plus confiance en moi...

Une demi-heure plus tard, il téléphonait à la « vieille chouette » :

— L' « Opération Siao » est terminée. Je pense être parvenu à amadouer la jeune personne qui a fini par se calmer.

— Comment avez-vous réussi ce miracle?

— En lui parlant de son père.

— Non? Quelle a été la réaction?

— Encourageante : de ce côté j'estime qu'il n'y a plus de problèmes actuellement.

— Et du côté de la veuve Burtin ?

— Je viens de recevoir à l'instant une carte de Nice me disant que le temps y est merveilleux et le lieu de séjour idéal : donc tout va bien également par là... Nous avons maintenant les coudées franches pour abattre la dernière carte.

— Justement, à ce sujet, ON m'a téléphoné de l'avenue Kléber quelques minutes avant que vous m'appeliez... Cette fois, ON paraît plus qu'inquiète : réellement angoissée...

— C'est le commencement de la sagesse !

— ON m'a fait part des événements de la nuit : ON demande mon aide et ma protection de toute urgence.

— Vous avez naturellement répondu que les deux étaient acquises ?

— J'ai fait mieux : j'ai conseillé que, sans plus attendre, ON porte plainte pour violation de domicile, attentat sur la personne de M. Ki Ho et rapt d'enfant... Ce qui sera fait cet après-midi.

— Voilà qui est parfait : ça prouve que l'ON n'a aucune précision sur la véritable personnalité des ravisseurs... J'ai l'impression que l'idée d'avoir ordonné aux exécutants de ne pas manquer, au cours de leur rapide passage dans l'appartement, de couper la natte du sieur Ki Ho n'a pas été tellement mauvaise ?

— Vous avez eu là une idée de génie ! Le doute est jeté : ON ne m'en a pas parlé au bout du fil mais ON doit se demander si « les patrons de Pékin » ne sont pas réellement entrés dans la course... Alors on se rapproche de moi, « le patron français » ! ON prend ses précautions parce qu'ON est soi-même jaune et que l'ON sait que ceux de sa propre race ne badinent pas... Ce n'est plus de la crainte, Rumeau, c'est de la terreur en puissance! Le tout est de savoir si l'ON va oser interroger sur ce point « les patrons jaunes »?... Inutile de vous confirmer que les lignes téléphoniques de l'avenue Kléber et du restaurant sont sur table d'écoute... C'est pourquoi j'ai eu la confirmation, lorsque l'ON m'a appelé tout à l'heure, que c'était bien de l'avenue Kléber... Si l'ON s'avise de sortir pour m'appeler d'ailleurs, d'un café par exemple, cela ne changera rien puisqu'ON est « filée ».

— Exactement! J'ai toujours pensé que le plus intéressant pour nous serait de connaître le numéro de téléphone, et par suite l'adresse du « correspondant » que l'ON appellera : ça risque de nous conduire très vite au terminus... A ce propos, puisque tous « les appels » vous sont retransmis par le service d'écoute, y en a-t-il un qui ait été adressé à un avocat quelconque?

— Aucun.

— Et puisque l'ON n'a quitté l'avenue Kléber hier qu'à 19 heures pour se rendre directement au restaurant, comme le confirment tous les rapports de filature, ON ne s'est donc pas rendue soi-même chez un avocat... Conclusion : il n'y a pas d'avocat! ON a bluffé... Et, quand On bluffe, c'est signe que l'ON commence à perdre les pédales! Tout va bien!... Évidemment, il y a le truc des poèmes...

— Quels poèmes ?

— Je vous expliquerai plus tard : c'est assez adroit... Disons que c'est une méthode originale de transmettre des messages... Mais ne vous inquiétez pas : j'en fais mon affaire... Vous a-t-on encore dit beaucoup de mal de moi?

— On n'a fait que cela, affirmant que vous étiez l'âme damnée de toutes ces machinations.

— Je constate que l'ON vous connaît très mal!

— Partageons les responsabilités, voulez-vous?... En plus de « l'aide » et de « la protection » d'urgence que l'ON m'a demandées, ON a insisté pour que j'intervienne auprès de vous en vous priant de cesser de vous mêler de ce qui ne vous regardait pas puisque vous n'êtes qu'un vulgaire policier.

— Voyez-vous ça! Et vous avez répondu?

— Que j'allais tenter l'impossible pour vous joindre aujourd'hui même! Puisque je vous ai au bout du fil, considérons que c'est fait... Et voici ce que je serai censé vous avoir dit : que je vous interdisais formellement d'opérer dans le secteur de mon S.R. sinon que je me fâcherai, c'est le cas de le dire, « tout rouge »!

— Vous ajouterez que vous n'avez cependant pas trop envenimé les choses parce que vous avez acquis la conviction, grâce à cette entrevue avec moi, que nous étions sincèrement très ennuyés à la police de la disparition de la jeune Siao et que nous mettions actuellement tout en œuvre pour la retrouver... Vous direz aussi que vous m'avez dissuadé de croire que ce rapt était le fait d'une mesure de menace prise par les dirigeants de Pékin parce que vous aviez la certitude absolue que votre agent N° 643 — alias Mme Phu — ne travaillait pas et n'avait jamais travaillé, depuis qu'elle appartient à nos services, sur deux tableaux... Autrement dit, vous m'avez délivré, en engageant votre parole et votre responsabilité qui valent cher, le plus authentique des certificats d'honnêteté sur elle.

— Et pourquoi, selon vous, dois-je être censé, à ses yeux, avoir fait cela?

— Pourquoi, chère vieille chouette? Mais tout simplement pour me permettre de mettre d'ici à quelques jours, dans son esprit de plus en plus inquiet, l'idée d'une autre piste de ravisseurs sur laquelle je me serai lancé après avoir abandonné, suivant en cela vos judicieux conseils, celle des ravisseurs jaunes.

— Et cette piste sera?

— La veuve Burtin!

— Nous y venons enfin!

— Hé oui! Tout arrive à point pour qui sait attendre... Reconnaissez vous-même que je ne pouvais pas abattre plus tôt ma carte maîtresse! Vous ne vous vexerez pas si je vous donne un dernier conseil?

— Dites toujours...

— Si j'étais à votre place, je ne bougerais pas de la journée... J'attendrais jusqu'à ce soir et je formerais, entre 22 et 23 heures, sur mon cadran le numéro de téléphone du restaurant où elle se trouvera sûrement car, chez elle comme chez la plupart de ses compatriotes, le sens des affaires prime tout! Et je lui confirmerais que vous avez effectivement réussi à me joindre pour me dire tout ce dont nous venons de convenir et rien de plus!

— Ce sera fait.

— Et moi je vous rappellerai demain matin vers la même heure après que j'aurai rendu une nouvelle visite à notre gentille pensionnaire.

— Vous n'allez pas donner signe de vie à sa mère?

— Surtout pas! Il ne faut plus qu'elle entende parler de moi pendant quelques jours... Elle doit acquérir la conviction que j'applique toute mon activité, avec l'aide de cette police à laquelle je suis censé appartenir, à rechercher la piste des ravisseurs de Siao... Vous pouvez compter sur moi pour que le jour où je réapparaîtrai dans sa vie, ce sera pour lui apporter des nouvelles véritablement stupéfiantes concernant les talents cachés d'une veuve Burtin! A demain... »

Comme chaque soir, il n'y avait pas une seule table disponible à la *Lampe de Jade :* la clientèle, fidèle et gourmande, n'aurait pu se douter de ce qui s'y était passé la veille au soir après la fermeture, ni des avatars d'ordre très particulier qu'avait connus l'aimable direction au cours des dernières vingt-quatre heures. Une petite différence pourtant : derrière ce comptoir surélevé, trônait une seule personne : la patronne, toujours souriante dans sa belle robe blanche agrémentée du collier d'or se terminant par l'admirable pendentif en jade. Celui que les habitués avaient toujours considéré comme le comptable — le bossu à natte — était absent. Sans doute M. Ki Ho avait-il préféré demeurer calfeutré au fond de l'appartement de l'avenue Kléber plutôt que de livrer aux foules le spectacle désolant de sa subite calvitie et des points de suture surmontant son arcade sourcilière droite. Mais nulle remarque ne fut faite au sujet de cette absence : comme Mme Phu l'avait dit à Serge Martin, c'était avant tout *pour elle* que l'on venait dans son restaurant. Du moment qu'elle était là, bien vivante et toujours appétissante, le reste n'avait aucune importance.

A 22 h 15, le préposé au vestiaire vint prévenir la patronne que l'un de ses « amis personnels » la demandait au téléphone. Comme si elle n'attendait que cet appel, elle ne perdit pas une seconde pour abandonner son observatoire et se rendre à la cabine où elle prit soin de s'enfermer. La voix, qui l'appelait, était celle, tant aimée par elle, du colonel :

— J'ai fait tout ce que je vous avais promis ce matin... Sans dire de nom, parce que c'est inutile, j'ai eu une longue conversation avec la personne essentielle dont vous m'avez parlé... Je me suis montré très ferme pour que l'on comprenne, une fois pour toutes, que je n'admettais pas que l'on se mêlât de l'activité de ceux qui dépendent de moi! J'ai même laissé clairement entendre que si la ridicule et scandaleuse attitude, qui a été prise depuis quelques jours à votre égard, ne changeait pas d'ici à vingt-quatre heures, je m'adresserais très haut, que les sanctions seraient sévères et pourraient aller jusqu'au limogeage définitif de certaines personnes appartenant à d'autres services, même si ceux-ci ne dépendent pas directement de moi. Mon interlocuteur a très bien compris et m'a même paru assez penaud. Je pense que ce premier résultat devrait déjà vous satisfaire... D'autre part, et ce que je vous confie là est mon impression personnelle, j'ai acquis, au cours de cette conversation, la certitude absolue que ceux qui s'étaient crus en droit de s'occuper de vous sont très ennuyés de ce qui s'est passé cette nuit. Ils ont mis en action des moyens considérables qu'ils m'ont révélés — qui ont toutes chances, je pense, de se montrer efficaces — pour aboutir le plus rapidement possible dans leurs recherches... Vous savez, chère amie, à quel point je suis de tout cœur avec vous dans cette douloureuse affaire et combien je souhaite, moi aussi, que vous retrouviez la sérénité familiale à laquelle une femme aussi sensible que vous a droit. Aussi devez-vous considérer à partir de maintenant que ceux que vous aviez à juste titre, jusqu'à hier soir, le droit de croire vos adversaires, ne le sont plus. Ils ne s'occupent actuellement que de ces recherches. Je leur ai fait comprendre qu'une solution satisfaisante pour vous dans ce domaine serait pour eux la meilleure façon de réparer le tort qu'ils vous ont fait : cela aussi a été bien compris.

» C'est tout ce que je puis vous dire pour le moment. Mais j'ai exigé que l'on me tînt sans cesse au courant des progrès de l'enquête, et vous pouvez compter sur moi pour que je vous appelle dès que je saurai moi-même du nouveau. Si je vous ai dérangée ce soir dans votre travail, ne m'en veuillez pas : je n'ai pas voulu attendre que vous soyez rentrée chez vous après minuit pour vous donner ces informations. Bien entendu, si vous-même aviez quelque chose d'urgent à me dire, n'hésitez pas à m'appeler, comme je vous félicite de l'avoir déjà fait, à n'importe quelle heure du jour ou de la nuit. Vous le savez : je ne bouge jamais de chez moi. Je n'ose pas vous souhaiter une bonne fin de nuit, me doutant que, dans l'état d'anxiété où vous êtes, vous aurez du mal à trouver le sommeil. Mais essayez quand même, et c'est là le vieil ami qui vous parle, de prendre un peu de repos. Bonsoir. »

Quand Mme Phu ressortit de la cabine, elle se dirigea vers les tables pour faire sa tournée habituelle de charme en demandant à sa clientèle si elle était satisfaite de la cuisine et du service. A chaque table, elle n'omit cependant pas d'ajouter avant de s'éloigner :

— Malheureusement, vous ne verrez pas ce soir danser ma fille!... Oui, on lui a fait une telle offre pour une tournée en Suisse que je n'ai pas pu m'opposer à son désir de se faire applaudir aussi à l'étranger... Mais rassurez-vous : elle nous reviendra bientôt, auréolée de ses nouveaux succès.

— Alors, charmante petite amie, comment se sent-on ce matin? demanda M. Rumeau en entrant dans la chambre de Siao. A-t-on bien dormi au moins?

— Très bien : ce n'est pas le bruit qui gêne ici!

— Vous verrez que cette cure de repos et d'oxygène,

grâce à cette fenêtre ouverte sur ce magnifique parc, vous fera un bien immense! Savez-vous que ce n'est pas tellement sain pour vos jeunes poumons de danser tous les soirs dans l'ambiance enfumée d'une *Lampe de Jade?*

— Ça ne peut pas me faire de mal puisque j'adore mon métier.

— Sage réponse! En effet, je suis prêt à croire comme vous que ce qui est mauvais pour la santé, et surtout pour le moral, c'est d'exercer une profession que l'on exècre!

— Vous aimez la vôtre?

— Pourquoi ne l'aimerais-je pas? Ne l'ai-je pas choisie? Vous pouvez constater vous-même que, malgré les ans, je suis en pleine forme! La journée d'hier n'a pas été trop longue?

— Non. J'ai lu et regardé la télévision. Hier soir ils ont passé un très bon film.

— Policier?

— Vous n'avez que ce mot-là à la bouche!

— C'est là une regrettable déformation due à mon métier...

— Il ne vous va pas, ce métier!... Non, c'était un film d'amour.

— L'amour! Plus vous vieillirez et plus vous vous apercevrez qu'il n'y a encore que cela qui compte dans la vie... Mme Agnès s'est-elle montrée plus sociable?

— Je ne sais pas ce que vous lui avez dit, mais elle a fait des progrès étonnants! Ne seriez-vous pas aussi un peu magicien?

— Cela m'arrive à mes heures... Voyez plutôt...

Il exhiba brusquement un paquet qu'il avait tenu, jusqu'alors, caché dans sa main gauche, derrière son dos :

— Je fais surgir pour vous un petit cadeau : ce sont des chocolats fourrés à la pistache. Aimez-vous la pistache?

— J'en raffole!

— Moi aussi, comme de tout ce qui vient d'Asie! Vous avez dû voir des pistachiers dans les environs de Hanoï?

— On ne me laissait pas souvent sortir de la ville...

— Eh bien, on a eu tort! Il faut laisser les enfants se familiariser avec les splendeurs et les douceurs de la nature... Connaissez-vous ces vers de votre pays qui me paraissent très bien vous convenir ce matin et qui disent :

Mon sommeil du printemps a oublié l'aurore.
Voici que les oiseaux chantent de toute part...

— Vous êtes un curieux homme, monsieur Rumeau!

— Je ne suis qu'un vieux mélange! Il doit y avoir un peu de tout en moi : l'aventurier, le bandit, le poète...

— Et le policier?

— Celui-là, je le déteste! Mais surtout ne répétez à personne une telle confidence... Je constate avec satisfaction que Mme Agnès a remplacé les roses d'hier par des glaïeuls aux teintes tendres... Elle a bien fait : ce matin les roses auraient déjà perdu leur éclat... Il existe un autre poème, chinois celui-là. Son auteur se nomme Lu Kneimeng. Il naquit au IXe siècle dans la province du Kiangsu et mena une telle vie errante qu'il se surnomma lui-même « le vagabond des lacs et des rivières »... Dans ce poème il exprime des regrets pour la mort des fleurs et je me fais une joie de vous le traduire puisque vous m'avez dit vous-même être allergique à la noble langue de Confucius. Écoutez plutôt :

Les humains espèrent vivre cent ans,
Les fleurs ne durent qu'un printemps.
Encore en un jour de vent et de pluie

Peuvent-elles retomber en poussière!
Si les fleurs savent s'en affliger,
Leur chagrin dépasse celui des hommes...

— Vous parlez bien le chinois?

— Je me débrouille... peut-être parce que c'est une langue pour laquelle j'ai la même passion que vous pour la danse?

— Monsieur Rumeau, vous vous souvenez de la promesse que vous m'avez faite hier avant de vous en aller?

— J'ai bien peur d'en avoir fait beaucoup!

— Mais celle-ci en particulier : vous m'avez juré que vous me parleriez de mon père.

— C'est vrai! Je suis prêt à tenir parole...

— Comment s'appelait-il?

Il eut une courte hésitation avant de répondre :

— Son nom de famille importe peu puisque vous ne pourrez jamais le porter... Sachez seulement que son prénom était Pierre.

Elle répéta lentement, dans une sorte de ferveur :

— Pierre...

Combien de temps resta-t-il auprès d'elle? Lui-même, en sortant de la maison de Marnes-la-Coquette, eût été bien incapable de le dire. La seule chose qu'il savait, c'était que l'amitié était maintenant scellée dans le souvenir du disparu.

Selon une autre promesse faite, un quart d'heure plus tard il appelait au téléphone « la vieille chouette » :

— Avez-vous suivi hier soir le conseil que je vous ai donné?

— A la lettre.

— Vous a-t-ON rappelé ce matin avant que je vous téléphone ?

— Non.

— Il est très possible que l'On ne vous donne pas signe de vie pendant quarante-huit heures. Il y a à cela deux raisons : ON doit se savoir doublement rassurée par la triple plainte pour violation de domicile, attentat sur la personne de M. Ki Ho et rapt d'enfant qui a été, en effet, déposée hier en bonne et due forme selon les conseils que vous aviez donnés. Et l'ON doit être très satisfaite de penser que vous m'avez rabattu le caquet! De toute façon, vous-même vous ne bougez pas jusqu'à demain soir et moi je continue à rester perdu dans la nature : je poursuis mes prétendues recherches... Demain, approximativement vers la même heure, si l'ON ne vous a pas appelé entre-temps, vous retéléphonerez au restaurant. Vous direz que je viens de vous faire savoir, sous le sceau du secret, qu'il y avait un rebondissement assez inattendu dans l'enquête... Que la police et moi-même — tenant compte de ce que vous nous aviez dit et renonçant enfin à croire que les ravisseurs appartenaient au monde jaune ou avaient agi, tout au moins, pour le compte de celui-ci — nous venions de nous lancer sur une tout autre piste qui semblait s'annoncer des plus sérieuses. Vous ajouterez que, pour le moment, vous ne pouvez pas en dire plus. C'est tout.

— Il sera fait, Grand Homme, selon vos désirs.

— Je ne désire qu'une chose : réussir! Je ne vous donnerai pas signe de vie avant après-demain matin. Entre-temps, je vais faire un saut, entre deux avions, à Nice pour rendre visite à une certaine personne et vérifier surtout que tout se passe bien là-bas.

— J'espère que vous m'enverrez au moins une carte postale ?

— Elle n'aurait pas le temps de vous parvenir avant mon retour... Un dernier point qui a son intérêt : j'ai donné des instructions pour que la surveillance exercée, aussi bien aux alentours du restaurant qu'avenue Kléber, soit beaucoup moins ostensible dès aujourd'hui. Ceci pour que l'ON acquière la conviction que votre très puissante intervention a porté immédiatement ses fruits. Il est très important que l'ON ne vous prenne ni pour un hâbleur ni pour un guignol.

— Je vous sais gré d'avoir à mon endroit d'aussi délicates attentions...

— Il faut que celui que l'ON continue à considérer comme le « seul » grand chef reste égal à sa réputation. Au revoir. A vendredi.

— Bon voyage, quand même !

Les quarante-huit heures passèrent sans qu'aucun nouvel appel à l'aide de l'agent 643 parvînt à « la vieille chouette ». Les prévisions de Serge Martin se réalisaient. Mais, par contre, à 22 h 15, comme l'avant-veille, la patronne de la *Lampe de Jade* était appelée au téléphone. De nouveau elle s'enferma dans la cabine pour écouter la voix du « vieil ami » :

— C'est encore moi. Je ne vous dérange pas trop ?

— Au contraire ! Je vous en prie, parlez !

Ceci avait été dit avec une certaine impatience mêlée d'inquiétude, qui ne fut pas sans échapper à l'interlocuteur.

— Voilà : il y a du nouveau... On m'a écouté et on a pratiquement abandonné une piste qui ne menait nulle part, comme nous le savons, vous et moi... Et il paraîtrait... Si je vous parle au conditionnel, c'est parce que mes renseignements sont encore assez vagues et que l'on n'a pas voulu tout me dire... Il paraîtrait que l'on serait depuis quelques heures sur une nouvelle piste, d'apparence très sérieuse, qui n'aurait absolument aucun rapport avec la précédente et qui nécessite une orientation toute différente des recherches.

— Des gangsters ?

— Presque, m'a-t-on laissé entendre.

— Je n'ai pourtant reçu aucune demande de rançon, soit directe, soit par lettre anonyme ! Mais si cela était, dites bien à ceux qui cherchent que je suis prête à payer n'importe quel prix !

Il y eut comme des sanglots dans la voix, d'habitude si douce et si calme, qui continua, hachée :

— Vous comprenez... Je commence à être vraiment affolée !... Ce serait épouvantable s'il arrivait quelque chose de grave à ma petite Siao... C'est mon unique enfant, colonel ! Elle est tout pour moi : je n'ai qu'elle au monde !

— Je sais, bonne amie, mais je vous en prie : calmez-vous ! N'oubliez pas que vous êtes en ce moment dans votre restaurant et qu'on peut vous entendre.

— C'est plus fort que moi... Je n'en puis plus ! Ça fait déjà trois jours et trois nuits que ça dure...

— Je comprends que, pour une maman, ce soit là un supplice intolérable, mais il faut pourtant tenir ! Allons ! Reprenez le dessus : je suis mieux placé que personne, moi votre patron qui vous estime, pour savoir de quelle force de caractère et de quel courage vous êtes capable quand il le faut... Je ne saurais admettre que l'un des meilleurs agents de mon service perde son sang-froid !

Promettez-moi de continuer à vous montrer raisonnable et patiente.

— Je vais essayer...

— Dès que je pourrai vous donner plus de précisions, je le ferai. Si je ne vous téléphonais pas, ce serait signe que je ne sais rien de plus. Et continuez à diriger votre restaurant avec toute cette dignité qui n'est pas le moindre de vos charmes... A propos, comment va M. Ki Ho ?

— Beaucoup mieux. Il pense pouvoir reprendre sa place à mes côtés lundi prochain.

— Mais sa natte ?

— Il va en commander une, postiche.

— En attendant que ses vrais cheveux repoussent ?

— A son âge, il n'y a aucune chance !... Vous croyez que des gangsters auraient vraiment pu lui couper sa natte ?

— C'est possible parce que c'est là un geste de voyous. A bientôt.

Quand elle quitta la *Lampe de Jade,* ce soir-là, vers minuit, pour monter dans le radio-taxi qui la ramenait à son domicile privé, « la patronne » put constater que les silhouettes entrevues ces dernières nuits, dans la pénombre des portes cochères, avaient disparu. Il en fut de même devant l'immeuble de l'avenue Kléber. Cela prouvait que le colonel avait effectivement agi et que ses pouvoirs étaient considérables. Si elle avait connu les classiques français, sans doute Mme Phu aurait-elle pu se réciter l'alexandrin célèbre :

L'amitié d'un grand homme est un bienfait des dieux.

Mais, comme elle ignorait les beautés d'une littérature

aussi occidentale, elle attribua le bienfait à l'influence de Bouddha, son père spirituel, devant lequel elle s'était déjà prosternée pendant des heures depuis que ses ennuis parisiens avaient commencé. Ce soir encore, dès qu'elle eut réintégré son appartement, elle se dirigea vers le boudoir transformé en temple privé et où les *jossticks* continuaient à répandre le parfum d'encens qui élimine les mauvais esprits...

La première question que posa Siao à son « nouvel ami », lorsqu'elle le revit pour la troisième fois dans sa chambre, fut faite sur un ton de reproche :

— Pourquoi n'êtes-vous pas venu me rendre visite hier ? Je vous ai attendu toute la journée !

— J'ai été mis dans l'obligation absolue de m'absenter de ces régions.

— Ces régions ? Mais où sommes-nous donc ?

— Je vous l'ai déjà dit : en France...

— Loin de Paris ?

— Pas tellement... Paris vous manque donc à ce point ?

— J'adore Paris !

— Vous n'allez tout de même pas me faire croire que vous avez la conviction d'en être tellement éloignée ? Et même si vous l'aviez eue pendant les premières heures passées ici, l'émission quotidienne de télévision régionale qui passe à 19 h 15 vous a déjà révélé que vous étiez au moins dans l'Ile-de-France.

— C'est vrai.

— Alors, pourquoi me poser de nouveau une question à laquelle je ne répondrai jamais ?

— Et moi qui vous considérais comme un ami !

— Je le suis ! Malheureusement l'exercice même de mon métier m'oblige, petite fille, à me montrer prudent avec tout le monde! Ce qui ne m'empêche pas de vous trouver follement sympathique! D'ailleurs, pendant cette absence, j'ai travaillé pour vous...

— Pour moi seule?

— Mais oui! J'ai rendu visite à quelqu'un qui vous a déjà applaudie une fois et que vous avez sans doute aperçue ce soir-là, mais qui ignorait, comme vous d'ailleurs, que vous étiez sa parente...

— Qui cela?

— ... Quelqu'un que vous aimerez sûrement un jour : votre grand-mère paternelle...

— Quoi?

— La maman de mon ami Pierre... C'est cette vieille dame charmante qui m'accompagnait la deuxième fois où je suis venu à la *Lampe de Jade*.

— Mais ma mère m'a dit que c'était votre sœur.

— Elle a dit cela, tout en n'en pensant pas un mot! Ce qui ne signifie pas qu'elle se soit doutée ce soir-là que mon invitée était la propre mère de celui auquel elle a donné un enfant... Si elle l'avait réalisé, alors, nous ne serions certainement pas, vous et moi, en train de converser ici!

— Pourquoi?

— Mme Phu vous aurait cachée sans perdre une seconde!

— La vieille femme est donc terrible?

— Qui sait? Elle aussi a été mère... Mais une mère frustrée : ce qui permet de tout redouter! Je ne pense pas cependant que lorsqu'elle apprendra la vérité sur votre naissance, elle se montre très différente de la plupart des grand-mères : c'est-à-dire bonne et indulgente... N'êtes-vous pas son unique petite-fille?

— Comment s'appelle-t-elle?

— Toujours curieuse? Sachez pour le moment qu'elle se prénomme Marguerite.
— Qu'est-ce qu'elle fait?
— La seule chose que puissent faire les personnes de son âge : elle vit retirée, très retirée même, dans le souvenir du fils disparu.
— Elle est à Paris?
— Pas actuellement... Quelle impression vous a-t-elle faite quand vous l'avez vue?
— Aucune, car je n'ai fait que l'entrevoir à la fin de mon numéro. Et comme je ne lui ai pas été présentée par ma mère.
— C'est à moi seul qu'incombera cette mission délicate... Ne sera-ce pas normal puisque je serai le premier à vous avoir dit qu'elle existait? Apprenez aussi que, sans se douter le moins du monde que vous étiez sa petite-fille, elle vous a trouvée délicieuse... Vous lui avez fait une bien meilleure impression que votre mère! Peut-être est-ce la voix du sang qui a parlé secrètement en elle?
Il y eut un temps de silence. Puis elle dit :
— Sincèrement, vous êtes un personnage stupéfiant, monsieur Rumeau! Auriez-vous l'intention de me révéler ainsi, à chacune de vos visites, l'existence d'un nouveau membre de ma famille?
— Cela me serait impossible! Cette vieille dame est l'unique survivante de votre famille paternelle : son mari est mort alors que votre père n'était encore qu'un enfant.
— En somme, ce fut exactement comme pour moi?
— Pas tout à fait : votre grand-mère a été mariée devant Dieu alors que votre mère ne le fut que devant Bouddha... et encore est-elle la seule à l'avoir cru! Pas votre père!
— Quelle différence y a-t-il?

— Infime! Malheureusement les Occidentaux commettent l'erreur de lui attacher une grande importance...

Elle le regarda sans paraître comprendre avant de demander :

— Quel genre de femme est cette grand-mère?

— C'est vrai que vous l'avez mal vue dans la demi-obscurité de la *Lampe de Jade*... Aimeriez-vous que je vous la décrive?

— Oh oui!

— Eh bien... Elle a des cheveux tout gris encadrant un visage qui peut se montrer assez changeant : il passe de la tristesse à l'enthousiasme avec une rapidité déconcertante!... Elle n'est pas très grande, mais elle se tient droite, ne perdant pas un pouce de sa taille... Disons que c'est une dame qui a beaucoup d'allure...

— Allô? Le colonel?

— Oui, Rumeau. Alors ce voyage?

— Je suis rentré cette nuit par le dernier avion. Si je ne vous ai pas appelé plus tôt, c'est uniquement parce que je voulais avoir ce matin une nouvelle petite conversation à Marnes-la-Coquette.

— Encore? Mon bon ami, si l'on m'apprenait bientôt que vous êtes tombé amoureux de la très jeune personne, cela ne me surprendrait qu'à moitié!

— C'est amusant ce que vous dites : je me demande, en effet, si la fille de notre cher ami disparu ne me plaît pas infiniment...

— Attention, Rumeau! Ce serait là chez vous le commencement de la sénilité!... Mais procédons par ordre : parlons de la Côte d'Azur!

— Temps idéal, accueil exquis! La veuve et moi, nous avons passé plusieurs heures ensemble.

— Qu'est-ce que vous avez bien pu vous raconter?

— Cela a commencé par un grand déjeuner pris en tête à tête dans l'appartement réservé, qui est très gai... Cuisine de tout premier ordre! Le Dr Mariel est à féliciter sur ce point... Ensuite promenade idyllique dans le parc fleuri qui est un vrai paradis... Nous y sommes restés, assis dans d'excellents rocking-chairs, jusqu'à la tombée de la nuit. Ce n'est qu'après le dîner que nous nous sommes séparés sur une promesse de ma part de revenir bientôt.

— Pas trop dépaysée, la veuve?

— Pas le moins du monde! Elle semble même avoir complètement oublié son appartement parisien dont elle ne m'a que très peu parlé : j'ai cependant pris soin de lui dire que tout y était en place... Par contre, elle m'a demandé avec intérêt des nouvelles de votre grippe.

— Ma grippe?

— Voyons : souvenez-vous... Celle qui vous a empêché de nous accompagner le soir du départ à la gare de Lyon!

— C'est vrai! Et vous, qu'est-ce que vous avez dit?

— Comme j'ai senti le terrain propice, je suis revenu sur l'histoire tellement touchante de « Mme Butterfly »... Ce cher grand Loti ne pourra jamais savoir à quel point il m'a rendu service en inventant un tel roman d'amour!... Et j'ai laissé entendre qu'il n'était pas impossible, après tout, que le fils tant regretté n'ait pas procréé là-bas et laissé un descendant direct. Contrairement à la première fois où je m'étais risqué imprudemment, rue Vaneau, dans une pareille hypothèse, il n'y a pas eu de réaction vive... On s'est bornée à chocher la tête en signe de doute... Vous savez comme moi qu'entre le moment où le doute pénètre dans une âme et celui où se fait jour la vérité, il n'y a qu'un tout petit pas, vite franchi! Et comptez sur moi pour que « nous » le franchissions quand il sera temps!

— J'espère que vous n'avez pas été trop loin dans vos révélations? A l'âge de votre auditrice, et vu surtout son état de santé mental, ce pourrait être fatal!

— Je n'ai absolument pas dit que cet « enfant du miracle » se trouvait déjà en France et qu'il n'était autre que cette jolie petite danseuse que l'on avait trouvée tellement exquise à la *Lampe de Jade!* Je me suis limité à lancer une fois encore et uniquement « l'idée » de l'enfant possible : elle va cheminer doucement dans le vieux cerveau qui finira peut-être par s'attendrir sous la douceur du climat et dans les senteurs du parc fleuri?

— Je vous le redis une fois pour toutes : vous êtes un démon!

— Merci pour ce compliment.

— Et ce matin, que s'est-il passé avec la petite-fille?

— Ce qui devait logiquement arriver... Puisque j'avais eu la chance de pouvoir rendre visite hier à sa grand-mère, je lui ai parlé de cette dernière...

— Ah, ça, vous êtes complètement fou?

— Cette épithète-là, je ne l'aime pas!... Réfléchissez, cher patron : la jeune personne sait déjà, depuis que nous l'avons mise en cage, que son père était non seulement un Français des plus honorables, mais aussi qu'il ne l'avait jamais connue. Elle en a certainement déduit que si un tel homme avait connu son existence, il ne l'aurait sûrement pas abandonnée! Pour un enfant, c'est là un premier point essentiel. Ce père, je le lui ai décrit, au cours de la seconde visite que je lui ai faite, avec le maximum de vérité : tel qu'il fut réellement et non pas tel qu'elle aurait pu l'imaginer au travers d'une affabulation asiatique venant de sa mère... Et croyez bien que, pour faire revivre ainsi notre ami commun, j'ai mis le même cœur que vous auriez eu si vous aviez été dans l'obligation de le faire à ma place!

» Ce matin, Siao a appris qu'elle avait aussi une grand-mère française encore vivante... Il n'y a pas le moindre risque pour nous d'avoir fait ces deux révélations à la jeune fille puisqu'elle ne pourra pas revoir sa mère avant que cette dernière n'ait enfin « craché le morceau » en me livrant tous les noms et renseignements dont j'ai besoin pour terminer au mieux la mission que vous avez bien voulu me confier. Siao ne sera rendue à Mme Phu qu'en échange des aveux complets de celle-ci. Nous sommes bien d'accord?

— Nous sommes d'accord.

— Dès que la Vipère, ayant craché son venin, sera devenue inoffensive pour nous, il sera de notre devoir, à vous et à moi — et ceci en souvenir de l'amitié qui nous a liés à Pierre Burtin — de tenter une double opération : rapprocher Siao de la veuve Burtin pour donner à la première une grand-mère et à la seconde une petite-fille... J'ai tout lieu de craindre, en effet, qu'après nous avoir fait ses aveux, Mme Phu ne soit dans l'obligation immédiate de se cacher et peut-être même de disparaître complètement avec son père et complice, le vieux Ki Ho, pour échapper aux redoutables représailles de ses « patrons jaunes »! Au moment de cette fuite, il sera sans doute très difficile pour les deux proscrits d'emmener avec eux l'innocente Siao. Celle-ci se retrouvera donc complètement seule et abandonnée à elle-même. Il lui faudra alors un nouveau foyer où elle rencontrera enfin la véritable affection qui lui a souvent manqué. Et celui-ci n'existe-t-il pas chez sa grand-mère paternelle?

» Ne sommes-nous pas également en droit d'espérer

que, de son côté, Mme Burtin retrouvera, au contact de la gentille Siao, une raison et surtout une joie de vivre ? Et qui sait ? Un tel changement d'existence, chez celle qui fut si longtemps seule, contribuera peut-être à faire disparaître cette crise de folie qui l'empoigne chaque année à une époque bien déterminée ? La fille du disparu le remplacera pour atténuer le chagrin...

— Tout à l'heure je vous ai traité de démon... J'apporte une petite rectification : à certains moments, mon vieux, vous me donnez l'impression de n'être qu'un bon diable...

— J'ai horreur des diminutifs, chère vieille chouette !

— Ce projet généreux me paraît, comme à vous, souhaitable pour l'avenir... Seulement il y a le présent qui nous talonne : que faisons-nous maintenant de la génération intermédiaire de la famille, c'est-à-dire de la mère ?

— Nous ne bougeons plus pendant un bon bout de temps : il est indispensable qu'elle s'enfonce dans le désespoir d'être privée de sa fille et qu'elle soit rongée d'inquiétude. Quand elle ne pourra vraiment plus supporter un pareil état de fait, elle s'écroulera psychiquement et se montrera prête à tout avouer si elle acquiert la certitude que l'on va lui rendre Siao : comme par hasard, je surgirai à ce « moment psychologique » pour le dernier round... C'est pourquoi le chantage doit se prolonger et aller jusqu'à l'extrême limite des forces de la volonté. Si nous n'agissons pas ainsi, elle ne cédera pas et toute la manœuvre aura été inutile ! Je la connais bien, cette chère amie ! C'est une dure !

— Pratiquement, je ne lui téléphone plus pour le moment ?

— Pour le moment et, même s'il le faut, pendant des semaines...

— Mais elle va m'appeler!

— J'y compte bien! Ça prouvera que le désarroi s'intensifie... A chaque fois vous lui répondrez que la police et moi nous sommes toujours sur la fameuse piste, qui est sûrement la bonne, mais que nous n'avons pas encore abouti... Vous la bombarderez aussi d'exhortations à la patience et de ces paroles de « consolation amicale » dont vous avez le secret.

— Et vous?

— Sachant que vous vous occupez d'elle, je ne lui donnerai pas signe de vie : elle ne me reverra qu'à l'heure H. des aveux... Par contre, je vais continuer à améliorer mes relations avec la prisonnière et, de temps en temps, je ferai de rapides apparitions à Nice pour enfoncer et attiser dans le cerveau de la veuve l'idée de cet enfant inconnu qui a peut-être grandi là-bas et qui, à défaut d'un père décédé, souhaiterait sans doute retrouver une grand-mère... Je crois qu'ainsi nos tâches respectives sont bien réparties. Quand nous sentirons, vous et moi, que le moment est enfin venu de lâcher l'atout maître — la révélation à votre belle confidente du nom de l'instigatrice du kidnapping — nous déciderons lequel de nous deux devra lui parler. Mais, dès maintenant, j'ai l'impression que ce sera vous.

— Pourquoi?

— Parce que j'ai, depuis quelques jours déjà, une petite idée derrière la tête sur le « lieu géographique » où je dois tout lui arracher!

— Ce qui est assez étrange, c'est que tous les rapports de surveillance qui me parviennent semblent prouver que, depuis que vous avez fait votre première visite à la *Lampe de Jade,* ON a mené une vie exemplaire, presque une existence monacale.

— C'est normal : ne suis-je pas une sorte d'archange dont la seule venue annonce que les foudres célestes vont se déchaîner si l'ON ne se repent pas ?

— Sans médire de vos possibilités qui sont grandes, je doute que votre seule apparition ait été suffisante pour déclencher un revirement aussi subit ! Car il semblerait bien que l'ON n'ait eu aucun contact extérieur, même téléphonique, et que l'ON se soit confinée dans le seul va-et-vient entre l'appartement de l'avenue Kléber et le restaurant.

— Et tout le personnel jaune de la *Lampe de Jade,* vous croyez qu'il ne peut pas être utilisé pour prévenir ou informer les amis ?

— Il est surveillé avec la même minutie !

— Et le bon papa Ki Ho ?

— Il n'a pas bougé de l'appartement depuis ses mésaventures nocturnes et il n'a donné qu'un coup de téléphone assez anodin à l'un de ses amis mardi dernier à 15 heures.

— En quelle langue a-t-il parlé avec cet ami ?

— En chinois...

— Voilà qui m'intéresse... La conversation a été enregistrée sur la table d'écoute ?

— Bien sûr !

— Vous l'avez en ce moment, chez vous, sous les yeux ?

— J'en ai la traduction française...

— Soyez gentil de me la lire.

— Attendez... Je mets mes lunettes... Car à moi, il m'en faut, des vraies !... Voilà... C'est assez court...

— Ce n'est pas toujours dans les conversations les plus longues que l'on dit le plus de choses passionnantes, et surtout en chinois ! Je vous écoute...

— C'EST TOI TCHANG SEN?

— C'est le nom de l'ami? Après vérification du numéro appelé, je pense que l'on a pu identifier son adresse?

— Oui, c'est celle d'un pédicure.

— Parbleu! Où voulez-vous que l'on trouve des Chinois à Paris ailleurs que dans les restaurants et chez les pédicures! Où opère-t-il, cet artiste?

— Il tient boutique au fond d'une cour, rue Champollion.

— C'est le quartier et ce n'est pas plus éloigné du Panthéon que la *Lampe de Jade*... La première question du dialogue téléphonique a évidemment été posée par M. Ki Ho... Quelle a été la réponse?

— La voici : J'ATTENDAIS DE TES NOUVELLES, KI HO.

— Ensuite?

— ELLES NE SONT PAS BONNES, TCHANG SEN... ON M'A COUPÉ MA NATTE.

— Réponse du pédicure?

— QUI T'A FAIT CELA, PAUVRE KI HO?

— Réponse de Ki Ho?

— JE NE SAIS PAS. PEUX-TU M'EN TROUVER UNE TOUTE FAITE QUE JE COLLERAI SUR MON CRANE?

— Réponse de Tchang Sen?

— OUI, MAIS IL FAUT TROIS JOURS.

— Ça ne m'étonne pas! Ça ne se trouve pas partout, un pareil attribut! Continuez...

— C'est Ki Ho qui parle : TU LA DONNERAS A LI, QUI L'APPORTERA A MME PHU.

— Qui est ce Li?

— L'homme qui fait l'excellente cuisine que vous avez

déjà eu le plaisir, mon cher Rumeau, de savourer à la *Lampe de Jade*.

— Décidément, ami, il faut se méfier des cuisiniers chinois, qu'ils soient — comme ce fut mon cas — dans une cantine populaire à Shanghaï ou dans un restaurant de haut luxe à Paris! Continuez, je vous en prie...

— Réponse du pédicure : CE SERA FAIT, KI HO.

— Ils sont universels, ces pédicures chinois! Ils savent même faire repousser les cheveux... Ensuite?

— Alors là, mon cher, vous le croirez ou pas, mais M. Ki Ho a débité un poème d'une seule traite à son correspondant... Quand on m'a apporté le texte traduit de cet enregistrement j'ai cru que c'était une farce du traducteur et j'ai appelé le service d'écoute pour demander si l'on se fichait de moi... Eh bien, pas du tout! Ki Ho a effectivement dit un poème!

— Cher patron, aucune nouvelle ne pouvait me faire un plus grand plaisir! C'est de loin la meilleure, et la plus importante, que vous me transmettiez depuis que nous sommes condamnés tous les deux à ne correspondre qu'au bout du fil!... Un poème! Je vous avais dit qu'il y avait une histoire de poèmes qui m'intriguait... Puis-je écouter ce chef-d'œuvre déclamé par votre agréable voix?

— Qu'est-ce que vous ne me ferez pas faire! Allons-y...

ENTRE TOUTES LES FLEURS, LE CHRYSANTHÈME EST SOLITAIRE

SEULE LUI CONVIENT L'AMITIÉ DES SAGES.

— Pardonnez-moi de vous interrompre, colonel, mais je crois que je suis capable de continuer... Et soyez gentil de m'écouter déclamer à mon tour :

PAR MALHEUR SON BEAU NOM EST CONNU DES GENS VULGAIRES

QUI BRISENT LES BARRIÈRES DE L'EST...

— Ne sont-ce pas les deux derniers vers que vous aviez l'intention de me lire? Avouez que je vous ai coupé votre effet?

— J'avoue! Mais comment, diable, pouvez-vous connaître ce poème?

— Je l'ai déjà entendu rue Cambacérès, dans un bureau de la D.S.T. : c'était notre tendre amie qui le récitait à ce cher M. Ki Ho... Ça ne vous dit rien?

— Cela ne me dit pas grand-chose, mais ça me laisse tout supposer!

— Et voilà! Le pédicure a-t-il répondu, lui aussi, en récitant un poème?

— Non. La conversation téléphonique s'est arrêtée là.

— Parbleu! Le message destiné aux « patrons jaunes » était transmis... Ne nous étonnons plus si Mme Phu et son vénéré père restent désormais tranquilles...

— Qu'est-ce qu'ils ont bien pu faire savoir grâce à ces quatre vers?

— Une foule de choses et principalement une, capitale, qui doit se résumer à peu près à ceci : « SOMMES ÉTROITEMENT SURVEILLÉS... NOUS NE POUVONS PLUS RIEN FAIRE POUR VOUS EN CE MOMENT. » C'est pour cela que personne ne bouge en face! J'espère que le sieur Tchang Sen a été placé, par vos soins, sous filature?

— C'est fait.

— Ne le lâchez plus et nous arriverons au bout du réseau en remontant toute la filière... Ce sera sans doute beaucoup plus long que si l'agent 643 se décidait enfin à parler! Mais, de toute façon, ce sera pour nous un moyen de contrôler la véracité de ses aveux futurs... Je vais mettre à profit les jours à venir, pendant lesquels je ne paraîtrai plus, pour essayer de trouver la clef du code employé par ces malins... Pour cela il faut d'abord que je repense en chinois les quatre vers que je connais maintenant par cœur : la traduction française ne peut pas nous apporter cette clef... A ce propos, vous pourrez féliciter le traducteur de cette conversation : il connaît son métier.

— Mais vous n'êtes pas le seul, mon cher, à parler et à comprendre correctement le chinois !

— Il y a huit cents millions d'êtres qui le parlent en Chine mais chez nous, ils sont beaucoup plus rares... Malgré notre inactivité apparente, nous restons en liaison... A bientôt, j'espère !

Une semaine, puis deux, puis trois, puis quatre passèrent. Au premier mois d'« attente » s'en ajoutèrent un second, et un troisième. L'été était venu et, avec lui, l'arrivée des étrangers qui remplacèrent — dans les lieux de distraction et dans les restaurants — les Parisiens partis en vacances. La *Lampe de Jade* ne faillit pas à ce renouvellement de clientèle : d'ailleurs la règle, instituée par son fondateur M. Ki Ho depuis le premier jour d'ouverture, était de ne jamais pratiquer de relâche annuelle risquant de faire perdre aux habitués le chemin de la maison. Le repos hebdomadaire du dimanche y était le seul admis. Chaque soir de semaine, la patronne, conservant son sourire, avait trôné derrière le comptoir où le bossu à natte avait également recommencé à se pencher sur « la main courante ». La natte, faite de vrais cheveux trouvés par les soins du pédicure-ami, était collée sur son crâne dénudé. Qui aurait pu se douter, parmi les clients, qu'elle n'était plus authentique ? L'important était qu'il y en eût une pour ajouter une note de pittoresque à l'exotisme organisé de la maison. La seule personne qui avait disparu de l'établissement était la danseuse, et aucune autre artiste ne l'avait remplacée. Sans doute avait-elle prolongé sa tournée triomphale à l'étranger? Et pourquoi faire des frais supplémentaires puisque, avec ou sans « attraction », les recettes étaient les mêmes? Ne refusait-on pas toujours du monde?

Pendant ce temps Siao était à Marnes-la-Coquette, continuant à recevoir régulièrement la visite de son vieil ami M. Rumeau dont la bonne humeur, le sourire et les petites attentions — allant des fleurs renouvelées chaque matin aux boîtes de friandises — contribuaient à lui maintenir le moral. Et quand celui-ci commençait à fléchir, le visiteur n'hésitait pas à raconter les prodigieux exploits réalisés au profit de la France, en Extrême-Orient, par le glorieux disparu. Peu à peu, mais sûrement, Pierre Burtin avait pris, dans l'esprit et dans le cœur de la jeune fille, la physionomie d'un héros de légende. Sa mère au contraire — et cela, sans que Patrice Rumeau l'eût le moins du monde discréditée aux yeux de son enfant — devenait, dans le secret de l'âme juvénile, l'une de ces créatures très belles qui, après avoir donné la vie, préfèrent s'occuper de leur propre réussite et qui, pour atteindre ce but, ne craignent pas de fréquenter des personnages assez inquiétants. N'était-ce pas là — M. Rumeau l'avait dit — le principal grief qu'avait contre elle la police française et qui avait nécessité aussi bien la longue enquête dont elle était l'objet que la mise « sous protection spéciale » de sa fille?

Quant à M. Ki Ho, on n'en parlait que rarement. Siao ne semblait avoir pour ce vieillard — retrouvé à Paris après qu'il eut abandonné tous les siens pendant dix-huit années — qu'une affection assez relative.

Ce respect qui s'éloignait de plus en plus de l'aïeul maternel, Siao commençait à le reporter sur cette grand-mère paternelle dont Patrice Rumeau continuait aussi à magnifier l'étonnante figure. Il était même allé jusqu'à laisser entendre que, lorsque tout serait rentré dans l'ordre et que Siao aurait retrouvé sa liberté, la première chose qu'il ferait serait de la conduire auprès de la vieille dame. A celle-ci, disait-il, il avait également révélé la vérité et elle attendait sa petite-fille avec une folle impatience pour pouvoir la serrer très fort sur son cœur et la garder auprès d'elle jusqu'à la fin de ses jours...

En disant cela, il n'avait pas tellement anticipé, ni même menti. Car, parallèlement aux visites faites à Siao, il s'était rendu chaque semaine à Nice pour achever, entre deux vols d'avion, de mettre dans la tête de la veuve Burtin que l'existence d'un enfant de Pierre, resté au Vietnam, était de plus en plus vraisemblable. Il avait même proposé un jour à la septuagénaire, à condition qu'elle voulût bien donner son consentement à un tel projet, de faire entreprendre des recherches par « des amis à lui, très sûrs, restés là-bas »... Ce « cher colonel Sicard », suivant en cela les conseils donnés par son subordonné, n'avait pas hésité non plus à écrire à la pensionnaire de la maison de repos ensoleillée. Ayant entendu vaguement parler, lui aussi, de cet enfant lointain, il s'affirmait tout prêt à s'associer à son ami Rumeau pour favoriser lesdites recherches et ceci d'autant plus que, si cet enfant existait réellement, il était sans doute orphelin, car sa mère, l'horrible femme détestée, avait complètement disparu... Un tel assaut de générosité avait réussi à ébranler très sérieusement les convictions de la veuve. Elle avait fini par donner carte blanche à ceux qu'elle considérait comme ses seuls confidents sur terre.

Le minutieux travail de sape — s'inspirant de la méthode, chère à Serge Martin, de « la goutte d'eau » —

contre ceux qu'il fallait écarter progressivement du cœur de Siao, avait alterné avec les efforts discrets de rapprochement, par la pensée, entre la grand-mère et la petite-fille. Tout cela avait été mené, depuis des mois, avec une incomparable maîtrise par celui dont l'extrême sensibilité n'avait jamais pu résister à la véritable détresse humaine.

Les deux seules choses que la veuve Burtin ignorait encore étaient, d'une part, que cet enfant de son sang était la jeune fille qu'elle avait applaudie un soir à Paris, où elle habitait déjà depuis deux années, et, d'autre part, que sa mère était cette patronne de la *Lampe de Jade* qu'elle avait si peu appréciée.

Ce que Siao, de son côté, ne devrait jamais savoir, c'est que son père avait été assassiné sur l'ordre de sa mère...

Pendant tout ce temps, la belle et orgueilleuse Mme Phu — qui n'était parvenue qu'à force de volonté à conserver son sourire de commande pour la clientèle de la *Lampe de Jade* — était passée de l'angoisse des premiers jours au désespoir né de l'attente interminable. Le mécanisme psychologique, inventé et voulu par Serge Martin, avait fonctionné avec une rigueur impitoyable. Quand elle revenait le soir chez elle, après la fermeture du restaurant, Mme Phu n'était plus qu'une loque qui se prosternait devant la statuette, au sourire tout de béatitude, de Bouddha. Mais elle avait beau l'implorer, il semblait se désintéresser totalement de « sa fille chérie » qui n'avait cependant jamais cessé de croire en sa bonté suprême et en sa toute-puissance. Sous l'effet du chagrin qui la minait, la beauté encore resplendissante de Ngô Thi Maï Khanh commençait à s'effriter et, chaque après-midi — avant de quitter son appartement pour se rendre au restaurant, où elle devait se montrer triomphante malgré tout — elle passait des heures à dissimuler, sous le maquillage, les traces des nuits d'insomnie et de larmes.

Elle savait très bien — le message poétique qu'elle avait fait transmettre par le double intermédiaire de Ki Ho et du pédicure à ses chefs occultes l'avait prouvé — que ce n'étaient pas ces derniers qui lui avaient ravi son enfant pour la contraindre à se taire si les Français l'interrogeaient. Elle était également persuadée maintenant que les responsables ne se trouvaient pas parmi les membres de cette police dont faisait partie son plus dangereux ennemi, ce Serge Martin pour lequel elle ne pouvait s'empêcher d'avoir quand même une certaine admiration : celle que l'on ne réserve qu'à un gigantesque adversaire... Le colonel Sicard, son « patron français » qui continuait à avoir une confiance aveugle en elle, ne pouvait pas lui avoir menti : dès qu'il était intervenu auprès de Serge Martin et de la police, le premier n'avait plus donné signe de vie et ceux qui avaient reçu la mission de la surveiller nuit et jour avaient disparu. Ce qui ne l'avait d'ailleurs pas empêchée de demeurer très prudente et de prendre la seule disposition de sauvegarde qui s'était imposée alors pour elle : prévenir ses chefs, pour qui elle avait continué à travailler dans le plus grand secret depuis des années, qu'ils ne devaient plus compter sur elle pendant quelque temps... Plus tard, quand la méfiance à son égard serait tombée, elle se remettrait au travail pour la plus grande gloire de son pays, la Chine. Car celle-ci — elle en était sûre : ses patrons de Pékin ne le lui avaient-ils pas promis ? — était la seule à pouvoir rétablir la puissance de Bouddha lorsque la grande Révolution finale aurait enfin imposé au monde entier l'hégémonie communiste.

Qui, alors, avait ravi Siao ? Les agents d'une puissance

autre que la France?... Il n'y avait aucune raison. Toute sa vie durant, elle avait œuvré contre un seul pays : celui qui avait contraint son amant à l'abandonner quinze années plus tôt. Quand elle avait fait tuer Burtin à Lao-Kaï, sa vengeance n'avait porté de tort à aucune autre nation. Peut-être même leur avait-elle rendu service en faisant disparaître un agent français d'autant plus dangereux qu'il avait un charme infini!

Qui pouvait bien lui en vouloir au point de s'en prendre au sentiment le plus intime, et certainement le plus sincère qui fût en elle : l'amour maternel? Car, contrairement à ce que pouvaient penser d'elle des Serge Martin, ou autres, elle aimait passionnément Siao... Un amour farouche qui venait de plus loin que la venue au monde de l'enfant, amour qui était né le jour où elle avait rencontré « l'amant » au *Grand Monde* de Cholon. Il n'avait fait ensuite que grandir pour se reporter entièrement sur l'enfant qu'elle portait déjà en elle après que Pierre l'eut abandonnée sans savoir d'ailleurs qu'elle était enceinte de ses œuvres. Elle aurait pu, certes, le lui faire savoir à Paris par un message qu'aurait transmis M. Ki Ho, mais elle ne l'avait pas voulu : son orgueil le lui avait interdit et elle avait conservé pendant des années pour elle seule son merveilleux secret. Malgré le reproche qu'il lui avait fait d'avoir agi ainsi, Serge Martin ne pouvait pas être l'instigateur du rapt : aussi monstrueux et machiavélique qu'il fût, il ne serait jamais allé jusque-là!

Il ne restait plus que l'hypothèse des gangsters... Mais, pendant les trois mois d'attente qui venaient de s'écouler, elle aurait dû recevoir une ou même plusieurs demandes de rançon, accompagnées de menaces sur la personne de Siao? Et rien n'était arrivé! Le silence complet... Et pourtant! Le colonel avait bien dit, quelques jours à peine après l'enlèvement, que la police et Serge Martin lui-même s'étaient lancés sur une piste de cet ordre qui paraissait être des plus sérieuses! Depuis, tous les jours, et même parfois deux fois par jour, Ngo Thi Maï Khanh avait téléphoné à son « patron français » en le suppliant de lui donner des nouvelles et en le harcelant de questions. Mais, chaque fois, la réponse, accompagnée d'exhortations au courage et à la patience, avait été la même : « *Ils cherchent, ils cherchent... Malheureusement ils n'ont encore aucune information précise... Je vous l'ai dit et redit : dès que je saurai quelque chose, je vous appellerai!* » Hélas, il ne l'avait jamais fait pendant ces trois mois : c'était toujours elle qui avait décroché l'appareil la première.

Ce que la pseudo-Mme Phu ne pouvait savoir, tout en le soupçonnant cependant, c'est que la surveillance — qui, apparemment, semblait s'être relâchée à son égard — n'avait fait en réalité que s'intensifier et se resserrer. Ce qui avait permis à ceux qui l'exerçaient et surtout à ceux qui l'avaient organisée de faire une double constatation. En premier lieu, la prisonnière virtuelle de l'appartement de l'avenue Kléber et de la *Lampe de Jade* n'avait plus transmis aucun message depuis son entretien poétique avec Ki Ho et il semblait qu'elle n'en eût pas reçu non plus. Deuxième constatation : il ne s'était plus rien passé dans les rues de Paris ou dans les autres villes de France depuis que la patronne du restaurant s'était sentie surveillée. Les émeutes, que l'on redoutait à l'occasion de la visite en France du président d'un État capitaliste, n'avaient pas eu lieu : le personnage illustre avait séjourné trois jours à Paris dans le calme le plus complet.

La déduction logique de cette double constatation était qu'en surveillant nuit et jour l'activité d'une Mme Phu, on avait presque sûrement paralysé l'un des rouages les plus importants du financement de la révolution permanente. N'ayant plus reçu leur paye, les émeutiers professionnels — chargés d'exciter et d'encadrer une jeunesse exaltée — n'avaient plus bougé. C'était donc que la patronne de la *Lampe de Jade* était bien l'une des grandes distributrices de la manne qui favorise et encourage tous les excès. Sur ce point précis, les renseignements transmis à « la vieille chouette », aussi bien par ses propres agents que par ceux de la D.S.T., s'étaient révélés exacts.

Une « vieille chouette » qui, après avoir tracé à Serge Martin la ligne générale du combat à mener, s'était ensuite volontairement effacée pour laisser agir le spécialiste ramené de toute urgence de Chine. Pendant la longue attente, qui ressemblait à une réelle inaction, la tâche la plus ardue et la plus ingrate du chef du S.R. avait été de calmer ceux dont il dépendait lui-même et auxquels il était tenu de rendre régulièrement des comptes sur les progrès de la délicate opération engagée. Les ordres s'étaient cependant succédé de plus en plus pressants et impératifs :

— Mais enfin, qu'est-ce que vous fichez, Sicard ? Oui ou non, allez-vous aboutir ? Même s'ils paraissent rester tranquilles depuis quelque temps, « les autres » continuent à agir... Peut-être même se sont-ils complètement réorganisés sur de nouvelles bases ! Il faut trouver à tout prix, et le plus vite possible, la tête de leur organisation pour la décapiter ! Et votre fameux adjoint, qu'est-ce qu'il fait ? C'était bien la peine de se donner autant de mal pour le faire revenir ici !

Et, un jour, un dernier ordre était arrivé, péremptoire :

— Si « l'affaire » n'est pas terminée d'ici à un mois, nous avons le regret de vous dire que vous serez mis d'office à la retraite, ainsi que tous ceux qui dépendent de vous.

La réponse de Sicard avait été :

— Ce sera la meilleure façon de ne plus jamais rien obtenir de l'agent 643 !

— Nous le placerons sous les ordres d'un autre « patron » qui, lui, arrivera bien à le faire parler !

— Cela m'étonnerait ! Le 643 n'a confiance qu'en moi et c'est pourquoi, tôt ou tard, avec la façon dont la machine a été mise en route, je suis certain de réussir.

— Nous voulons bien le croire, mais vous n'avez plus qu'un mois : pas un jour de plus !

« La vieille chouette » — qui de sa vie ne s'était jamais affolée et sur qui les menaces de limogeage ou de mise à la retraite, tant de fois entendues depuis des années, n'avaient que peu d'effet — prit quand même la peine, plus par routine que par conviction, d'appeler Serge Martin :

— Mon cher, on commence à ne plus être du tout content en haut lieu... On trouve que nous lambinons.

— Je voudrais bien les voir à notre place ! Je maintiens que nous avons pris la seule méthode qui soit capable de donner un résultat et ce n'est pas au moment où nous touchons au but que nous changerons ! Car j'ai l'impression que notre belle amie est maintenant « cuite à point »... N'est-ce pas aussi votre avis ?

— Elle n'en peut plus !

— Elle va donc s'effondrer ! Mais il faut que ce soit devant moi ! Ce serait très grave si, en désespoir de cause, elle allait se réfugier chez ses « patrons jaunes » et que ceux-ci la fissent disparaître à jamais pour être tranquilles... Nous serions bien empêtrés avec sa progéniture sur les bras !

— Selon votre généreux projet, nous n'aurions plus qu'à la confier à la veuve...

— Sans avoir obtenu de la disparue le moindre renseignement? Nous aurions bonne mine, tous les deux!... Tant pis, puisque les caïds le veulent absolument, nous allons tenter le grand coup : le dernier... S'il rate, c'est nous qui serons cuits! Voilà ce que vous allez faire...

Et il parla longuement avec son interlocuteur. Quand la communication prit fin, le plan de l'ultime manœuvre était arrêté.

Le soir même, à la *Lampe de Jade,* la patronne était appelée à 22 heures au téléphone :

— Il y a enfin du nouveau! dit la voix du colonel. La police connaît maintenant les auteurs de l'enlèvement... Et elle estime que la récupération de celle qui vous est chère n'est plus qu'une question de jours... Il m'est difficile de vous expliquer au bout du fil ce qui se passe... Bien que ce ne soit guère dans mes habitudes, ayant horreur de sortir la nuit, je vais aller vous rejoindre, mais pas au restaurant où il y a encore trop de monde... Je préfère que ce soit chez vous : nous y serons plus tranquilles. Pouvez-vous, pour une fois, partir plus tôt de la *Lampe de Jade* sans que cela gêne le service?

— Je peux venir tout de suite! M. Ki Ho restera pour me remplacer jusqu'à la fermeture qui ne pourra guère avoir lieu avant minuit. Nous avons, en effet, beaucoup de monde.

— Vos clients ne seront pas trop déçus?

— Cela m'est bien égal! Et je passerai par la porte de la cuisine pour qu'ils ne remarquent pas mon départ.

— C'est parfait. Je serai au plus tard dans une demi-heure avenue Kléber : je monterai directement... Quel étage ?

— C'est vrai que vous n'y êtes jamais venu !

— Il fallait une circonstance exceptionnelle : c'en est une !

— Je vous attendrai sur le palier du troisième.

— A tout de suite.

Mme Phu ouvrit la porte de l'ascenseur quand il s'arrêta à son étage; elle n'avait même pas pris le temps de se débarrasser de la longue robe blanche qu'elle avait pour principe de ne porter que dans le restaurant. Sans dire un mot, son visiteur entra dans l'appartement dont elle referma la porte. Contrairement à Serge Martin — qui avait longuement admiré le paravent chinois, décorant les murs du vestibule — sans daigner s'arrêter, le colonel Sicard la suivit jusque dans le boudoir, transformé en temple, où il se laissa tomber lourdement sur un pouf servant de siège en disant :

— C'est étonnant, cette décoration ! Ce Bouddha doré et toutes ces petites lumières font beaucoup d'effet... Mais, bon sang, comment pouvez-vous vivre dans un appartement qui pue à ce point l'encens ? Enfin, ça vous regarde...

— Puis-je vous offrir quelque chose ?

— Rien du tout ! Vous devez bien vous douter que si, à mon âge, j'ai conservé une pareille forme, c'est parce que je me suis toujours montré sobre ! Et nous n'avons pas de temps à perdre... Asseyez-vous sur cet autre pouf à côté de moi et écoutez-moi : la piste sur laquelle Serge Martin et toute sa clique de flics se sont lancés, il y a déjà trois mois — après avoir abandonné, sur mes conseils, celle des milieux jaunes qui ne les aurait menés qu'à une impasse ridicule — était la bonne... Seulement, sans vous donner de détails superflus, je puis vous garantir qu'ils ont eu du fil à retordre! Car il ne s'agit pas à proprement parler de gangsters désireux de réaliser une fructueuse opération : c'est pourquoi vous n'avez jamais reçu de demande de rançon... Aussi incroyable que cela va vous paraître, on a maintenant la preuve formelle que la véritable instigatrice du rapt est une femme...

— Qu'est-ce que vous dites?

— Oui... croyez bien que la surprise des enquêteurs, quand ils en ont eu la certitude, a été aussi grande que sera la vôtre! Serge Martin lui-même, qui vient de me téléphoner pour me l'annoncer avant que je vous appelle à mon tour, n'en revient pas... Il m'a même confié que jamais, au cours de sa carrière — qui a pourtant été mouvementée! — il n'a été trompé à ce point-là! Je vous le répète : c'est ahurissant!... Moi-même, pendant quelques minutes, j'ai eu peine à y croire et ce n'est qu'à la réflexion que je me suis rendu à l'évidence... Au fond, la grande erreur de Serge Martin — il l'a reconnu lui-même — est de ne pas y avoir songé plus tôt! Si cela avait été, toute cette histoire serait oubliée depuis belle lurette et surtout votre fille vous aurait été rendue!

— Siao! On a enfin de ses nouvelles?

— A part son enlèvement, il ne lui est rien arrivé de fâcheux... Elle est en parfaite santé : il ne suffira plus que d'une petite formalité pour que vous puissiez la revoir.

— Bouddha est grand! Je l'ai tellement prié!

— J'ignore si Bouddha est aussi grand que vous le croyez, mais je sais en tout cas que cette police, que nous détestons cordialement l'un et l'autre, n'est pas tellement maladroite. Même ce Serge Martin, pour lequel je continue à avoir le plus profond mépris, s'est révélé dans cette affaire une précieuse recrue, dont on a su utiliser au mieux les compétences... Vous savez, ma chère collaboratrice, combien je vous estime et à quel point j'ai confiance en vous ?

— Vous me l'avez prouvé pendant tout le drame que je viens de vivre. Je vous en ai une reconnaissance infinie !

— Je n'ai fait que mon devoir de patron : depuis que vous vous êtes ralliée à nous, vous avez su vous montrer loyale et certains des renseignements que vous m'avez apportés nous ont été fort utiles... J'ai vivement admiré aussi, ces derniers temps, le calme, la patience et la sérénité dont vous avez été capable... Ma chère Ngô Thi Maï Khanh, vous vous êtes révélée une grande bonne femme sous ce pseudonyme de Mme Phu que mes services vous ont imposé et c'est parce que j'ai pour vous cette confiance et cette admiration que j'ai pris la décision de vous dévoiler le nom de celle qui a cherché à vous faire tant de mal : un nom qui vous fera sursauter, comme moi, car vous le connaissez...

— Moi ? Qui est-ce ?

— Estimant que votre calvaire de mère a assez duré, je n'ai pas voulu attendre davantage avant de vous dire ce nom que Serge Martin ne m'a livré tout à l'heure que sous le sceau du secret le plus absolu... Aussi devrais-je le taire, même à votre égard ! Mais je ne peux pas ! En tant qu'ami, je n'en ai pas le droit ! Car, lorsque vous le connaîtrez, vous comprendrez enfin les raisons qui ont motivé un enlèvement aussi monstrueux. Tout s'éclaircira pour vous et vous retrouverez immédiatement le calme intérieur dont vous avez le plus grand besoin et qui vous a quittée depuis le départ de Siao... Et puis ce n'est qu'à ce prix que vous pourrez vous remettre « au travail » pour nous, qui avons besoin de vous plus que jamais ! Car vous reconnaîtrez que, pendant toute la douloureuse période que vous venez de vivre, je ne vous ai pas ennuyée et je vous ai laissé une paix royale ?

— C'est vrai. De cela aussi je vous sais gré... Alors ce nom ?

— Nous y arrivons, mais jurez-moi, devant Bouddha qui nous écoute, que lorsque vous le connaîtrez, vous vous montrerez aussi obéissante que pendant les semaines angoissantes qui viennent de s'écouler, que vous ne bougerez pas, que vous continuerez à diriger avec la même maîtrise votre restaurant et surtout que vous ne tenterez absolument rien contre celle qui s'est révélée votre ennemie personnelle ?

— Personnelle ?

— J'ai bien dit : personnelle ! Car cette affaire d'enlèvement n'a aucun rapport avec l'activité secrète que vous menez courageusement pour nous depuis deux ans.

— Je vous jure de continuer à vous obéir... Mais pourquoi toutes ces précautions ? Puisque la police connaît le nom de cette femme, je pense qu'elle ne va pas tarder à l'arrêter, si ce n'est déjà fait ?

— Vous avez mis le doigt sur la plaie : ça ne saurait tarder, mais ce n'est pas encore fait !

— Quel est l'empêchement ?

— Majeur ! D'abord cette femme est très honorablement connue : trop de précipitation de la part de la police lui permettrait de trouver des appuis immédiats et puissants.

— Mais enfin ! Elle a commis un kidnapping !

— Elle ne l'a pas perpétré elle-même... Elle est beaucoup trop fine pour cela ! Disons qu'elle l'a inspiré... et financé !

— Cela revient au même, non?

— Non. Car on n'a pas encore de preuve absolue... En deux mots la police a réussi, par le plus grand des hasards, à coffrer l'un des quatre hommes de main qui ont été payés pour exécuter le rapt... Souvenez-vous que, d'après la déclaration de M. Ki Ho, il y en eut trois, masqués, qui pénétrèrent dans l'appartement... Le quatrième, le chauffeur, attendait dans la rue Saint-Didier, au volant de la voiture prête à démarrer... C'est lui qui vient d'être appréhendé. Les trois autres courent toujours et c'est l'un d'eux qui a payé le chauffeur une fois que tout fut terminé. Comprenez-moi : il n'a pas été payé *directement* par la femme qu'il n'a jamais vue!

— Comment peut-il savoir alors qu'elle existe?

— Vous savez bien que la police a des méthodes assez efficaces pour faire parler les gens qui l'intéressent... Elle a pris son temps, mais elle a fini par apprendre, de la bouche même de ce « chauffeur », que ses compagnons avaient prononcé à trois reprises différentes devant lui un nom, un nom de femme, en pensant sans doute qu'il ne s'en souviendrait pas... Ils n'avaient pas compté sur « les arguments policiers » qui font se délier les langues les plus obstinément discrètes... Et le nom a été lâché!

— C'est?

— Vous le saurez... Mais dites-vous bien qu'actuellement cette femme ne se doute pas encore que l'on a réussi à arrêter l'un des exécutants. Comme votre fille est toujours en son pouvoir, elle n'hésiterait peut-être pas à la faire supprimer si elle savait que la police est sur le point de la découvrir. Et ce que vous voulez, ce que nous souhaitons tous, c'est que votre merveilleuse petite Siao vous revienne rapidement aussi radieuse que jamais!... Vous êtes assez femme, Ngô Thi Maï Khanh, pour savoir qu'il n'existe rien de pire que la vengeance d'une femme âgée à l'égard d'une autre, qui est encore jeune et belle... Et la seule vengeance que votre principale ennemie pouvait exercer contre vous était de vous ravir le bien auquel vous tenez le plus au monde : votre enfant!

— Mais pourquoi m'en veut-elle à ce point? Qu'est-ce que je lui ai fait? Je suis certaine de n'avoir porté tort à aucune femme.

— En êtes-vous bien sûre? Cherchez bien...

— Je vous assure que je ne vois pas...

— Même en remontant un peu dans le passé?

Et comme vraiment toute son attitude affolée prouvait qu'elle ne trouvait pas, il finit par dire :

— Puisqu'il en est ainsi, je pense que le moment est venu de vous dire qui est l'unique responsable de tout... C'est Mme Burtin, la mère de Pierre...

Les yeux en amande s'agrandirent démesurément, tandis que le visage revêtait une expression de stupeur horrifiée, qui n'était certainement pas feinte.

— Madame?... balbutia-t-elle. Ce n'est pas possible! Ce n'est pas vrai?

— C'est vrai.

La maîtresse jaune était tombée à genoux, cachant derrière ses mains ce visage qu'elle n'avait plus la force de conserver impassible, et hurlant d'une voix dont toute la douceur s'était évanouie pour laisser place à des cris gutturaux qui résonnèrent étrangement :

— C'est ignoble! Elle n'avait pas le droit de faire ça!

— Elle l'a quand même pris... Et entre nous, croyez-vous qu'il n'existe pas une raison à un tel acte de folie?

Prostrée, elle ne répondit pas.

Après l'avoir longuement contemplée, sans pitié et

presque avec mépris, il continua sur le même ton calme et détaché :

— Ne lui avez-vous pas pris son fils unique que vous avez fait assassiner ? N'est-ce pas là une certaine excuse pour une mère, qu'elle soit de France ou d'Asie ?

— Ce n'est pas moi qui ai tué Pierre !

Puis, découvrant de nouveau son visage où le rimmel des yeux coulait en rigoles ridicules sur le savant maquillage, le rendant rigoureusement grotesque, elle cria dans une sorte de défi :

— Tout cela est faux ! Cette vieille femme n'en aurait pas été capable !

— Mais si !... Elle ne vit même, depuis douze années, que grâce à cette vengeance qui l'habite et qu'elle a eu tout le temps de ruminer avant de la mettre enfin à exécution... Il n'y a qu'une mère pour avoir eu une telle patience ! C'est elle seule qui a fait enlever Siao par des mercenaires qu'elle a payés.

Une fois encore elle le regarda, égarée. Puis, après avoir détourné la tête, elle se traîna à genoux vers la statuette du dieu devant laquelle elle se prosterna en hoquetant :

— Je suis maudite ! Bouddha m'a abandonnée... Je ne suis plus sa fille chérie !

Pendant qu'elle lui tournait le dos, accroupie, le visage plaqué contre le sol, il dit, sans bouger de son siège :

— Vous êtes toujours l'enfant de Bouddha... Au lieu de l'insulter, vous feriez mieux de le remercier puisqu'il a continué, malgré tout le mal dont vous êtes responsable, à protéger Siao que vous retrouverez bientôt.

Elle avait relevé lentement la tête dans la direction de la statuette d'or qu'elle fixa, longuement, dans une extase retrouvée. Puis sa voix, redevenue humble et douce, murmura :

— Oui... Mon Père ne m'a pas abandonnée...

— Nous non plus! Je vous laisse... Mais jurez-moi encore, maintenant que vous savez, que vous continuerez à attendre que justice soit faite par nos soins et uniquement par eux.

Elle se retourna brusquement et, toujours à genoux, s'agrippant après lui qui était debout, elle demanda :

— Mais... Qu'est-ce qu'elle avait l'intention de faire à mon enfant si la police n'était pas parvenue à l'identifier?

Il répondit, toujours calme :

— A Siao, rien je pense, tant qu'elle ne se serait pas sue repérée... Sans doute a-t-elle encore actuellement l'intention de la garder pour elle seule : Siao n'est-elle pas l'enfant de son fils mort? Cette jeune présence n'est-elle pas pour elle la plus douce des compensations à la solitude que vous lui avez imposée? Elle doit estimer aussi que c'est à vous, à votre tour, de vous retrouver seule à jamais. Ce doit être cela, sa vengeance...

— Mais alors, elle habite avec elle?

— Pas encore. N'allez surtout pas vous imaginer qu'une femme — qui s'est montrée capable de préparer en secret et de faire réussir ce qui, à son âge, est une sorte d'exploit! — n'ait pas, elle aussi, une tête solide... La police est parfaitement renseignée sur ce point : Siao ne vit pas enfermée chez elle, mais loin de Paris, dans une demeure qu'elle a cru choisir introuvable mais qui est déjà surveillée... Elle, au contraire, a été assez subtile pour ne rien modifier à ses habitudes de vie et pour donner l'impression qu'elle continue à mener chez elle à Paris sa triste existence de veuve solitaire.

— Pourquoi ne l'arrête-t-on pas ?

— Avant que Siao ne nous soit rendue saine et sauve ? Si ceux qui surveillent discrètement — mais sans relâche — le repaire où elle l'a fait enfermer, faisaient la moindre tentative pour la libérer, la police a la quasi-certitude qu'immédiatement ceux que paie Mme Burtin, et qui lui sont tout dévoués, n'hésiteraient pas, selon les ordres, à faire disparaître pour toujours votre fille.

— Si tout ce que vous venez de dire est vrai, elle n'aurait aucun intérêt à agir ainsi : elle serait alors privée d'elle ?

— Pour toujours, c'est vrai ! Mais comment voulez-vous, au point où elle en est maintenant, qu'une veuve Burtin puisse accepter que l'on vous rende votre enfant ? L'esprit de vengeance, qui est ancré dans son cerveau exalté depuis tant d'années, lui a certainement déja fait comprendre qu'il n'était pas concevable que vous redeveniez heureuse alors qu'elle ne pourrait plus jamais l'être ! Vous semblez oublier qu'elle vous tient pour l'unique responsable de cette malédiction qui s'est abattue sur sa famille et qui a fait mourir son petits-fils. Son esprit, complètement égaré par le chagrin accumulé, ne saurait alors admettre que l'enfant de celle qu'elle n'a toujours considérée que comme une maîtresse passagère de son fils, continuât à vivre alors que celui de la femme légale est mort le jour de sa naissance ! C'est cela, Ngô Thi Maï Khanh, dont il faut bien vous pénétrer et qui explique tout le comportement de cette malheureuse...

— Cette criminelle ! Car son fils a vraiment été mon époux, selon la volonté de Bouddha, mon père, qui l'a fait venir, pour moi, d'au delà des mers... L'autre femme n'a pas compté ! La preuve, c'est que mon enfant à moi est toujours en vie !

— Souhaitons que cela dure! Si vous ne m'écoutez pas, nous pouvons nous attendre au pire...

— Je vous en supplie : ne dites pas cela! Ça porterait malheur à Siao!... Oui, je vous écouterai : j'attendrai... Mais sachez que je suis restée fidèle à Pierre, mon unique amour! Je l'ai attendu pendant près de trois années, tandis que l'autre, la Française, l'a quitté et s'est remariée. C'est pour cela qu'il est venu me rejoindre...

— Ça aussi, vous le saviez?

— Oui.,.

— Alors pourquoi l'avoir fait tuer à Lao-Kaï le jour même de son retour?

— Parce qu'il avait transgressé la loi de Bouddha : l'homme, choisi par lui pour protéger sa fille chérie pendant toute la durée de son passage sur terre, n'avait pas le droit de la trahir!

Il se détacha doucement d'elle encore agenouillée.

— Je crois, dit-il d'une voix lasse, qu'il existe en effet, au-dessus de tous les hommes, une puissance qui change d'apparence selon les pays mais qui est capable de leur imposer sa volonté... Je dois partir... M. Ki Ho va bientôt revenir du restaurant et vous tiendra compagnie en vous disant certainement que mon langage a été celui de la sagesse... Et attendant, continuez à prier votre Dieu pour qu'il nous vienne en aide... S'il y consent, tout ne sera plus qu'une question d'heures ou de quelques jours tout au plus! Et bientôt, j'en suis sûr, Siao éblouira de nouveau la clientèle de la *Lampe de Jade*...

Avenue Kléber, il marcha vite jusqu'à l'angle de la rue de Longchamp où l'attendait, feux éteints, une voiture de police. Il s'y engouffra en disant à l'un des hommes qui l'attendaient :

— Appelez-moi la rue Vaneau...

Le numéro fut formé sur le cadran du radio-téléphone.

— Rumeau?... C'est fait.

— Bien. Je suis paré...

— Vous êtes sûr qu'elle a l'adresse?

— Je vous répète qu'elle l'a toujours eue! Depuis l'époque où elle a fait porter ici par M. Ki Ho le premier message de menace... Seulement elle ne s'en servait pas, estimant que c'était inutile et qu'il valait mieux pour elle laisser la vieille mourir lentement de chagrin dans sa solitude... Vous verrez que, ce soir, elle la retrouvera, cette adresse!

— Je l'ai laissée effondrée, agenouillée devant Bouddha.

— Rassurez-vous : sa prière sera courte!

— Vous avez vraiment l'impression qu'elle va venir?

— La certitude! Décidément, vous ne connaîtrez jamais votre agent 643! Vous vous figurez qu'elle se croit vaincue? Elle ira jusqu'au bout, maintenant qu'elle a acquis la double conviction qu'elle n'était plus filée par la police et que Siao se trouvait actuellement dans une maison surveillée par nous... Elle est rassurée! Et qu'est-ce qu'elle risque? Après avoir tué la veuve, elle récupérera sa fille; car elle est persuadée qu'on la lui rendra...

— Pourtant, elle doit bien prévoir que la police porterait immédiatement ses soupçons sur elle?

— Et alors? On l'arrêterait et on serait obligé de la relâcher parce que « le travail » serait tellement bien fait, si la veuve était réellement ici, que l'on ne trouverait aucune preuve contre elle! Une fois de plus, elle s'en sortirait! Si vous croyez que ça la gênerait de tuer la mère après avoir fait supprimer le fils! Elle n'en est plus à un membre de la famille près! Seulement voilà : tout à l'heure la veuve ne sera pas là... C'est moi qui la remplacerai : pour une surprise, c'en sera une! Cette fois, mon cher, je l'aurai! Chacun son tour!

— Bonne chance!

— Ne dites pas ce mot! La chance n'existe ce soir que parce que vous et moi, nous l'avons favorisée... Rentrez tranquillement chez vous. Je vous appellerai quand ce sera liquidé.

Dès qu'il eut raccroché, Serge Martin rejoignit le salon où il s'installa dans la bergère, siège de prédilection de la veuve Burtin, après avoir pris la précaution de tout éteindre. Il était indispensable que celle dont il espérait la visite fût persuadée que l'occupante des lieux dormait du sommeil des justes. La fenêtre, située à proximité de la bergère et donnant sur la rue, était entrouverte, mais les persiennes restaient fermées.

Au cours de sa longue carrière, l'homme avait acquis assez de connaissance des bruits de la nuit pour savoir que les jalousies lui suffiraient pour percevoir le moindre son venant d'en bas et même le pas le plus discret se rapprochant de la maison. Il avait pris des dispositions auxquelles il avait eu tout le temps de penser depuis qu'il habitait là... Il savait que, pour réussir au moment crucial, il faut connaître, à l'avance et à fond, la topographie des lieux où l'on doit opérer. Par exemple, ayant soigneusement repéré les habitudes des habitants de l'immeuble, il n'ignorait pas que personne n'y entrait et n'en ressortait entre minuit et 6 heures. Et, avant de recevoir l'appel de « la vieille chouette », il était descendu pour débrancher le système de verrouillage électrique de la porte d'entrée, commandé de chaque appartement. Ainsi, il suffisait d'appuyer sur le bouton de sonnette pour que la porte s'ouvrît. N'importe qui pouvait entrer dans cet immeuble sans concierge. Ensuite l'intrus n'avait plus qu'à monter, soit par l'escalier, soit par l'ascenseur, jusqu'au palier de l'appartement où il voulait se rendre.

Là, évidemment, il devrait sonner, à moins qu'il ne fût pourvu d'un passe ou d'un levier lui permettant de faire pression sur le battant de la porte. Tout cela, n'importe quel cambrioleur chevronné le savait et, à plus forte raison sans doute, celle dont Serge Martin espérait la visite nocturne. La dernière défense, interdisant l'accès de l'appartement, pouvait être le crochet de sûreté intérieur que Mme Burtin avait fait poser justement par crainte des cambriolages. Mais le locataire avait pris soin de ne pas mettre en place ce dispositif pour faciliter la tâche de sa visiteuse. Il n'avait plus qu'à attendre.

Attente qui, dans le noir et le silence complets, permit à l'homme venu de Shanghaï de récapituler, avec une totale lucidité, l'ensemble des événements qui s'étaient succédé ces derniers temps pour l'amener dans la situation, pour le moins étrange, où il se trouvait en ce moment. Le fantastique mécanisme, qu'il avait monté pièce par pièce, avait fonctionné jusque-là avec une admirable précision. Allait-il se détraquer parce que, contrairement à tous ses espoirs, Mme Phu ne viendrait pas ? Il était bien incapable de répondre, étant loin d'avoir, dans le secret de ses pensées, l'optimisme dont il venait de faire montre au cours de l'ultime conversation téléphonique avec son complice et patron. Si la femme venait, pour lui plus de problème. Si, au contraire, elle se dérobait, le jeu terrible deviendrait infiniment plus difficile !

La carte maîtresse était abattue : l'adversaire savait maintenant par Sicard que l'auteur de l'enlèvement était la veuve. Elle le savait, mais le croyait-elle ? Tout dépendait de la façon dont « la vieille chouette » s'y était prise : le connaissant, on pouvait penser qu'aucune erreur n'avait été commise.

Instinctivement, Serge Martin jeta un regard sur son bracelet-montre lumineux et put constater que, depuis le coup de téléphone, il attendait depuis cent quinze minutes : ce qui lui parut assez inquiétant... Mais tout à coup, sans qu'il sût très bien pourquoi — sans doute grâce à son immense habitude de ce genre d'attente — il éprouva la sensation, assez indéfinissable, mais certaine, qu'il n'était plus seul à l'étage... Et pourtant il n'avait perçu aucun bruit de voiture s'arrêtant dans la rue, ni les moindres pas.

Très doucement, il abandonna son siège, traversa le salon et vint se poster, immobile, dans le vestibule, à deux mètres de la porte donnant sur le palier et la main sur le commutateur électrique. Inutile de regarder par l'œilleton car tout l'immeuble restait plongé dans l'obscurité : la visiteuse, si elle était vraiment là, avait pris soin de ne pas appuyer sur le bouton de la minuterie. Il demeura ainsi, trois bonnes minutes. Il était sûr maintenant que quelqu'un se trouvait de l'autre côté de la porte : quelqu'un qui écoutait sans doute pour savoir si, oui ou non, on bougeait à l'intérieur. Écoute qui dut apporter la certitude que la veuve Burtin dormait dans sa chambre, probablement située au fond de l'appartement, car un très léger déclic — celui d'une clef tournant lentement dans la serrure — se fit entendre... Puis, lentement aussi, le battant de la porte s'ouvrit. Nouveau temps d'arrêt assez prolongé. Silence total : impossible même de percevoir la respiration de ceux qui, sans se voir, se trouvaient cependant déjà en présence.

Enfin une ombre se glissa dans l'ouverture et referma, sans le moindre grincement, la porte derrière elle.

Il y eut alors, dans l'obscurité du vestibule, un rapide corps à corps, suivi d'un râle et d'un faible gémissement. La lumière jaillit du plafonnier, montrant une forme noire prisonnière d'une autre forme la dépassant d'une tête. D'une main M. Rumeau tenait, paralysés dans le dos par une double torsade, les bras de la visiteuse, tandis que l'autre main était appliquée sur sa bouche.

— Ne bouge pas surtout! dit-il en chinois, et d'une voix sourde. Tu ne t'attendais pas à me trouver ici, exquise petite fleur de sérénité?... Je vois que l'on s'est mise en deuil pour venir rendre visite à la veuve?

Les deux poignets de Mme Phu étaient déjà attachés l'un à l'autre, dans le dos, par une fine cordelette. Serge Martin desserra son étreinte en disant :

— Sais-tu qu'il y a douze années que j'attendais ce moment divin?

Et il abaissa le foulard de soie noire dissimulant le visage de la femme jusqu'à hauteur des yeux en amande. Ceux-ci étaient figés de stupeur.

— Maintenant, dit l'homme, tu vas pouvoir « parler » : ne fallait-il pas que, tôt ou tard, cela arrivât?

Il l'entraîna dans le salon où il la jeta dans la bergère. Puis il alluma le lampadaire, placé derrière le siège, et dont son occupante habituelle se servait pour lire tard dans la nuit ces romans policiers qui la passionnaient tant... Avec une deuxième cordelette, il emprisonna les chevilles de celle qui continuait à le fixer, hébétée. Quand ce fut fait :

— Te voilà immobilisée, ma belle...

Tranquillement, comme si tout ce qu'il venait de faire

était normal, il alla dans le vestibule, mit en place le crochet de sécurité, éteignit la lumière, puis revint dans le salon. Là il se planta devant elle pour la contempler, avant de reprendre :

— Sais-tu que tu es encore très souple malgré tes formes arrondies et que tu m'as donné un peu de mal pendant notre tendre étreinte dans l'obscurité ? Le judo et le karaté n'ont pas plus de secret pour toi que pour moi, hein ? Si je n'avais pas été le plus rapide, je ne donnerais pas cher de ma carcasse en ce moment !... C'est amusant : dans ce collant noir, qui te moule des pieds à la tête et qui te va très bien, tu ressembles à ces « souris d'hôtel » qui apportaient autrefois l'aventure dans les palaces... Tu as même poussé le raffinement jusqu'à enserrer ta tête et ton opulente coiffure sous une sorte de cagoule ! Quant à tes pieds mignons, ils semblent tout à fait à l'aise dans ces escarpins de soie silencieux : ça ne m'étonne pas que je ne t'aie pas entendue approcher... Et tu t'es promenée, ainsi vêtue, dans la rue, après avoir quitté le taxi qui t'a déposée à une bonne distance de cet immeuble ? Le chauffeur a dû te trouver follement excitante dans ce costume ?... Sans doute a-t-il pensé que tu revenais d'un bal costumé ?... Et l'on est venue toute seule, courageusement, en laissant ce bon M. Ki Ho à la maison ? Il est vrai que, dans ce genre d'expédition, moins il y a de témoins, et plus on a de chance de réussir... A moins qu'il ne t'attende, ce vieux scélérat, tapi quelque part dans l'escalier ? Si c'est le cas, il sera bien ennuyé de ne pas pouvoir te porter secours par la faute de ce satané crochet de sûreté qu'a fait installer celle à qui tu es venue rendre visite... Tu ne réponds pas ? Je te parle pourtant dans ta noble langue : ce qui devrait plutôt te faciliter l'élocution ? Et si j'employais maintenant ma langue à moi —

qui a été aussi celle de tes amours! — cela ne t'inciterait-il pas à te montrer plus loquace?

Il prit tout son temps avant de poursuivre en français :

— Ma chère Ngô Thi Maï Khanh, si je vous ai tutoyée en chinois, c'est parce que l'usage de cette langue l'exige mais je m'en voudrais amèrement de continuer à le faire en français! Nous ne sommes pas des amis assez intimes pour que je puisse me permettre une telle privauté... Ne sommes-nous pas plutôt d'intimes ennemis?... Je constate avec plaisir que vos yeux sont en train de retrouver leur beauté, faite d'impassibilité et de mystère, et que votre respiration redevient plus régulière : ce qui semblerait indiquer que vous commencez à vous remettre des émotions fortes que vous venez de vivre! Je reconnais que votre position actuelle n'est peut-être pas très confortable, mais enfin vous êtes quand même assise... et je n'avais pas le choix! Si je vous avais assommée tout de suite, nous n'aurions plus eu aucune possibilité de converser alors que je sens que nous sommes cette nuit enfin au bord des confidences... Mais oui, madame Phu, vous allez parler... Et vous ne me direz, j'en suis convaincu, que des choses passionnantes! Puisque je sais qu'il vous arrive de ne pas le détester, aimeriez-vous prendre un peu de whisky qui vous remettrait les idées tout à fait en place?

Elle ne répondit pas.

— Ce silence indique que vous préférez rester à jeun. Moi aussi!... Oh! Ne faites pas cette bouche mauvaise : elle ne vous convient pas... J'aime tant ce merveilleux sourire que vous prodiguez avec une telle générosité à tous vos admirateurs du restaurant! Entre nous, ne pensez-vous pas que ceux-ci seraient curieusement étonnés s'ils vous voyaient en tenue de cambrioleur, alors qu'ils se sont habitués à la belle robe blanche et à la magnifique plaque de jade suspendue au collier d'or? Personnellement je vous préfère ainsi : la teinte mise à part, cela me rappelle le bleu de chauffe que vous portiez dans une rue de Pékin la dernière fois où je vous ai entrevue là-bas sans que vous ayez cependant pu repérer ce jour-là ma présence... Comme le temps passe, chère Ngô Thi Maï Khanh! Que d'événements se sont produits depuis! Vous avez quelque chose à me demander?

Elle resta silencieuse.

— Excusez-moi : j'ai eu brusquement l'impression que vos lèvres entrouvertes s'apprêtaient à me poser une question... Parce que je sens que vous aimeriez savoir beaucoup de choses. Et cela se comprend! Eh bien, comme j'ai tout mon temps, je vais essayer de répondre à votre interrogation muette... Je sais que la toute première question qui vous hante est de savoir comment il se fait que ce soit moi qui vous accueille ici au lieu de Mme Burtin? Apprenez d'abord qu'en ce moment, vous êtes assise dans la bergère où cette excellente femme passe le plus clair de son temps lorsqu'elle est ici... Malheureusement, elle est loin de Paris! Et, si elle avait été là, vous auriez eu plus de chance à une heure pareille — bien que ce soit une personne qui veille tard! — de la trouver allongée dans son lit. Ayant repéré avec soin qu'il n'y avait aucune lumière, vous n'auriez pas été longue avant de vous diriger vers sa chambre, même en ignorant la disposition des lieux, et là... Mais dites-moi : vous aviez donc l'adresse de cette demeure et vous saviez même que Mme Burtin occupait le troisième étage?

Comme elle s'obstinait à se taire, il continua :

— Vous autres, naturels du monde jaune, vous possédez un sens étonnant de l'orientation : vous parvenez à vous mouvoir sans la moindre difficulté dans des lieux où vous n'avez cependant jamais mis les pieds, et ceci même dans la plus complète obscurité ! C'est prodigieux ! J'en ai eu la preuve au cours de notre petite prise de contact : oui, ne m'en veuillez pas si j'ai pu paraître profiter de la situation... Ce n'était nullement afin d'éprouver d'agréables sensations, mais pour passer l'inspection rapide du « matériel » que vous risquiez d'avoir sur vous... Et j'ai pu constater que, non seulement vous ne possédiez pas de lampe de poche, mais que vous étiez également dépourvue de toute arme, qu'elle fût à feu, ou simplement blanche. Ce qui n'a pas été sans m'intriguer !

» Connaissant d'avance les véritables intentions qui vous animaient, et qui ont motivé cette visite nocturne, je me suis demandé quel procédé vous auriez employé pour mettre votre plan à exécution ? Ce ne fut qu'en ligotant vos mains derrière votre dos que j'ai trouvé... Hé oui ! Vous avez choisi l'arme la plus simple si l'on a suffisamment de poigne pour s'en servir, celle qui ne laisse aucune empreinte à condition que l'on soit ganté de soie — une soie très souple ! — comme c'est votre cas. Vous vous seriez approchée du lit, avec toute cette discrétion dont vous avez su faire preuve pour pénétrer incognito dans ce domicile privé, et vous auriez tout simplement étranglé la bonne vieille endormie. Celle-ci serait passée d'un monde à l'autre sans avoir même le temps de s'en apercevoir ! J'ai toujours beaucoup admiré vos mains, Ngô Thi Maï Khanh ! Elles sont longues, fines et racées... On les sent capables de toutes les caresses et de toutes les vilenies...

» Ce travail de précision accompli, vous ne vous seriez certainement pas attardée dans cet appartement dont vous n'avez que faire. Vous l'auriez quitté après avoir pris soin, grâce au « passe » qui vous a permis d'entrer, de refermer à double tour — ceci toujours avec les mains gantées — la serrure de la porte du palier. Ensuite il n'y avait plus aucune difficulté pour vous à sortir de l'immeuble et à trouver dans une rue adjacente un autre taxi. Celui-ci, bien entendu, ne vous aurait pas déposée juste devant la porte de votre demeure. Et le tour aurait été joué! Ni vue ni connue. Aucune trace de votre fulgurant passage ici... J'ajouterai enfin qu'en femme d'une prudence à toute épreuve vous avez choisi, pour sortir de chez vous, exactement le même itinéraire détourné et les mêmes moyens que ceux qui ont été utilisés, il y a quelques mois déjà, par les ravisseurs de votre fille : l'escalier de service, la cour intérieure de votre immeuble, une échelle de soie munie de crampons — qui doit se trouver actuellement cachée dans un recoin de la cour de l'immeuble mitoyen, dans l'attente de votre retour, n'est-ce pas? — et la porte cochère de ce second immeuble qui a le mérite de donner sur la rue Saint-Didier... Avouez que les misérables, qui vous ont fait tant de mal, vous ont cependant rendu le service de vous indiquer une nouvelle voie pour quitter votre domicile ou y accéder! Et comme je sais qu'aussi bien les Chinoises que les Chinois possèdent, au plus haut degré, le don précieux de la souplesse acrobatique, vous n'avez pas dû être gênée le moins du monde pour pratiquer la petite escalade dans le sens de l'aller... Pour le retour, étant donné notre rencontre ici, les choses ne se passeront peut-être pas d'une façon aussi romanesque!... C'est bien ainsi que, selon votre logique, les événements se seraient déroulés, n'est-ce pas?

— J'ai toujours pensé que vous aviez beaucoup d'imagination...

— Enfin quelques paroles! Quant à l'imagination,

vous savez aussi bien que moi que nous ne pouvons nous défendre, dans notre métier, que si nous en avons suffisamment pour nous mettre dans la peau de l'adversaire : ce que j'ai fait en ce qui vous concerne... Venons-en maintenant à la deuxième question qui vous tracasse : « Qu'est-ce que ce bougre de Serge Martin va bien faire de moi maintenant qu'il m'a ligotée comme un saucisson ? »... C'est vrai, qu'est-ce que je pourrais faire ? Vous étrangler comme l'aurait été par vous Mme Burtin ? Vous livrer — tel un colis dont on se débarrasse — à la police qui ne serait pas fâchée de vous « cueillir » pour un motif aussi futile que l'effraction de domicile ? Vous renvoyer à votre chef, le colonel, qui serait sans doute assez vexé de voir son agent 643 lui revenir dans un état qui frise le ridicule ? Je pourrais profiter aussi du fait que je vous ai entièrement en mon pouvoir pour essayer sur vous l'un de ces supplices raffinés, inventés par la Chine, et qui finirait peut-être par vous faire parler ? J'en connais au moins une trentaine... Vous ne tenez sans doute pas à ce que je les énumère ? Mais, comme j'ai appris à vous connaître et surtout à vous apprécier à votre juste valeur, je n'emploierai pas des méthodes qui sont aussi périmées que barbares ! Je sais très bien que ni l'automatique braqué sur vous dans votre restaurant il y a quelques mois, ni le fait de vous sentir immobilisée par de fines cordelettes n'auront d'effet sur votre volonté.

» Dites-vous que si je vous ai quelque peu brutalisée tout à l'heure, et placée dans une telle situation d'infériorité physique, c'est uniquement pour vous faire comprendre une fois pour toutes que dans ce domaine du corps à corps vous serez toujours battue par un bonhomme comme moi... J'aimerais assez que vous le reconnaissiez ?

— Tout le monde sait que vous n'êtes qu'une brute!

— Qui cela, tout le monde?

— Même ceux qui ont été vos chefs...

— Ce cher colonel? Il vous a dit ça de moi? Je ne le lui pardonnerai jamais!... Puisque vous venez de faire acte d'humilité en reconnaissant ma force physique, je vais à mon tour me montrer capable de « fair-play » en admettant que, sur le terrain de la réflexion et du calme, vous me valez largement, chère petite Fleur de sérénité! C'est donc à la femme subtile que je m'adresserai... Mais, comme il est assez difficile de raisonner et de penser sainement quand on se sent handicapé par des entraves corporelles, je me fais un devoir de vous rendre l'usage de vos quatre membres.

Tout en parlant, et avec une prodigieuse rapidité, il avait coupé, à l'aide d'un canif, les cordelettes enserrant les chevilles et les poignets.

— Je vous conseille de vous lever et de faire quelques pas dans ce salon pour rétablir votre circulation engourdie et tout particulièrement celle de vos bras...

Il l'aida à quitter la bergère et, dès qu'il constata qu'elle avait retrouvé toute sa liberté de mouvements, il ordonna :

— Reprenez maintenant votre place dans le siège de la veuve Burtin et répondez-moi : pourquoi vouliez-vous tuer cette vieille dame?

— Elle mérite cent fois la mort pour ce qu'elle m'a fait!

— Que vous a-t-elle fait exactement?

— Vous le savez très bien.

— Elle a fait kidnapper Siao? C'est vrai... Mais c'est sur mes conseils...

— Quoi?

— J'ai pensé que ce serait la seule façon de vous amener à vous montrer raisonnable. Et je crois n'avoir pas tellement mal réussi ! Mettez-vous bien dans la tête qu'à l'heure actuelle, pendant que nous sommes tous les deux ici dans son appartement, Mme Burtin a votre fille auprès d'elle et qu'elles sont parfaitement heureuses...

— Qu'est-ce que vous me dites ? Vous vous moquez de moi !

— Je n'en ai, hélas, plus le temps ! Oui, Siao a enfin retrouvé sa grand-mère parternelle : N'ÉTAIT-IL PAS JUSTE QUE CELA ARRIVAT UN JOUR OU L'AUTRE !

— Vous n'aviez pas le droit de faire cela !

— Je l'ai quand même pris et je ne le regrette pas ! La seule personne qui manque en ce moment à cette charmante réunion de famille, c'est vous ! Et c'est uniquement votre faute ! Mais les choses peuvent très bien s'arranger... Tout ne dépend que de vous !

— Je ne veux pas connaître cette mégère !

— Mme Burtin n'a rien d'une mégère ! Et je m'étonne que vous ne vouliez pas la voir puisque je viens, précisément, de vous retrouver chez elle ! Il aurait bien fallu que vous l'ayez en face de vous pour l'étrangler ? Donc, mieux vaut que cette rencontre ait été retardée par mes soins...

— Cette femme n'a aucune parenté avec ma fille puisque Pierre ne m'a pas épousée !

— Comment ? Vous-même m'avez répété maintes fois qu'il l'avait fait selon la loi de Bouddha ! Vous étiez unis, Ngô Thi Maï Khanh, comme on dit dans nos pays occidentaux, « pour le meilleur et pour le pire »... J'ai d'ailleurs eu un certain mal à expliquer ça à la maman de Pierre ! Mais elle a fini par en accepter l'idée... Et c'est pourquoi elle a fait un premier geste de rapprochement familial en recueillant sa petite-fille... Pouvez-vous le lui reprocher?

— Vous êtes ignoble!

— Vous m'avez déjà affublé de tant d'épithètes du genre « monstre », « bandit » ou « brute » que je n'en suis plus à une qualification près! Je consens même à être cette nuit celui qui vous plaira, mais je reste lucide et vous répète que tout pourrait très bien s'arranger... De même que j'ai réussi à la convaincre que Siao était de son sang, je pourrais persuader Mme Burtin de vous rendre votre enfant.

— A quelles conditions?

— Vous répondrez à trois questions précises. Qui vous donne l'argent que vous devez ensuite distribuer à des émeutiers professionnels? Où vous donne-t-on cet argent? Quels sont les noms des émeutiers? C'est tout.

— Ça recommence?

— Ça n'a jamais cessé! J'ai de la suite dans les idées... Si vous répondez à ces trois questions, trois événements se passeront : votre fille vous sera rendue, le silence sera fait sur votre intrusion ici avec intention de tuer et — ce sera sans doute là ce qui vous paraîtra le plus considérable — j'oublierai personnellement, et pour toujours, que vous avez fait assassiner Burtin à Lao-Kaï.

— Faut-il que vous ayez besoin de mes réponses pour pousser jusqu'à ce point la grandeur d'âme!

— Vous n'y êtes pas du tout! J'estime que, maintenant que Siao a enfin retrouvé sa grand-mère, il n'est peut-être pas nécessaire qu'elle apprenne que vous êtes la responsable de la mort de son père. Ce sera ma façon à moi de régler le compte d'amitié que j'estimais devoir encore à la mémoire de Pierre...

— Et si je vous dis que je ne peux pas vous répondre parce que je ne sais rien ?

— Je ne vous croirai pas ! D'ailleurs, si vous agissiez ainsi, trois autres événements se passeraient... D'abord vous ne reverriez plus jamais votre fille qui resterait auprès de sa grand-mère qui réclamera sa garde à la justice française. Celle-ci ne pourra qu'accéder à une telle requête puisque, parallèlement, vous-même serez sous les verrous pour un bon bout de temps... Ce qui nous amène au deuxième événement : je vous remettrai, avant que cette nuit ne soit finie, à ceux que vous appelez « les flics » en leur précisant les raisons qui vous ont conduites ici et que vous ne pouvez nier. Vous ne pourrez tout de même pas leur expliquer que vous n'êtes venue ici — à une heure pareille, munie d'un passe et vêtue comme vous l'êtes — que pour « visiter » un appartement à louer ? Le troisième événement sera le suivant : je me porterai immédiatement témoin à charge pour dire au juge d'instruction, puis devant la Cour d'Assises quand le moment du jugement final viendra pour vous, que j'ai assisté — sans hélas pouvoir intervenir à temps ! — à l'assassinat de votre amant à Lao-Kaï par des sbires à votre solde... Oui, vous n'avez décidément pas de chance, ma pauvre Ngô Thi Maï Khanh : j'étais à Lao-Kaï et je me retrouve ce soir à Paris dans l'appartement de la propre mère de votre amant que vous vouliez également faire disparaître ! Mais, cette fois, vous n'avez même pas pris la précaution de le faire par personne interposée ! Aussi ai-je tout lieu de craindre que vous ne récoltiez le maximum de peine.

» Et si, par une clémence de la Cour que je vous souhaite, vous n'étiez condamnée qu'à un emprisonnement d'une durée limitée, celle-ci serait quand même assez longue pour permettre à Siao — qui l'aurait alors appris par les voies officielles et celles de la presse — de réfléchir. Croyez-vous sincèrement qu'elle consentirait, après votre libération, à suivre ou même à revoir cette maman qui a fait tuer l'auteur de ses jours après avoir été sa maîtresse et qui a voulu récidiver sur sa grand-mère? Cela me paraît très douteux! En enfant sensible qui a toujours été privée d'une véritable affection, Siao resterait sûrement auprès de Mme Burtin, ou même de n'importe qui, à l'exception de vous!

— Jamais le colonel Sicard ne vous laissera agir ainsi!

— Le colonel? Mais, tendre ennemie, n'est-ce pas lui qui, ce soir même, vous a envoyée indirectement ici en vous annonçant tout à l'heure chez vous que c'était la veuve Burtin qui avait fait enlever Siao? Le piège a été trop bien tendu pour que vous ne tombiez pas dedans : c'est fait.

— Vous êtes tous des misérables!

— De misérables hommes, c'est vrai! J'attends toujours vos trois réponses!

Après un long silence elle demanda de sa voix douce :

— Et qu'est-ce qu'il m'arriverait, à moi personnellement, en admettant que je sache quelque chose et que je vous le dise?

— Vous voulez parler d'éventuelles représailles que pourraient exercer sur vous ceux pour qui vous avez « travaillé » contre la France? Eh bien, je suis certain qu'il ne se passera rien.

— C'est vous qui le dites!

— Comment voulez-vous qu'« Ils » sachent que c'est vous qui avez parlé? « Ils » ne se doutent pas que vous êtes ici... « Ils » ne savent pas non plus que je vous y attendais... Alors? Il n'y a aucun témoin de notre rencontre! Je vous garantis que nous ne sommes que deux dans cet appartement : comme vous, je ne réussis mes coups que lorsque j'agis en solitaire... Nos Services peuvent très bien avoir trouvé leurs sources de renseignements ailleurs! Ce ne sont pas les indicateurs et les agents doubles qui manquent dans le métier! Souvenez-vous de ce que je vous ai déjà dit, quand nous nous trouvions en tête à tête dans un cabinet de la D.S.T. : je ne vous demande aucune déclaration écrite, votre parole et ma mémoire me suffisent... Les choses se passeront très simplement : ceux dont vous nous aurez donné les noms seront coffrés et séparés. Vous connaissez trop la musique pour savoir qu'il ne faut pas être grand sorcier pour faire se contredire des individus que l'on interroge un par un. Chacun d'eux croira que c'est l'un de ses compères arrêté qui l'a dénoncé et chacun livrera des noms pour essayer de sauver sa propre peau... Votre nom ne sera jamais prononcé, à moins que ce ne soit par l'un des compères en question. Ce qui ne manquerait pas de piquant! De toute façon — et lui-même m'a prié de vous le dire — vous continuerez, dans ce cas, à être « couverte » par le S.R. du colonel Sicard.

— De la même façon que je l'ai été par lui vis-à-vis de vous?

— Ce cher colonel n'avait pas à vous « couvrir » vis-à-vis de moi puisque je n'ai jamais cessé d'appartenir à son service... Hé oui! Nous continuons à dépendre, vous et moi, du même patron! Ça vous ennuie? Pas moi! Vous devriez plutôt vous féliciter que celui-ci ait fait revenir de Chine l'une de vos vieilles connaissances, c'est-à-dire moi, pour que nous puissions régler nos petites affaires entre nous : d'agent à agent dans le secret de cet appartement... Vous êtes le 643 et je porte, moi aussi, un numéro que vous ne connaissez pas et que vous ne réussirez jamais, je pense, à découvrir... Si vous l'aviez repéré, quand vous avez tenté de me faire supprimer en Chine grâce aux renseignements transmis par votre confrère de La Haye, je ne crois pas que cela aurait été bénéfique pour vous! A cette époque, « la vieille chouette » vous avait déjà à l'œil, car elle se méfie avec raison de tous ses subalternes, y compris de moi! Un autre aurait reçu la mission de s'occuper de vous et je ne pense pas qu'il s'y serait pris de la même manière! Peut-être n'aurait-il rien obtenu de vous, mais lui, n'aurait pas hésité à vous abattre... Vous connaissant depuis tellement longtemps, j'ai préféré employer la méthode douce... C'est pourquoi vous êtes toujours bien vivante, Ngô Thi Maï Khanh!

— Mais vous n'avez rien obtenu : je ne vous ai rien dit.

— C'est exact. Vous avez tout essayé et tout fait pour reculer le plus longtemps possible ce que nous pouvons appeler « l'échéance »... Notez qu'à votre place j'en aurais fait autant! C'est de bonne guerre... Seulement, à partir de ce soir, vous êtes irrémédiablement prisonnière d'un « cercle persuasif » d'où vous ne pouvez plus sortir... Alors, mieux vaut céder gentiment et tout sera oublié!

Elle le regardait, sceptique. Il reprit :

— Tout à l'heure, quand vous m'avez parlé d'éventuelles représailles dont vous pourriez être l'objet, vous avez oublié un fait important : vous avez même réussi à faire savoir à ceux que nous pourrions appeler « vos patrons occultes » que vous étiez surveillée et que vous ne pouviez plus leur être utile pendant un certain temps... Ils l'ont très bien compris et vous ont laissée aussi tranquille que l'a fait le colonel : ce qui vous a permis de vous consacrer entièrement à réaliser des bénéfices supplémentaires à la *Lampe de Jade.*

— Je n'ai prévenu personne parce que je n'ai pas, comme vous le dites, de « patrons occultes ».

— Souvenez-vous... voyons? La natte de papa Ki Ho et le pédicure, son ami Tchang Sen, sans oublier votre excellent cuisinier, M. Li? Ils se sont transmis un poème, un ravissant quatrain que je me fais un plaisir de vous réciter dans sa langue originale...

Et il déclama en chinois :

Entre toutes les fleurs, le chrysanthème est solitaire
Seule lui convient l'amitié des Sages.
Par malheur son beau nom est connu des gens vulgaires
Qui brisent les barrières de l'Est...

Puis il reprit en français :

— En se donnant la peine — comme je viens de le faire pendant ces derniers mois où vous ne m'avez plus revu — de se pencher sur ce quatrain, avec la conviction qu'il peut vouloir dire tout autre chose si l'on se sert d'une certaine clef mystérieuse, on découvre avec satisfaction que, sous une apparence poétique, les mots peuvent avoir une signifiaction des plus pratiques...

— Comment avez-vous fait?

— J'ai simplement reconstitué une grille en tenant compte du fait que, la langue chinoise étant monosyllabique, cela revient à dire que le vers chinois comporte un nombre déterminé de caractères... Nombre qui est de cinq ou sept pour le quatrain. Je n'ai pas oublié non plus que, le chinois étant une langue tonale, chaque caractère a, soit un ton *plat,* soit un ton *aigu* et que, pour pouvoir rimer, les caractères doivent appartenir à des tons de même catégorie. S'ils ne riment pas, c'est qu'il y a une raison voulue. Enfin, la poésie chinoise n'a-t-elle pas deux caractéristiques essentielles, « le parallélisme » et « l'allusion » ? Le premier consiste, comme vous le savez parce que vous êtes très cultivée, à construire deux vers de telle sorte que les caractères de chacun correspondent à la fois par l'idée, le ton et le rôle grammatical, alors que l'allusion, ou *Tien Ku,* désigne une chose et exprime une idée au moyen d'une expression qui résume un événement passé.

» Partant de ces principes acquis, pourquoi une langue — dans laquelle une expression telle que « *regretter le chien jaune dans la ville de Hsieu Yant* » veut dire « *être condamné à mort* » — n'emploierait-elle pas un vers comme « *Entre toutes les fleurs, le chrysanthème est solitaire* » pour dire, par exemple : « *A l'avenir vous devez me laisser solitaire* » et ainsi de suite ?... Je continue la transcription ?

— C'est inutile. Depuis le premier jour où je vous ai rencontré, il y a quinze années, à Cholon, j'avais compris que vous étiez l'être le plus dangereux que l'Occident nous eût envoyé pour découvrir nos secrets...

Au scepticisme et au mépris se mêlait maintenant, sur le visage de la femme anéantie, un étrange sentiment d'admiration.

— Puisque vous avez une telle conviction, Ngô Thi Maï Khanh, ne croyez-vous pas qu'il est plus sage de tout me dire ?

Et, comme elle se taisait encore, il ajouta :

— Je vous ai expliqué, au début de cette conversation, que vous occupiez le siège préféré de Mme Burtin... Je suis sûr que vous n'avez même pas pris la peine de contempler ce salon ? Regardez...

Il alla vers un commutateur : toute la pièce fut éclairée.

— Vous le voyez mieux maintenant... Ces murs gris et tristes, dont la teinte initiale a été patinée par le temps et les méfaits du chauffage central... Ces tableaux dont la seule valeur est d'avoir plu à celle qui les a achetés... Ces meubles fatigués... Ces bibelots qui traînent un peu partout dans l'inertie des choses inutiles... Ce poste de télévision qui a l'impersonnalité de toutes les machines à images... Cette photographie, la seule qui soit dans cette pièce — ne serait-ce pas celle de l'absent qui ne reviendra jamais ?... Tout cela constitue le cadre et le décor surannés dans lesquels une vieille maman vit en solitaire depuis des années... Venez avec moi...

Il avait éclairé le vestibule dans lequel il l'entraîna.

— Il est infiniment moins vaste et plus modeste que le vôtre, continua-t-il. Il n'a même pas la chance d'être embelli par une réplique de ce paravent où est racontée la merveilleuse légende de la fille consacrée à Bouddha ! Et pourtant, ne devrait-elle pas être également ici, cette histoire dont l'un des petits personnages de laque et d'ivoire a pris la forme du dragon pour mieux protéger celle que le dieu lui a destinée de toute éternité et qu'il est venu retrouver après avoir franchi les mers ? Suivez-moi...

Il avait ouvert maintenant la dernière porte à droite donnant sur le vestibule. Dès que la lumière jaillit dans la pièce, il continua sur le même ton désabusé :

— C'est la chambre de Mme Burtin... Voici le lit où vous auriez pu l'étrangler, non pas tellement parce que vous lui en voulez, mais parce que vous êtes à bout après les mois d'attente et de solitude morale que vous venez de vivre à votre tour ! Votre décision a été trop subite, trop rapide aussi, pour être tellement calculée... Vous auriez tué stupidement, persuadée de trouver, dans ce geste gratuit, une sorte d'apaisement à vos propres inquiétudes. A moins qu'il ne s'agît d'une satisfaction morbide, hein?... Mais laissons cette chambre où il ne s'est, heureusement, rien passé! Venez...

Elle le suivit, docile et hébétée, dans le couloir qui prolongeait le vestibule et au fond duquel il ouvrit une porte sur une autre pièce. Celle-ci était faiblement éclairée par une lampe de chevet, posée sur un guéridon placé à la droite du lit, et qui ressemblait à une veilleuse... Il s'effaça pour la pousser devant lui dans la pièce.

— « Sa » chambre... dit-il. C'est là où il a vécu, enfant, puis jeune homme, avant de partir pour Saïgon... C'est là où il est revenu, deux années plus tard, aveugle et empoisonné par votre faute... C'est là où il s'est débattu entre la vie et la mort pendant des semaines et où il a été soigné avec un dévouement admirable par sa mère... C'est de là qu'il est reparti pour aller vous rejoindre... Voici sa table de travail, sa collection de coquillages, les caricatures qu'il avait fixées lui-même au mur... Vous voyez que le lit est préparé : il en est ainsi depuis douze ans, pour le cas où son ombre reviendrait, fatiguée...

— Assez! hurla la femme en tombant à genoux devant le lit. Vous n'avez pas le droit de dire cela!

— J'ai tous les droits puisqu'il fut mon ami!

— Non! Il n'était pas à vous... Il était à moi, à moi seule!

— Et à sa mère!

— Non! Il était mon époux!

— Vous avez raison : il a été votre époux... Il l'est toujours dans la mort, vous le savez comme moi... Maintenant ce n'est pas à moi, à Sicard ou à d'autres que vous allez parler, mais à lui seul! C'est à Pierre que vous direz tout... Il vous écoute... Ce sera lui qui, avec l'aide de Bouddha, vous sauvera... Libérez-vous de ces secrets qui vous étouffent et que vous ne pouvez plus garder pour vous! Ce sera la meilleure façon de vous racheter de la faute commise à Lao-Kaï...

— Oui... Vous avez raison...

Et, toujours agenouillée devant le lit de l'amant, elle commença à parler sur un ton presque monocorde, comme si ce qu'elle disait lui était indifférent ou ne la concernait pas. Penché sur elle, il écoutait, laissant le fil des aveux se dérouler lentement, sans heurts... De temps en temps, il répétait un nom qu'elle venait de livrer : « *Vous avez bien dit : Ansaldi?... C'est noté.* » En réalité, observant la promesse faite, il n'inscrivait rien et enregistrait tout dans sa fantastique mémoire.

Combien de temps cela dura-t-il? Lorsqu'elle se tut enfin, laissant retomber sa tête sur le couvre-lit comme quelqu'un qui est épuisé par un effort surhumain, elle n'était véritablement plus que la vaincue. Sans avoir eu à poser aucune question, il avait obtenu les trois réponses attendues depuis des mois... Il savait *qui* lui donnait l'argent qu'elle avait la mission de redistribuer à des émeutiers professionnels, *l'endroit* où on lui remettait cet argent, tous *les noms* de ceux auxquels elle l'avait remis.

Il l'aida à se relever en disant :

— Je vais appeler un radio-taxi et vous raccompagner chez vous. Vous vous y reposerez jusqu'à ce soir, à l'heure où il faudra que vous retourniez à la *Lampe de Jade*... Vous pouvez être assurée maintenant que Siao vous sera rendue au plus tard d'ici à trois jours... Et, bien entendu, je n'ai rien appris par vous puisque nous ne nous sommes pas revus cette nuit.

Au moment où ils arrivaient dans le vestibule, le timbre de la sonnette de la porte d'entrée résonna. Tous deux s'arrêtèrent surpris et il dit, presque en souriant :

— Serait-ce M. Ki Ho? S'impatienterait-il sur le palier? Pourtant il ne semble pas qu'il ait essayé de forcer la porte?

— Je ne lui ai pas donné de passe...

— Vous étiez donc tellement certaine de réussir?

— Oui, répondit-elle dans un souffle.

— Croyez-moi : il est préférable pour vous que ce soit un échec! Ki Ho a dû trouver que c'était bien long! C'est pour cela qu'il a fini par sonner... Nous allons l'accueillir à bras ouverts, mais reculez quand même un peu : on ne sait jamais... S'il était armé?

Et, pendant que la sonnette retentissait de nouveau avec insistance, il lui demanda à voix basse :

— Quelle est votre opinion sur ce point?

Elle eut une courte hésitation avant de répondre sur le même ton :

— Faites attention! Il est toujours armé...

— Ça ne m'étonne qu'à moitié! Le vieux gredin!... Quel genre d'arme?

— Celle dont il sait le mieux se servir : le poignard...

— Voyez-vous ça! Quelle fine équipe vous faisiez tous les deux! Puisqu'il en est ainsi, je suis contraint, comme pour votre propre réception, de prendre des dispositions en conséquence... Restez où vous êtes et laissez-moi faire.

Il éteignit l'électricité dans le salon et dans le vestibule, puis il revint à pas de loup près de la porte. Là, s'étant abrité derrière le battant, il l'ouvrit tout doucement après avoir défait le crochet de sécurité. Mais son étonnement fut grand de constater qu'un rais de lumière pénétrait aussitôt, provenant du palier éclairé. Et il vit, s'encadrant dans l'ouverture, trois silhouettes : celle, chétive et bossue de M. Ki Ho, au milieu de deux autres, massives et immenses, sur l'identité desquelles aucun doute n'était possible. L'un des policiers dit à Serge Martin :

— Nous l'avons trouvé au rez-de-chaussée, caché sous l'escalier derrière la cage de l'ascenseur.

— Il y a combien de temps?

— Une bonne heure...

Serge Martin ralluma l'électricité dans le vestibule, puis se retourna vers Ngô Thi Maï Khanh, qui n'avait pas bougé de la place qui lui avait été assignée.

— Vous voyez, dit-il, que je n'étais pas dans l'erreur : j'étais sûr qu'il vous avait accompagnée... Vous êtes arrivés ensemble, n'est-ce pas?

N'obtenant pas de réponse, il continua, flegmatique :

— En somme vous aviez pris toutes vos précautions?

Puis s'adressant aux hommes restés sur le palier :

— Vous l'avez désarmé?

— Voilà son poignard, monsieur Martin... Un beau joujou...

— Je vois ça, inspecteur : maniable, court, effilé... Alors, comme ça, cher monsieur Ki Ho, après vingt années de comptabilité à la *Lampe de Jade,* on se lance résolument dans l'aventure à main armée? Savez-vous qu'un tel caprice pourrait vous coûter très cher?

— Mais, monsieur l'officier de police, larmoya le bossu, ce n'est pas moi qui voulais venir

— C'est votre fille, je le sais! Elle me l'a dit ainsi que beaucoup d'autres choses qui me permettent de vous faire rendre votre liberté... Seulement n'en abusez pas, grand-père! Ces jeux-là ne sont plus de votre âge! Vous et Mme Phu, vous allez maintenant faire exactement ce que je vous dis... Ces messieurs vont vous raccompagner tous les deux avenue Kléber... Et vous pourrez rentrer sans inconvénient aucun dans votre bel immeuble par la porte normale...

Et, parlant au policier qui lui avait présenté le poignard :

— L'échelle de corde ? On l'a retrouvée planquée dans la cour de l'immeuble donnant rue Saint-Didier ?

— Oui.

— Bien. Chère madame, constatez une fois de plus que j'avais également vu juste en ce qui concerne votre itinéraire... A propos, messieurs, qui vous a envoyés ici ? Je n'ai pourtant demandé l'aide de personne, ayant la certitude absolue de pouvoir régler mes comptes tout seul !

— C'est le colonel Sicard.

— Comment a-t-il pu manquer à ce point de confiance dans mes possibilités ? Revenons à ceux que vous allez convoyer... Quand ils auront réintégré leur luxueux appartement, ils y resteront gentiment pour dormir pendant que vous-mêmes, messieurs, vous rejoindrez vos propres foyers pour essayer de trouver auprès de vos épouses respectives — si vous en avez ! — le repos dont cette nuit de surveillance vous a privés... Et demain, Mme Phu, assistée de M. Ki Ho, reprendra sa place de patronne à la *Lampe de Jade* comme si rien ne s'était passé... Vous m'entendez bien, messieurs les inspecteurs ? Rien ne s'est passé !

— Compris, monsieur Martin.

— Chère madame Phu, vénérable monsieur Ki Ho, il ne me reste plus qu'à vous souhaiter à tous deux une bonne et longue santé...

Ayant montré du doigt à Ngô Thi Maï Khanh le chemin de la porte, il la claqua derrière elle dès qu'elle eut rejoint le trio sur le palier. Après quoi, il revint vers l'appareil téléphonique où il forma un numéro :

— Allô? Cette chère « vieille chouette... »? Je vous réveille?

— Ma foi non! Cette nuit, je n'avais pas sommeil...

— Alors ça tombe bien puisque j'ai le plaisir de vous annoncer que je considère comme terminée la mission que vous m'avez fait l'honneur de me confier... Il y a encore certaines opérations à mener, mais, étant donné les renseignements que j'ai maintenant, elles prendront plutôt l'allure de formalités policières.

— Content, Martin?

— Disons : satisfait...

— Ça n'a pas été trop dur?

— Ce n'est jamais très agréable de jouer sur la corde la plus sensible d'une femme pour l'amener à se mettre à table...

— Vous voulez parler de l'amour maternel?

— Il n'aurait pas été suffisant : il a fallu y ajouter le souvenir de l'amant...

— Quand nous voyons-nous?

— Le plus tôt possible. N'avons-nous pas quelques décisions à prendre d'urgence pour parachever « notre » chef-d'œuvre?

— Avez-vous sommeil?

— Pas plus que vous!

— Alors je vous attends... Vous savez que je fais de l'excellent café!

— J'en boirai volontiers deux tasses... et je vous le rappelle : sans sucre!

— Ça va me faire plaisir de vous revoir enfin, mon vieux, parce que ces conversations téléphoniques, ça finissait par devenir insipide!

— A toutes fins utiles, je pense que nous gagnerions du temps si vous alertiez immédiatement les services compétents pour qu'ils se préparent à une descente armée. Celle-ci pourrait avoir lieu aujourd'hui même vers l'heure du déjeuner... D'après ce que j'ai appris, ce serait sans doute le moment le plus propice.

— Ça se passera à Paris ?

— Non, à Marly.

— J'adore Marly !

— Tant mieux. Vous ne voudriez tout de même pas qu'après avoir fréquenté avec une telle assiduité un lieu aussi mystérieux que la *Lampre de Jade,* je déplace mon activité vers un site qui ne serait pas enchanteur ?

— Quel poète vous faites !

— N'est-ce pas, colonel ? J'arrive...

LE RENDEZ-VOUS DE MARLY

A l'issue de leur conférence nocturne, la « vieille chouette » et Serge Martin décidèrent de ne pas participer à l'expédition prévue pour le jour même, aux alentours de 12 heures, à l'adresse de Marly indiquée par Ngô Thi Maï Khanh et où lui étaient remis périodiquement les fonds qu'elle devait redistribuer.

— J'estime comme vous, avait dit Sicard à son adjoint, que le plus gros de notre travail est fait. Nous sommes un S.R. et nullement une organisation de police, bien que nous ayons réussi à faire croire à notre ennemie que vous étiez devenu un super-flic! La Préfecture et la D.S.T. nous ont demandé notre aide : nous la leur avons apportée au maximum. Maintenant c'est à leurs spécialistes de terminer le travail en opérant les arrestations qui s'imposent. Un bon S.R. ne doit se mêler que de ce qui le regarde et ne jamais dépasser les limites de ses attributions, sinon il perd toute sa valeur tactique. Selon le tour d'horizon que nous venons de faire tous les deux, vous avez largement de quoi être occupé aujourd'hui. Je ne vous retiens pas et je vous attends ce soir, comme convenu, vers 20 heures : nous agirons alors en fonction des résultats de la mission que je viens de vous assigner... Quant à moi, je pense recevoir dans le courant de l'après-midi les rapports des opérations menées par la police pendant la journée. Quand vous me rejoindrez, j'aurai non seulement eu le temps de les étudier, mais même de les digérer... A ce soir.

Les rapports étaient parvenus à son domicile à 17 heures, apportés par un motard de la Préfecture. Il lui suffit de les lire dans l'ordre de leur numération pour avoir une opinion d'ensemble.

Le *rapport N° 1* concernait le déroulement même des opérations effectuées. Il en ressortait qu'à 11 h 45 précises, la villa « Maryvonne » — située en bordure de la forêt de Marly et fort discrète, en raison peut-être de son style un peu désuet de 1923 — avait été complètement encerclée par les voitures et éléments de police. Avant même qu'ils aient eu le temps de se rendre compte de ce qui leur arrivait, les occupants de la villa avaient été appréhendés. Ils étaient cinq, tous des hommes, se nommant respectivement : Jérôme Ansaldi, 55 ans, né à Calvi et surnommé dans le milieu « *Le petit Corse* »; Oswald Bruce, 41 ans, né à Chicago, surnommé « *l'Américain* »; Dimitri Nopoulos, 46 ans, né en Crète, surnommé « *le Grec* »; Paolo Mestri, 38 ans, né dans la banlieue de Palerme, surnommé « *le Sicilien* »; et enfin Robert Dervaux, 50 ans, né à Saint-Denis, surnommé « *le Parisien* ». Tous, sans exception, étaient de vieux chevaux de retour, fichés depuis longtemps dans les archives de la Criminelle. Leurs photographies et les dossiers respectifs de leurs exploits précédents étaient joints au document. Ce qui fit dire à Sicard, maugréant pour lui seul :

« Décidément, on prend les mêmes et on recommence! Ce qui me surprend, c'est que « les patrons jaunes » de mon agent 643 aient traité avec des individus de cet acabit... Il est vrai qu'ils se sont adressés aux as du genre! Qui veut la fin... Le plus curieux, c'est que la Criminelle n'ait pas réalisé, avant que mon service n'entre dans le circuit, que « l'officine » était tenue par tous ces truands qu'elle connaissait de longue date. A moins qu'elle n'ait pas cru les indications qui venaient de ce côté-là, tellement ça lui a paru fort de café? Et pourtant, c'était vrai! »

Le *rapport N° 2* mentionnait que la perquisition dans la villa avait permis de découvrir, dans la cave, l'une des raffineries d'héroïne les plus perfectionnées et les plus modernes qui aient jamais été installées en France où, pourtant, ce genre d'usine clandestine ne manque pas! La lecture de ce document donna l'envie à « la vieille chouette » de fouiller dans ses archives personnelles où il en retrouva un autre, ancien d'une année déjà, qui avait été établi conjointement par des agents de son S.R. et ceux du major Benjafield... Ce document complétait admirablement le rapport N° 2. Il y était expliqué que si la Chine — grand producteur de pavots blancs — approvisionnait surtout les U.S.A. par Hong Kong, elle avait pris, par le truchement de ses « missions commerciales », le contrôle de la distribution et de la vente des sous-produits provenant de la culture du pavot au Moyen-Orient, en Bulgarie, en Turquie et en Yougoslavie. Sous-produits qui étaient acheminés en Italie, en Allemagne et surtout en France où ils étaient définitivement « traités » dans des usines comme celle qui venait d'être découverte à Marly. Ceci parce que la France possède, parmi ses truands, quelques « chimistes » très compétents.

Tout le processus de la transformation en héroïne de l'opium, extrait du pavot, était suivi avec soin dans ce document. Selon lui, « l'organisation de propagande » jaune avait fait établir en Syrie, où la législation sur les stupéfiants n'est pas très sévère, des « laboratoires ». C'est là que s'effectuait la première phase de la transformation. L'opium brut était versé dans des marmites d'eau chaude où l'on isolait la morphine avec de la chaux. Le produit, ainsi filtré, était ensuite additionné de chlorure d'ammonium qui précipitait la morphine : celle-ci, à nouveau filtrée, se présentait alors sous la forme de cristaux bruns ou morphine-base. Cette dernière était acheminée, le plus souvent par des cargos faisant escale à Marseille, en France. Là elle était répartie entre les « laboratoires » qui la transformaient, grâce à la science et à l'art de leurs chimistes, en héroïne : le stupéfiant qui se vendait le mieux...

Le *rapport N° 3* précisait que le chef incontestable de la bande capturée à Marly était le dénommé Robert Dervaux, dit « *le Parisien* ». C'était lui qui remettait les fonds, toujours en argent liquide et en coupures de cinquante mille francs, à Mme Phu et sans doute à beaucoup d'autres... Fonds provenant des bénéfices qu'il avait réalisés sur la vente de l'héroïne aux détaillants et qui devaient être calculés sur un pourcentage déterminé de recettes.

La constatation la plus étrange, se dégageant d'une lecture attentive de ces trois rapports, était que dans cette phase du trafic on ne trouvait aucun Chinois, ou même aucun Jaune, à l'exception de la patronne de la *Lampe de Jade*! Avec une extrême habileté, la Chine semblait avoir limité son activité à la fourniture de la matière première, l'opium, provenant de toutes les régions du globe où l'on pouvait le récolter. Ensuite c'étaient des trafiquants chevronnés, spécialisés depuis toujours dans ce genre de commerce, qui opéraient... Une telle méthode permettait à tout le monde d'y trouver son profit : ce qui évitait qu'une guerre secrète et sans pitié ne fût livrée par le « Milieu » aux agents de Pékin. Par contre, l'organisation jaune réapparaissait au moment de la distribution des fonds destinés à alimenter les révolutionnaires de métier.

Ceci, aucun des rapports transmis par la Criminelle au colonel Sicard ne le mentionnait. Il l'avait appris par Serge Martin qui avait lui-même réussi à arracher ces renseignement à Ngô Thi Maï Khanh au cours de la longue confession faite, rue Vaneau, dans la chambre de son ancien amant. N'avait-elle pas fini par avouer que, lorsqu'elle recevait « les fonds » en grosses coupures des mains du « *Parisien* » à la villa de Marly, elle les portait sans tarder dans différentes banques privées où elle les transformait en petites coupures qu'elle ramenait ensuite chez elle avenue Kléber ? Là, M. Ki Ho prenait cet argent à son tour et le remettait à Tchang Sen, le pédicure à qui incombait la mission de le répartir entre les émeutiers professionnels qui venaient lui rendre visite régulièrement sous le prétexte de se faire soigner les pieds... « Après tout, pensa « la vieille chouette », il est assez normal que des hommes, entraînés aux risques des bagarres et des barricades, éprouvent l'impérieuse nécessité de conserver en parfait état ces pieds qui leur permettent de courir vite lorsqu'ils sont talonnés par la police ou par les C.R.S. ! » En résumé, jamais un émeutier ainsi appointé ne s'était présenté à la *Lampe de Jade*. Il était même certain qu'aucun d'eux ne connaissait le rôle capital joué par la belle Mme Phu. C'était pourquoi son nom n'avait jamais été prononcé par personne lorsque la police avait procédé à des arrestations, pourquoi aussi on n'était jamais parvenu à la prendre sur le fait.

Un dernier point cependant restait obscur : qui avait

mis Mme Phu en rapport avec « *le Parisien* » et lui avait donné l'ordre de suivre le processus de redistribution des fonds reçus ? Elle n'avait donné aucun éclaircissement sur l'identité de ce personnage au cours de sa confession et n'avait répondu qu'aux trois questions posées par Serge Martin en lui révélant seulement *le nom* de celui qui lui donnait les fonds, *l'endroit* où elle les recevait et *les noms* de ceux à qui elle les remettait et qui se réduisaient à Ki Ho et à son complice Tchang Sen. Pour avoir la liste des émeutiers il n'y aurait qu'à « cuisiner » le pédicure. Mais il fallait attendre avant de le faire, sinon ce serait révéler automatiquement aux « patrons jaunes » que Mme Phu avait parlé... C'était d'ailleurs moins urgent : la source des revenus étant tarie, grâce à l'opération de Marly, les émeutiers, ne touchant plus de paie, se calmeraient automatiquement. « Pas d'argent, pas de Suisse ! » se dit « la vieille chouette ». Ce qui était intéressant, c'était de découvrir le nom de celui qui donnait les ordres... Mais Ngô Thi Maï Khanh le livrerait-elle ? Une fois encore, le seul qui parviendrait peut-être à la faire parler était Serge Martin, Aussi, dès qu'il revint le soir à 20 heures comme prévu, la première question que lui posa son chef fut :

— Qui, à votre avis, est le « patron jaune » de celle qui n'est plus tout à fait notre ennemie ?

— Ça, c'est d'autant plus difficile à dire qu'elle n'a certainement pas un unique patron ! Vous connaissez aussi bien que moi la façon d'agir des gens de Pékin : en vrais communistes qu'ils sont, ils ont pour principe absolu de ne jamais faire dépendre un individu d'une seule et même personne. Ceci est la base même du système maoïste : nul n'est indispensable à la Communauté, et à plus forte raison les patrons ! Cette loi s'applique certainement avec une rigueur encore plus impitoyable aux agents des services de renseignement... Si vous préférez, ils n'ont pas là-bas de « vieille chouette » indéracinable comme vous.

— Et vous le regrettez ?

— A vrai dire, je ne sais pas ! Peut-être leur formule est-elle meilleure à la longue, pour le bon fonctionnement de leur espionnage ? Mais moi je préfère avoir toujours affaire aux mêmes individus : que ce soit « mon » chef comme vous ou une ennemie telle que Ngô Thi Maï Khanh ! On sait au moins où on en est, alors que notre belle adversaire ne doit jamais être très bien renseignée sur le véritable patron dont elle dépend... Ç'a déjà dû changer pour elle plusieurs fois depuis qu'elle a travaillé pour *eux*... En réalité, elle dépend avant tout directement de l'immense anonymat de Pékin qui donne les ordres et qui les lui fait transmettre par de très vagues attachés d'ambassade ou même par d'obscurs membres de « missions commerciales » qui doivent venir la voir de temps en temps et le plus rarement possible ! Peut-être même lui passent-ils les ordres simplement par téléphone, à coups de poèmes, ou même par personnes interposées dont les professions, parfois très humbles, ne sont sans doute pas sur le plan de sa condition sociale de patronne d'un grand restaurant à la mode.

» J'en arrive à me demander si ce Li, le cuisinier de la *Lampe de Jade* — qui, un soir, s'est avancé menaçant vers moi, avec un gros couteau de boucherie à la main, dans la cohorte obéissante d'employés venant protéger leur chère patronne — n'est pas un observateur placé directement par Pékin dans la maison pour surveiller tout ce qui s'y passe ? N'oublions pas qu'il est en relations suivies avec le pédicure : n'est-ce pas lui qui a servi d'intermédiaire entre ce dernier et le vieux Ki Ho pour apporter la natte postiche? Mais, même si cela était, qu'est-ce que cela peut nous faire? Souhaitons au contraire que ce soit ce Li le vrai chef occulte actuel de Mme Phu... Au moins nous le connaissons! Et il ne se doute pas que nous avons quelques soupçons sur ses prérogatives : ce qui est très bien.

» Ce n'est pas à vous que je l'apprendrai : même si tous les services d'espionnage ou de contre-espionnage modifient sans cesse leur structure, cela n'empêche pas leurs adversaires de contrecarrer leur activité, comme nous venons de le faire aujourd'hui en décapitant un rouage essentiel. Que nous importe, pour l'objectif très précis que nous voulions atteindre — à savoir que les fonds ne parviennent plus aux émeutiers professionnels chargés d'apporter la révolution en France — que Mme Phu dépende de l'un ou de l'autre? Vous ne m'ôterez jamais de l'idée que, lorsqu'elle s'est enfuie de Chine grâce à vos bons offices, elle n'a pas eu le plein assentiment de ses grands patrons de Pékin. Ils ont dû lui dire la veille de son départ : « Fais semblant d'entrer entièrement dans le jeu du S.R. français. Dès que tu seras à Paris, tu recevras la visite de l'un des nôtres qui te donnera des instructions précises pour que tu puisses continuer à servir ton pays d'une autre façon! Et tu obéiras comme ici! Ce n'est même qu'à cette condition que nous te laissons partir... »

» Ensuite les choses se sont probablement passées de la manière suivante : un soir, où elle trônait derrière son comptoir de la *Lampe de Jade*, elle a vu arriver un client, jaune ou blanc, qui lui a dit, au moment où elle s'approchait de sa table pour savoir s'il était satisfait du service : « Tu vas te rendre demain à la villa « Maryvonne », à Marly, dont voici l'adresse. On t'y remettra une somme importante d'argent que tu iras changer dans telle et telle banque, puis tu la rapporteras en petites coupures chez toi où tu la cacheras et la garderas jusqu'à ce qu'on te donne de nouvelles instructions. » Et le client, qu'elle n'a sans doute jamais revu, est reparti!

» Quelques jours plus tard, un autre client, tout aussi inconnu d'elle, est venu dans les mêmes conditions, disant cette fois : « Cet argent qui est chez toi, tu vas le remettre à Ki Ho, sans lui donner aucune explication, en lui ordonnant de le porter discrètement à telle adresse... » C'était celle de la boutique du pédicure Tchang Sen. Ce dernier avait dû lui-même recevoir entre-temps la visite d'un troisième personnage, inconnu de lui, qui lui avait confié une liste de « clients » qui auraient bientôt recours à ses bons soins de pédicure émérite et à chacun desquels il devrait remettre une certaine somme d'argent... Ceux-ci n'étaient autres que les émeutiers professionnels. Ils avaient sans doute été contactés par un quatrième agent qui leur avait dit : « Tu as besoin de fric? Je connais pour toi un moyen de t'en procurer... Mais si tu vendais la mèche, tu serais immédiatement descendu! » Menace qui dut être sérieuse puisque aucun de ces professionnels, qui ont été arrêtés par la police au moment des troubles de mai, n'a donné le nom et l'adresse du fameux pédicure! A moins — et c'est très possible! — que, parmi tous ceux qui ont été alors interpellés, il n'y ait eu aucun des « clients » du sieur Tchang Sen? Les malins se font rarement prendre dans ce genre de bagarre! Ce sont ceux qui n'ont aucune expérience — et spécialement les jeunes — qui trinquent le plus souvent... Sans aller jusqu'à dire « les innocents », j'avancerais volontiers l'appellation « inconscients »...

» Et voilà, mon cher colonel! Tout cela, d'ailleurs, vous le connaissez mieux que moi... Et si vous comptiez que, par le truchement des aveux d'une Ngô Thi Maï Khanh, nous parvenions à remonter jusqu'à la source suprême, vous étiez dans l'erreur la plus complète! Et si vous espériez que nous arriverions en fin de compte, à l'ambassade de Chine ou, tout au moins, à l'un de ses membres, vous vous faisiez de douces illusions! Il n'y a pas d'exemple, dans les annales de la diplomatie mondiale, qu'un ambassadeur compétent ou ses adjoints commettent la sottise d'entretenir des relations directes avec les Services de Renseignement secrets de leur propre pays! Par définition même, les diplomates sont des gens prudents qui ont reçu, parmi beaucoup d'instructions, celle — primordiale — de n'avoir aucun contact avec des organisations telles que celle que vous dirigez. Ils doivent même, au contraire, désavouer ces organisations si leur activité occulte risque d'amener la moindre complication diplomatique!

» Les Chinois, qui ont toujours été de fins diplomates, ne failliront pas à cette règle sacro-sainte! Leurs agents de renseignement sont exactement ici dans la même situation où nous nous trouvons lorsque nous opérons en Chine... Si vous croyez que j'ai jamais eu, au cours de ma longue carrière passée sous vos ordres et au service de la France, le moindre contact avec quelqu'un de l'une de nos ambassades, ce serait signe que vous me tenez pour le plus médiocre des agents! N'est-ce pas vrai, Patron?

— Tant pis! Nous nous passerons pour le moment de ce dernier renseignement qui m'aurait quand même fait un rude plaisir!

— Il faut savoir nous priver de certains plaisirs dans notre métier si nous voulons qu'il dure! J'estime que nous n'avons pas trop mal réussi dans la mission que nous avions à remplir. Ne nous montrons donc pas trop gourmands, sinon tout se retournerait contre nous, y compris les grands chefs dont vous dépendez et dont l'un vous dirait immanquablement : « Dites-moi, Sicard, ça suffit! On ne vous a jamais demandé d'être plus royaliste que le roi! »

— A vos dons de poète, vous savez ajouter, Serge Martin, une dose de philosophie qui ne me déplaît pas... Venons-en maintenant à un autre sujet qui, celui-là, nous regarde tous deux personnellement puisqu'il est un peu notre petit secret : comment s'est passée la mission, assez sympathique en somme, que je vous ai confiée aujourd'hui?

— Le mieux du monde! Après vous avoir quitté au petit jour, j'ai pris le premier avion pour Nice où je suis arrivé à 9 heures. Vingt minutes plus tard, j'étais reçu par Mme Burtin, que j'ai trouvée en pleine forme et déjà prête à faire une promenade dans le parc de la maison de repos. Dès que je lui eus expliqué que je venais la chercher pour la ramener aujourd'hui même dans son appartement de la rue Vaneau, son visage s'est épanoui et elle m'a alors confié : « Chaque fois que vous veniez me voir, cher monsieur Rumeau, je vous voyais repartir en me disant : Va-t-il m'annoncer bientôt que je vais rentrer à Paris? Ici je suis très bien, mais ce n'est quand même pas chez moi! » Et quand j'ai ajouté que nous prendrions tous les deux l'avion de 13 heures, ce fut presque une explosion de joie : « Nous rentrons en avion! C'est merveilleux! savez-vous, monsieur Rumeau, que je n'ai jamais pris l'avion et que je ne voulais pas mourir avant de l'avoir fait... Pierre adorait l'avion et je suis sûre qu'un jour ou l'autre il m'aurait offert un baptême de l'air... » Ses bagages furent vite faits! Trois heures plus tard, nous étions à l'aéroport de Nice où j'ai profité de ce que nous étions en avance pour confier à celle qui allait être ma compagne de voyage :

» Le colonel et moi vous avons préparé, chère madame, une grande surprise pour votre retour à Paris...

» — Vraiment, monsieur Rumeau? Ah, ce cher colonel, quel homme exquis!

» — L'enquête que vous nous avez donné l'autorisation d'entreprendre pour essayer de savoir, si, oui ou non, Pierre avait eu un enfant au Vietnam, a donné des résultats... D'excellents résultats!

» A ce moment, je la vis pâlir et ce fut d'une voix presque éteinte qu'elle demanda :

» — Alors?

» — Alors, madame Burtin, Pierre a eu un enfant qui a grandi... C'est une ravissante jeune fille qui a aujourd'hui quinze ans...

» — Une fille?

» Il y eut à cette seconde une très nette pointe de déception dans le ton de sa voix, mais assez vite elle se reprit, demandant :

» — Où est-elle?

» — Vous allez être très étonnée : elle est à Paris...

» — A Paris?... Vous l'avez fait venir de là-bas?

» — Non. Elle était déjà ici depuis deux années et le colonel ne s'en doutait pas!

» — Ce n'est pas possible!

» — Mais si! Et le comble, c'est que vous et moi nous l'avons vue un soir : au restaurant où je vous ai emmenée... C'est la jeune danseuse que vous trouviez tellement charmante...

» J'ai cru qu'à ce moment la brave femme allait s'évanouir dans le hall d'attente de l'aéroport et j'ai brusquement craint de m'être montré trop direct et trop rapide. Mais je n'avais plus guère de temps devant moi, étant donné tout ce qui devait se passer dans le restant de la journée! Après m'avoir regardé avec effarement, elle a fini par balbutier :

» — Mais... Vous m'avez dit, n'est-ce pas, que cette danseuse était la fille de la patronne du restaurant qui m'avait laissé une impression aussi désagréable?

» — C'est exact : elle est sa fille, comme elle est l'enfant de Pierre...

» — C'est... C'est épouvantable!... Cette femme, que j'ai vue, serait?...

» — Oui, madame Burtin, c'est elle!

» — Comment peut-elle se trouver en France? Ne m'aviez-vous pas dit que, d'après les recherches entreprises là-bas sur les ordres du colonel, on avait acquis la conviction qu'elle était morte?

» — Disparue, pas morte! Elle a quitté son pays et s'est fait rapatrier en France avec sa fille où elle vit grâce à l'exploitation du restaurant... Je sais que vous m'en voulez de ce que je vous dis... Il ne le faut pas, car je ne suis pour vous, et pour la chère mémoire de votre fils, qu'un ami relativement récent... Je ne pouvais pas savoir! J'ignorais même tout! Vous pensez bien que, si je m'étais douté d'une chose pareille, jamais je ne vous aurais emmenée dans cet endroit!

» — Mais le colonel savait, lui!

» — Pas plus que moi! Quand il a appris la nouvelle de la présence de cette femme à Paris avec son enfant, il a été bouleversé... Il m'a même dit : « Jamais nous ne pourrons annoncer cela à Mme Burtin! » Je lui ai alors répondu que ni lui ni moi, nous n'avions le droit de taire ce secret après les recherches qui avaient été faites et qui venaient d'aboutir d'une façon aussi surprenante. J'ai ajouté aussi que j'allais partir pour Nice et vous ramener sans tarder à Paris : ce que je fais en ce moment... Vous m'en voulez toujours?

» — Non, monsieur Rumeau... Vous avez agi, comme toujours, en homme de cœur... Je devrais même vous remercier, mais je ne peux pas : j'ai l'impression de devenir folle à la pensée que cette femme...

» — Ne pensez pas à elle, madame Burtin, mais seulement à celle qui est votre petite-fille et qui vous attend maintenant avec impatience à Paris...

» — Quoi ?... Vous voulez dire qu'elle sait que j'existe ?

» — Quand nous avons eu toutes les preuves de son identité, nous avons estimé également de notre devoir de lui parler de sa grand-mère paternelle dont elle ignorait l'existence.

» — Naturellement, sa mère a soigneusement évité de lui dire que j'étais toujours en vie!

» — Comment l'aurait-elle su, madame Burtin? La patronne de la *Lampe de Jade* n'est venue en France que douze années après la mort de Pierre et pourquoi aurait-elle cherché, sinon à faire votre connaissance, du moins à savoir si Pierre avait encore de la famille à Paris? Pour elle, depuis que celui qu'elle a toujours considéré comme étant son époux a disparu, plus rien n'a compté que l'enfant qu'elle avait eue de lui... Souvenez-vous de l'histoire de *Madame Butterfly*.

» — Oui... C'est la même histoire...

» — A cette grande différence près qu'au dernier acte de la vôtre, l'enfant de l'homme qui était venu d'au delà des mers retrouve sa grand-mère paternelle auprès de qui elle ne demande qu'à vivre... Ne pensez-vous pas que, de son côté, cette bonne grand-mère n'éprouve pas le besoin de choyer la fille de son cher disparu?

» Elle resta un long moment silencieuse et pensive, presque comme si elle avait du mal à rassembler ses idées. Puis elle me fit cette réponse qui est déjà pour vous et moi la preuve que nous avons bien fait d'agir ainsi :

» — Vous avez raison, monsieur Rumeau : je dois m'occuper de cette enfant... C'est Pierre qui me l'a envoyée... Elle habitera désormais dans sa chambre...

» — Ce sera avec joie que je la lui céderai!

» — C'est vrai : je n'y pensais pas... Où irez-vous, monsieur Rumeau?

» — Notre ami le colonel se débrouillera bien pour me trouver un autre domicile.

» — Mais, vous reviendrez « nous » voir?

» — Tous les jours, si vous le voulez, madame!

» — Merci... Comment s'appelle ma petite-fille?

» — Siao...

» — Quel nom étrange! Siao...

» Elle le répéta plusieurs fois avant de dire :

» — Siao... C'est doux à prononcer... Je crois que je finirai très vite par m'y habituer! Mais il ne faudra pas qu'elle revoie l'horrible femme!

» — N'oublions pas que, quelles que soient ses fautes passées, c'est sa mère, madame Burtin!

» — Elle ne méritait pas de l'être! Siao est avant tout une Burtin... Aussi mon devoir est-il de l'arracher immédiatement à cette aventurière qui est aussi une criminelle... Je sens que mon fils me le demande.

» — Nous ferons tout, le colonel et moi, pour arranger les choses au mieux. L'important, pour l'instant, c'est que vous puissiez embrasser votre petite-fille... Ce sera fait dès cet après-midi.

» Ce fut le moment où les passagers du vol pour Paris furent appelés dans le haut-parleur. Et ce fut une chance :

la veuve se montra tellement fascinée par l'ambiance et l'atmosphère d'un départ aussi insolite pour elle qu'elle parut ne plus penser à ce qui l'attendrait à son arrivée à Paris. Pendant toute la durée du trajet, nous ne parlâmes plus de Siao, ni de sa mère! Je vous avoue avoir éprouvé, au cours de cette heure de vol, un réel contentement à la pensée que tout le travail — accompli pendant des mois en venant chaque semaine à Nice pour préparer la rencontre que nous souhaitions — n'avait pas été inutile : « l'idée » de l'enfant de Pierre avait fini par s'ancrer solidement dans le cerveau de celle qui ne se sentait plus complètement seule au monde... Pourtant, à un certain moment, j'ai eu l'impression — alors que nous volions — que ma voisine souffrait atrocement : son visage se tendait dans une crispation douloureuse. Ce qui me fit lui demander :

» — Vous vous sentez bien, madame Burtin?

» — Très bien! me répondit-elle.

» — L'altitude ne vous incommode pas? Vous n'avez pas le mal de l'air?

» — A l'avenir, j'ai bien l'intention de n'utiliser que ce mode de locomotion!

» — Parce que vous avez l'intention de beaucoup voyager?

» — Avec ma petit-fille, sûrement! Elle doit adorer l'avion?

» Le seul fait de reparler de Siao ramena la sérénité sur son visage.

» Quand nous fûmes dans le taxi qui nous conduisait à Paris, elle me demanda :

» — Quand vais-je « la » voir?

» — Dès que je vous aurai déposée rue Vaneau, j'irai la chercher.

» — Elle habite avec sa mère?

» — Pas depuis quelques mois.

» — Tant mieux! C'est signe qu'elle a déjà compris que cette femme n'était pas pour elle... Elle vit seule?

» — Toute seule.

» — A son âge? Mais c'est terrible, monsieur Rumeau!

» — Sans doute pressentait-elle qu'elle retrouverait bientôt un foyer.

» — Chère petite! Alors, vraiment, personne ne s'occupe d'elle?

» En entendant cette question, je vous confesse avoir eu un moment d'hésitation!

— Comment vous en êtes-vous tiré? demanda Sicard.

— Comme d'habitude : par une pirouette! J'ai répondu :

» — A vrai dire, madame Burtin, elle ne manque de rien... C'est une jeune fille tellement charmante qu'elle n'a que des amis.

» — Cela ne m'étonne pas... Mais elle danse toujours dans le restaurant?

» — Non! Elle ne tient pas trop, en ce moment, à voir sa mère... Surtout depuis qu'elle sait que vous existez!

» — Quelle adorable enfant! Je crois que je l'aime déjà beaucoup...

» — J'en suis sûr! S'il n'en était pas ainsi, vous ne mériteriez pas d'être grand-mère.

» J'avais donné des instructions à la femme de ménage pour qu'elle fût là quand nous arriverions. Ce qui m'a permis de dire à celle qui retrouvait son appartement :

» — Maintenant, chère amie, je me sauve pour aller chercher Siao... Ne comptez pas que nous soyons ici avant 17 heures... Pendant ce temps Jeanne vous aidera à défaire vos bagages... Je ne vous offre pas de passer l'inspection des lieux, mais vous pourrez constater que rien n'a bougé de place. A tout à l'heure! Et surtout n'hésitez pas à vous faire très belle pour accueillir Siao.

» — Peut-être devrais-je mettre la robe grise?

» — Non, je crois sincèrement que, lorsqu'une orpheline de quinze ans découvre sa grand-mère, elle préfère que celle-ci soit vêtue de noir... A condition, bien sûr, que la tristesse du deuil soit corrigée par le rayonnement d'un visage sur lequel la bonté se confond avec la joie.

» — Je vais essayer de faire tout mon possible! Et merci encore!

» Nous nous sommes quittés sur ces paroles d'espoir. Une demi-heure plus tard, j'étais à Marnes-la-Coquette où « notre » pensionnaire m'accueillit dans un flot de reproches dont le principal revenait comme un leitmotiv : « Ça fait trois jours que je ne vous ai pas vu! Je commençais à devenir folle! »

» Je n'ai pos osé dire : « Vous aussi! » mais je me suis rendu compte — et vous allez sans doute, chère « vieille chouette », dire que ma sénilité n'a fait que s'accentuer! — que la jeune Siao était un peu amoureuse de moi... Ça vous épate? Mais c'est pourtant ainsi! Après la grand-mère, c'est au tour de la petite-fille... Je finis par croire que je plais beaucoup à toute la famille!

— Sauf à la mère!

— Ngô Thi Maï Khanh?... Qui sait? A un certain moment — ce n'a été qu'une lueur dans son regard — j'ai ressenti la curieuse impression, au cours de notre rencontre d'hier soir, qu'elle ne m'était pas complètement hostile. C'est assez insensé, n'est-ce pas? Ma tendre ennemie est une curieuse créature qui n'aime, au fond, que les véritables hommes...

— Parce que vous êtes persuadé d'en être un? Je vous

ai pourtant déjà dit qu'il était impossible, même pour ceux qui vous connaissent aussi bien que moi, de découvrir quelles sont vos réelles affinités sexuelles!

— Ce qui ne veut pas dire que je ne suis pas un homme! Vous êtes vexant, colonel! Même chez les homosexuels les plus convaincus, il y a toujours une proportion de mâles et de femelles... Mais revenons à notre pure jeune fille... Après avoir laissé passer la vague d'indignation pour mon absence prolongée, j'ai répondu en baissant humblement la tête :

» — Je sais, mon petit, que vous avez raison, mais j'ai une excuse : je suis allé chercher votre chère grand-mère qui est rentrée à Paris et qui vous attend chez elle avec une folle impatience.

» — Pourquoi ne l'avez-vous pas amenée ici?

» — Elle ne comprendrait pas que vous y soyez!... Et, à ce sujet, je vous demande, sur notre amitié, de me promettre que vous ne lui parlerez jamais du petit séjour que vous venez d'y faire.

» — Vous appelez ça « un petit séjour »? Voilà près de quatre mois que je suis ici!

» — Votre supplice est terminé. Je vous emmène...

» — Où cela?

» — Je vous l'ai dit : chez votre grand-mère.

» Je vous jure que ça n'a pas traîné, le départ! Au moment où nous franchissions le vestibule pour rejoindre le taxi qui nous attendait devant le perron, nous avons croisé Mme Agnès. Ce qui m'a permis de dire à l'oiseau qui s'évadait enfin de la cage :

» — Eh bien, Siao? On ne dit pas au revoir à celle qui a fait de son mieux pour vous rendre cette prison moins pénible?

» Vous me croirez si vous voulez... La jeune fille a sauté

au cou de sa gardienne et l'a embrassée sur les deux joues avant de s'engouffrer dans la voiture! La dernière vision que j'aie eue, tout à l'heure, de la maison de Marnes-la-Coquette a été celle d'une Mme Agnès, immobile sur le perron, qui pleurait... C'est certainement la première fois que pareil événement se produit dans sa carrière de garde-chiourme! Comme quoi, pour chaque être, il y a un commencement à tout!

» Vous décrire ce qui s'est passé quand nous sommes arrivés rue Vaneau est impossible! J'ai vécu là un de ces moments qui n'ont pas de prix dans la vie d'un homme, même si celui-ci n'est plus qu'un vieux dur à cuire persuadé d'avoir tout vu et tout connu... Oui, Sicard, je me suis senti un peu moins méchant que d'habitude! C'est bête, hein? A moins que ce ne soit de l'orgueil?

« La vieille chouette » le regarda longuement, l'air intrigué, avant de répondre :

— Personne ne vous connaîtra jamais, mon vieux... Et pourtant! Si vous saviez comme j'aimerais découvrir une fois pour toutes ce qui se passe réellement en vous! Mais ne nous attendrissons pas : laissons ce privilège à une veuve Burtin et à Siao... En somme, comme vous me l'avez dit en arrivant, tout s'est passé le mieux du monde... Vous les avez laissées ensemble?

— Après avoir pris soin cependant d'appeler du vestibule, pendant qu'elles étaient toutes deux dans le salon, le Dr Mariel. Je lui ai expliqué le plus rapidement possible ce que nous avions fait... Il nous approuve... Je lui ai demandé aussi de passer dans la soirée rue Vaneau sous le prétexte qu'ayant appris par vous que sa cliente était rentrée à Paris par avion, il venait gentiment s'enquérir de ses nouvelles. Il m'a promis de le faire. Je crois que cette visite est indispensable... Avec toutes les émotions que vient de connaître aujourd'hui la vieille femme, et surtout les effusions des retrouvailles avec sa petite-fille, peut-être sera-t-il nécessaire de lui administrer un calmant ? Demain, après une bonne nuit de sommeil, tout rentrera dans l'ordre : une nouvelle aube se lèvera pour elle.

— Vous pensez à tout, Martin... Et maintenant ? Comment allez-vous vous y prendre pour rendre Siao à sa mère ?

— Je crois qu'il ne faut pas bousculer les choses et surtout les sentiments... Laissons la petite-fille pendant vingt-quatre heures seule avec sa grand-mère... J'ai pris soin de dire hier soir à Ngô Thi Maï Khanh que son enfant lui serait rendue au plus tard dans trois jours : ce qui nous laisse un peu de temps pour réfléchir... Notez bien que, pas une fois, pendant que nous roulions en taxi de Marnes-la-Coquette à la rue Vaneau, Siao n'a manifesté le désir de revoir sa mère ! Elle ne parlait que de cette grand-mère qu'elle allait découvrir...

— Ce qui prouve que, là aussi, votre « travail préparatoire » a été bien fait.

— Je n'en suis pas tellement fier ! Rendre à une grand-mère sa petite-fille, c'est très bien, mais si c'est fait aux dépens de la mère, ce n'est pas une vraie réussite ! Le temps du chantage à l'égard de Ngô Thi Maï Khanh est terminé pour nous... J'ai pris un engagement moral vis-à-vis d'elle : je dois le tenir, sinon je serais la pire des crapules... La grande difficulté va être de rapprocher, en admettant que ce soit possible, les deux femmes qui se haïssent ! Et j'ai l'impression qu'il sera plus facile de persuader une Ngô Thi Maï Khanh qu'une veuve Burtin de la nécessité, pour le bonheur futur de Siao, d'établir entre elles des liens, sinon d'amitié, du moins de relation civile...

Du moment que moi-même j'ai accompli le premicr pas en prenant la décision irrévocable d'oublier Lao-Kaï, l'ancienne maîtresse de Pierre finira par ne plus se souvenir, elle aussi, que la maman de son amant a été la vraie responsable de son mariage en France... Par contre, je me demande avec une certaine inquiétude si la veuve saura se montrer capable d'une telle magnanimité? Il n'y a pas plus rancunier que les vieillards...

La sonnerie du téléphone venait de retentir. Sicard décrocha le récepteur :

— Oui, c'est moi... Bonjour, docteur... Quoi?

L'interlocuteur parla longuement et, au fur et à mesure qu'il parlait, Serge Martin remarqua que le visage de son chef, qu'il n'avait jamais connu qu'empreint de froideur voulue ou de bonhomie, s'altérait. Et il répondit avant de reposer l'appareil :

— Surtout n'avertissez personne, docteur, avant que je n'arrive. Je serai là au plus tard dans dix minutes.

Celui que Serge Martin avait maintenant devant lui était un homme qu'il n'avait encore jamais vu. Il lui demanda, anxieux :

— Qu'est-ce qui se passe?

— Il se passe que tous nos savants calculs pour obtenir un rapprochement familial ont échoué... Le Dr Mariel, qui s'est rendu rue Vaneau selon la promesse faite, s'est trouvé devant quelque chose d'affolant... Après qu'il eut sonné plusieurs fois à la porte de l'appartement, celle-ci s'est enfin ouverte pour lui livrer la silhouette d'une veuve Burtin qui a balbutié : « Ah? C'est vous, docteur?... Je suis bien contente de vous revoir parce que j'ai pour vous une bonne nouvelle... Vous savez : ma petite-fille que l'on vient enfin de me rendre après tant d'années? Eh bien, j'ai réussi à la séparer définitivement de son horrible mère...

Venez avec moi, docteur : je vais vous la montrer... » Il l'a suivie dans le vestibule, puis dans le couloir jusqu'à la chambre de Pierre. Et là, il a vu un spectacle hideux : la jeune fille gisait inanimée sur le lit, le cou enserré dans un foulard de soie blanche. Son visage était violet : elle était morte, étranglée par sa grand-mère...

Serge Martin s'était dressé, blême. Lui qui n'avait jamais eu besoin de l'appui de rien, dut s'agripper au rebord de la table-bureau pour ne pas s'écrouler. Pendant quelques secondes, son long corps oscilla, secoué par des frissons, avant qu'il pût articuler :

— C'est fou!

— C'est de la démence... Nous sommes le combien aujourd'hui ?

— Le 29 août.

— C'est-à-dire à cinq jours de la date fatidique où Burtin a été assassiné...

Et, après un silence, Sicard reprit :

— Oui, Martin... Cette crise annuelle, que nous pensions tous pouvoir éviter cette année grâce à l'entrée de Siao dans la vie de la solitaire, est revenue, sauvagement, avec une force décuplée... Que s'est-il passé brusquement dans le cerveau de la démente ? Il n'y a pas une seconde à perdre : allons-y.

— Non, colonel! J'irai seul, car il n'y a qu'à moi, je le sais, que la vieille femme fera peut-être ses horribles confidences. Vous, vous devez vous occuper uniquement de Ngô Thi Mai Khanh pour la prévenir... Cela va être épouvantable, mais personne d'autre que vous ne peut le faire... Nous nous retrouverons quand nous aurons chacun accompli notre triste besogne.

Le docteur, qui l'attendait dans le vestibule, dit à voix basse en désignant le salon :

— Elle est assise dans son fauteuil, près de la fenêtre... J'ai réussi à lui faire une piqûre pour la calmer : maintenant elle reste silencieuse, mais jusque-là elle ne cessait de répéter : « N'est-ce pas, docteur, que j'ai trouvé un bon moyen pour empêcher à jamais ma petite-fille de revoir celle qui a tué son père ? »

— J'essaierai de la faire parler tout à l'heure.

— Vous ne tirerez plus rien d'elle dans l'état où elle se trouve maintenant.

— Ce n'est pas certain, docteur... Je dois quand même tenter l'expérience. Il le faut !

Il courut vers la chambre du fond, « sa » chambre qui avait été celle de son ami. Et là, il vit... Le médecin avait simplement desserré le foulard, qui était resté autour du cou, et fermé les paupières de la jeune morte. Les yeux en amande ne reverraient plus jamais la tristesse et la stupidité de la vie.

Longtemps il resta dans la contemplation horrifiée du visage violacé. Heureusement le corps, tellement souple, avait gardé sa beauté, s'abandonnant peu à peu au néant avec cette grâce suprême que trouvent les plantes dont la tige est brisée... Les yeux gris de l'aventurier demeuraient obstinément fixés sur lui, sans parvenir à pleurer parce qu'ils n'avaient jamais connu l'apaisement des larmes. Il ignorait aussi le geste de l'agenouillement qui fait naître la prière... Il resta debout ainsi, ressassant une pensée qui bourdonnait dans sa tête : « N'est-ce pas insensé que Siao soit venue d'aussi loin pour rendre le dernier souffle dans le lit de son père ? » Lentement, avec peine, continuant à regarder comme s'il ne pouvait plus s'arracher à la torpeur de mort, il recula jusqu'à la porte. Ce n'est que dans le couloir qu'il reprit conscience pour rejoindre le médecin dans le vestibule :

— Qu'est-ce que vous allez faire, docteur ?

— Je dois téléphoner à la police et demander d'urgence une ambulance qui transportera Mme Burtin dans cette maison psychiatrique de Neuilly, où nous avions pris l'habitude de la faire soigner chaque année à la même époque.. Je crois que tous nous avons commis la plus grave des erreurs en essayant de la guérir par un renouveau d'amour !

— Faites votre devoir, docteur, pendant que je vais essayer de faire le mien... Puis-je vous demander de me laisser seul avec *elle* pendant quelques instants ?

Avant même que le praticien eût répondu, il était entré dans le salon dont il referma la porte vitrée derrière lui. Après s'être approché tout doucement de la bergère, il s'assit, face à elle, sur ce même siège que la vieille femme lui avait offert la première fois où il était venu en ce lieu, débarquant d'un cargo imaginaire...

Elle était là, devant lui, enfoncée dans le fauteuil. Elle le regardait de ses petits yeux perçants où venaient de passer toutes les lueurs de folie. En ce moment ces yeux avaient retrouvé le calme, mais ils dévisageaient le visiteur sans paraître le reconnaître. Il attendit, silencieux. Et tout à coup une nouvelle lueur — douce, celle-là — éclaira tout le visage, tandis que la voix frêle disait :

— C'est vous, monsieur Rumeau ? Comme je suis contente de vous revoir !

— Moi aussi, madame Burtin... Vous vous sentez mieux ?

— Mais je suis très bien ! Il s'est passé quelque chose ?

— Il s'est passé qu'en mon absence vous avez reçu une visite...

— Ce cher docteur ? Je l'aime tant !

— Le docteur à qui vous avez montré ce que vous veniez de faire...

— Ah, oui... Cette petite... Je crois lui avoir fait beaucoup de bien...

— Mais vous venez de commettre un acte épouvantable madame Burtin!

— Moi? Je me suis montrée juste : cette jeune fille n'avait pas le droit de continuer à vivre puisque mon petit-fils à moi est mort le jour de sa naissance... C'est pour cela que je l'ai renvoyée à son père : il doit être content maintenant...

— Mais son père, madame Burtin, c'était votre fils, Pierre...

— Pierre? Je sais qu'il est mon fils... Il le restera toujours!

— Vous n'aviez pas le droit de faire cela! Cette jeune fille avait aussi une mère!

— Une mère? Oh, non! Sa mère n'est plus depuis longtemps... Vous-même me l'avez dit, et le colonel me l'a écrit quand j'étais à Nice... Non! Sa vraie mère est morte, comme Pierre... L'autre n'est qu'une aventurière! Elle nous a fait croire qu'elle était sa maman uniquement pour tous nous attendrir... Heureusement que j'étais là. Vous ne trouvez pas, monsieur Rumeau?

— Je suis effondré, madame.

— Vous êtes un homme trop sensible : un jour, vous verrez, cela vous jouera un mauvais tour!

— Je vous en supplie, madame Burtin... Souvenez-vous une fois de plus de l'histoire de *Madame Butterfly*.

— L'opéra-comique? Il m'a toujours enchantée!

— Eh bien... au dernier acte, c'est la maman jaune qui se tue, mais son enfant continue à vivre!

— Justement : comme l'horrible femme, qui se prétendait la mère de cette jeune fille, ne se serait certainement jamais suicidée, il n'y avait pas d'autre moyen de lui enlever celle à laquelle elle n'avait pas droit ! Et puis cette... Comment s'appelait-elle ? Je ne me souviens plus de son nom.

— Siao...

— C'est cela : Siao... Cette Siao ne portait pas notre nom...

— Mais elle n'aurait demandé que cela, madame !

— Il ne fallait pas ! C'eût été une autre imposture que Pierre ne m'aurait jamais pardonnée ! Savez-vous que les Burtin ont toujours été des gens d'honneur ? Aucun d'eux n'aurait admis une chose pareille ! Croyez-moi, monsieur Rumeau : tout est beaucoup mieux ainsi...

La porte vitrée venait de s'entrouvrir : le docteur fit signe que la police et les infirmiers étaient arrivés.

Serge Martin se leva.

— Madame Burtin, vous allez recevoir d'autres visites : ce sont des amis charmants qui vont vous raccompagner à Nice où vous avez été si heureuse, dit-il mensongèrement.

— Oh, oui ! Les fleurs, le ciel bleu, le soleil...

— Vous allez retrouver tout cela !

— Je voyagerai en avion ?

— D'abord en auto jusqu'à l'aéroport et ensuite en avion... Voici nos amis...

Deux infirmiers en blanc s'étaient avancés jusqu'à la bergère.

— Pourquoi ces messieurs sont-ils habillés ainsi ? demanda-t-elle.

— Parce qu'ils aiment les teintes claires et que le blanc est une couleur gaie.

— Vous avez raison : très gaie... Quand j'ai rendu

service à cette petite, j'ai pris soin de le faire avec un foulard de soie blanc, que j'avais conservé précieusement et que j'avais offert à Pierre le soir même de son dîner de fiançailles qui avait lieu chez ses futurs beaux-parents... Je me souviens : je lui avais fait la surprise de le lui mettre moi-même autour du cou, dans ce salon, au moment où nous allions partir... J'étais en robe du soir avec mon étole de vison et lui en smoking... Vous n'avez pas idée comme il pouvait être beau en smoking, mon Pierre! Et cette écharpe de soie, nouée autour de son cou, lui donnait un chic fou! Je me souviens également de lui avoir dit au moment où nous prenions l'ascenseur : « Mon chéri, méfie-toi... Maintenant que tu vas devenir un homme rangé, tu dois prendre garde à ta santé. Nous sommes déjà en septembre et les nuits d'automne sont fraîches à Paris... »

— C'est pourquoi il va falloir que vous mettiez vous-même un manteau, madame Burtin : nous approchons de septembre... Je vais aller vous le chercher pendant que ces messieurs et le cher docteur vous aideront à vous lever.

— Mais je n'ai pas besoin d'aide, monsieur Rumeau! Je suis forte! Voyez plutôt...

Elle s'était redressée et se tenait debout, immobile, dans une attitude de défi.

— Je vois... Nous savons tous ici que vous êtes très forte! Ne vous a-t-il pas fallu beaucoup de force, tout à l'heure, pour « rendre service » à la jeune fille?

— Même pas, monsieur Rumeau!... Oui, cette petite m'a dit qu'elle était un peu fatiguée... Alors je l'ai conduite jusqu'à la chambre du fond, qui est la vôtre. Là, je me suis permis de lui conseiller de s'allonger un peu... Vous ne m'en voulez pas d'avoir ainsi utilisé votre lit?

— Aucunement, madame... Et après?

— Après ? Je suis allée jusqu'à la penderie où je garde tous les chers vêtements de Pierre... J'ai pris le foulard en pensant qu'il pourrait peut-être tenir aussi chaud à la petite qu'à mon fils. Quand je suis revenue dans la chambre, elle dormait déjà... C'est merveilleux, la jeunesse! Alors j'ai mis le plus doucement possible le foulard autour de son cou pour ne pas la réveiller...

— Et vous avez serré de plus en plus fort ?

— C'est bien cela : de plus en plus fort...

— Elle ne s'est pas débattue ?

— Non. Je crois qu'elle ne s'est pas réveillée... Elle a eu comme un petit cri et puis c'était fini... Plus rien! J'ai refermé la porte pour qu'elle puisse continuer à dormir et je suis revenue ici où j'ai attendu dans ma bergère...

— A quoi avez-vous pensé alors, madame Burtin ?

— A une foule de choses, monsieur Rumeau! C'était étrange : je crois que j'avais l'impression de veiller une inconnue qui n'était rien pour moi...

— Et le docteur est arrivé ?

— Oui, ce cher docteur!

— Messieurs, dit ce dernier en s'adressant aux infirmiers pendant que Serge Martin allait chercher un manteau, il est grand temps de partir...

Escortée des infirmiers qui la soutenaient de chaque côté, la veuve Burtin traversa lentement le salon. Arrivée dans le vestibule, elle dit à Serge Martin qui revenait avec le manteau qu'il lui jeta sur les épaules :

— Je ne suis pas triste du tout, cette fois, de m'en aller. Oui, j'en ai assez de cet appartement! Je m'en suis rendu compte cet après-midi quand nous y sommes revenus... Je crois même que je ne veux plus le voir!

— Je vous promets, madame Burtin, que vous ne le verrez plus jamais.

— Mais vous m'accompagnez, monsieur Rumeau ?
— Jusqu'à la voiture...
Puis, s'apercevant brusquement de la présence des agents qui attendaient dans le vestibule, elle demanda :
— Mais... qui sont tous ces messieurs ?
— D'autres amis qui ont tenu à venir vous saluer avant votre départ.
— Comme c'est gentil ! Vraiment, monsieur Rumeau, je me suis montrée la plus égoïste des femmes en croyant que j'étais seule au monde ! Tous les jours, depuis quelque temps, je me découvre une foule d'amis que j'ignorais... Et c'est beaucoup à vous que je le dois !
Puis s'adressant aux deux hommes en blanc :
— Nous partons, messieurs ?
Dès qu'elle se retrouva dans la rue, devant l'ambulance dont les infirmiers avaient ouvert la double portière arrière pour sortir le brancard, Serge Martin lui expliqua :
— Vous voyez, chère amie, c'est une voiture des plus confortables : vous allez pouvoir vous y allonger.
— Mais je ne suis pas malade !
— Nous en sommes tous persuadés... Seulement vous allez rouler de nuit : ce sera plus agréable pour vous d'être couchée.
Quand elle fut installée sur le brancard, dans la voiture, Serge Martin trouva un dernier sourire avant que la portière ne fût refermée.
— Je ne vous souhaite pas bon voyage, chère madame Burtin, dit-il, parce que je sais qu'il sera excellent.
— Vous viendrez me voir là-bas, monsieur Rumeau ?
— J'essaierai...

Il remonta, en compagnie du docteur, dans l'appartement où étaient restés les agents. Dans la chambre de la morte, se trouvait un officier de police.

— Je comprends très bien, lui dit-il, que vous remplissiez toutes les formalités d'usage mais, une fois qu'elles seront terminées, je vous demande une seule chose : c'est de ne pas laisser ce corps ici.

— Dès que le juge d'instruction sera venu et que les photographies du service anthropométrique auront été faites, nous pouvons très bien le faire transporter, à toutes fins utiles, à l'Institut médico-légal.

— Ce sera préférable car il n'est pas possible que la mère de cette jeune fille vienne la voir ici.

— Pourquoi ?

— Pourquoi ? Parce que, pour elle, cette pièce ne peut être qu'une chambre maudite !

A la *Lampe de Jade,* Mme Phu avait été appelée au téléphone. En entendant la voix du colonel, elle avait aussitôt demandé, presque joyeuse :

— Je suis sûre que vous allez m'annoncer que l'on me ramène Siao ?

Après un court silence, son interlocuteur répondit :

— Il faudrait d'abord que nous puissions nous voir tous les deux.

— Voulez-vous que ce soit chez moi comme l'autre jour ?

— J'y serai dans un quart d'heure.

— C'est donc tellement pressé, colonel ?

— Oui.

— Vous m'inquiétez... Vous n'allez pas m'annoncer une mauvaise nouvelle ?

— Venez vite !

Quand elle descendit de taxi devant l'immeuble de l'avenue Kléber, Sicard l'attendait déjà devant la porte.

— Montons, dit-il simplement.

Il n'ajouta pas un mot jusqu'à leur arrivée dans le boudoir transformé en temple. Resté debout, il lui prit les deux mains :

— Ma chère Ngô Thi Maï Khanh, je sais que vous devez beaucoup nous en vouloir pour l'odieuse comédie que nous vous avons jouée pendant des mois... Mais dites-vous bien que nous n'aurions jamais agi ainsi si vous vous étiez montrée plus compréhensive.

— Pourquoi l'aurais-je été ? Vous connaissez aussi bien que moi les règles du métier.

— Elles sont dures, je le sais ! Pourtant, je ne pense pas que vous aviez le droit, après tout ce que nous avions fait pour vous, d'agir en ennemie de la France... Mais puisque vous avez fini par nous donner les renseignements dont nous avions besoin, je veux bien considérer ce revirement de dernière heure comme une réparation... Je pense que vous savez ce qui s'est passé aujourd'hui ?

— Je ne sais rien du tout, étant restée ici d'où je ne suis partie à 19 heures que pour me rendre à mon restaurant.

— M. Li, votre cuisinier, ne vous a rien dit ?

— Pourquoi me dirait-il quelque chose ? Ce n'est qu'un employé.

— Vous êtes bien certaine qu'il n'est rien de plus ?

— Ça recommence, les interrogatoires ? Voyez-vous, colonel, l'homme à qui j'en veux le plus dans tout ce qui vient de se passer, c'est vous... Serge Martin, qui s'est montré parfaitement odieux et que je continue à haïr autant qu'il me déteste, a fait le travail que vous lui avez imposé... Mais vous! Vous en qui j'avais une confiance aveugle!

— Je n'aime pas beaucoup qu'on se paye ma tête, surtout si l'on dépend de moi! Apprenez, nº 643, que vous avez « joué », à grand renfort de protestations de dévouement, « la confiance en moi » mais qu'en réalité ce n'était chez vous qu'une façade hypocrite qui vous permettait de masquer votre double activité... Des agents doubles, j'en ai souvent utilisé parce que, hélas, il en faut! Mais je les ai toujours méprisés... Sachez que le jour même où, par l'intermédiaire de l'un de nos agents qui vous a contactée en Chine, vous avez été incorporée sous le matricule 643 dans notre S.R., je savais déjà que je devrais me méfier de vous. Si vous, vous prétendez — ce qui est une plaisanterie — avoir eu une « confiance aveugle » en moi, en ce qui me concerne je n'en ai jamais eu aucune en vous! J'ai simplement pensé qu'un jour ou l'autre, vous pourriez nous être utile puisque vous aviez certainement conservé des contacts très étroits avec vos patrons de Pékin. Les événements viennent de prouver que je ne m'étais pas trompé : vous nous avez été enfin utile! Ce qui s'est passé aujourd'hui? Toute l'équipe de la villa « Maryvonne » est bouclée, y compris celui qui vous remettait les fonds, Pierre Derveaux, surnommé « Le Parisien »... Le matériel de « l'usine » installée dans la cave et les stocks d'héroïne accumulés ont été saisis... Tout cela, nous le devons à ces révélations que vous n'auriez jamais faites si nous ne vous avions pas mise psychologiquement en condition de les faire! Quand vous êtes rentrée chez vous au petit jour, raccompagnée jusqu'ici par mes hommes, vous avez pu mesurer à quel point ce « patron français », que vous étiez convaincue jusque-là d'avoir « mis dans votre poche », connaissait son métier!

» Depuis cette constatation, vous me haïssez peut-être encore plus qu'un Serge Martin, mais vous ne pouvez pas vous empêcher, en grande artiste de la profession que vous êtes, d'avoir un certain respect à mon égard! A la longue, on n'admire que les vainqueurs! Vous êtes vaincue totalement, Ngô Thi Maï Khanh. et ceci à un point que vous ne pouvez pas encore imaginer... Nous tiendrons parole : personne ne saura, en face, que c'est vous qui avez parlé. C'est pourquoi nous avons pris soin de n'arrêter ni Ki Ho, ni le pédicure Tchang Sen, ni votre cuisinier M. Li... Si l'un d'eux était coffré, vos « patrons jaunes » comprendraient tout de suite d'où sont venues les fuites... C'est la raison aussi pour laquelle j'estime qu'il serait de votre intérêt que nous vous arrêtions pour vous mettre « à l'ombre » pendant un certain temps. Ce qui offrirait l'avantage, pour votre sécurité future, de faire croire à vos autres « patrons » que, vous aussi, vous avez été dénoncée comme les gens de Marly... « Ils » chercheront alors par qui. Nous ne voulons pas accabler Ki Ho, d'abord parce qu'il est votre père et ensuite parce qu'il est très âgé... Par contre il en est un — dont vous vous moquez aussi éperdument que nous — c'est Tchang Sen... Ce damné pédicure, qui distribuait l'argent aux émeutiers, est obligatoirement en possession d'une certaine « liste des clients » qui nous intéresse... A la même heure où nous vous arrêterons, nous le coincerons et celui-là, je vous garantis que mes petits amis de la D.S.T. sauront le faire parler! Nous nous arrangerons pour qu'il mentionne, dans ses aveux qui n'auront rien de spontané, votre nom et celui de Ki Ho : ainsi vous-même et votre père serez automatiquement lavés de tous soupçons aux yeux de

Pékin! Car nous ferons savoir là-bas que c'est grâce à ce Tchang Sen que nous avons pu remonter la filière... Je sais qu'il n'est pas votre parent et que vous n'avez pas la moindre attache avec lui : donc nous le sacrifions, vous et moi! Il faut toujours un bouc émissaire qui paie pour tout le monde : ce sera lui! Même si nous le libérons, après l'avoir fait parler, cela m'étonnerait que Pékin lui laisse une longue vie! Quant à vous, vous reviendrez trôner, triomphante et pure, en compagnie de papa Ki Ho, à la *Lampe de Jade*... Qu'est-ce que vous pensez de cette tactique salvatrice?

— C'eût été dommage, colonel, que l'on ne vous ait pas placé à la tête d'un S.R.!

— C'est exactement ce que mes patrons à moi doivent se dire tous les jours! S'ils m'ont gardé aussi longtemps c'est qu'il doit y avoir une raison?

— Et vous allez me mépriser encore plus quand je vous répondrai que cette tactique me paraît être, en effet, la seule possible... Vous avez raison : quand on se sait vaincue, on est bien obligée de subir la loi du plus fort!

— Comme j'aime à vous l'entendre dire, n° 643!... Un dernier point : apprenez aussi qu'à dater d'aujourd'hui, tout en vous faisant arrêter — pour vous sauver des griffes de nos adversaires qui risqueraient de devenir aussi les vôtres si nous ne prenions pas cette ultime précaution! — vous cessez d'appartenir à nos services... C'est normal et juste : le jour où nous vous rendrons la liberté parce que nous saurons que vous ne courez plus aucun danger de représailles, vous serez libre de tout! Si cela vous plaît, vous pourrez même continuer à « travailler » pour Pékin! Seulement je vous donne un conseil : si cela était, vous feriez mieux de quitter le plus tôt possible la France, car non seulement vous n'y seriez plus « protégée » par nous, mais vous risqueriez de nous retrouver contre vous! Et là, nous n'agirions plus à votre égard avec des mains gantées...

Elle eut un sourire assez énigmatique avant de demander :

— Pas plus que votre adjoint, Serge Martin, vous n'aimez les femmes, colonel?

— Moi? Je les adore... Sauf quand elles se mêlent de ce qui ne les regarde pas : ce qui a été votre cas depuis douze années! Je les adore et il m'arrive même de les plaindre...

— Oh! Je vous en prie... Pas de compassion inutile! J'ai perdu, c'est tout.

Il la dévisagea longuement avant de dire :

— Vous avez tout perdu, Ngô Thi Maï Khanh!

Et comme elle restait impassible :

— Est-ce que vous comprenez bien ce que cela veut dire en ce moment : tout perdre?

— Je vais quand même récupérer ma fille!

— Même pas...

— Vous n'avez pas l'intention de la laisser à Mme Burtin pendant le temps où je serai en prison?

— Siao ne reverra jamais sa grand-mère...

— Pourquoi? La vieille est morte?

— C'est votre fille qui n'est plus...

En lâchant ces mots, il l'avait saisie par la taille pour l'empêcher de s'affaisser et, pendant qu'elle le regardait, hagarde, il continua, parlant visage contre visage :

— Oui... Mme Burtin l'a étranglée ce soir, deux heures avant que je ne vous appelle, dans ce même appartement où vous vouliez la tuer la nuit dernière... C'est pour cela que je voulais vous voir vite, mais je ne savais pas comment vous l'annoncer...

Elle balbutia :

— Vous et vos hommes, vous avez réussi à tout me faire croire et même que mon enfant avait été kidnappée : si je n'en avais pas eu la conviction, je n'aurais jamais parlé! Je sais maintenant que vous ne valez pas plus cher qu'un Serge Martin et que vous êtes capable de tout...

— Vous aussi, Ngô Thi Maï Khanh!

— Mais il est une chose que vous n'avez pas le droit de faire : c'est vous servir une fois de plus de Siao, et ceci de la façon la plus ignoble, en essayant de me persuader qu'elle est morte! Est-ce que vous vous rendez compte que vous n'êtes pas ici n'importe où, mais devant l'autel consacré à mes ancêtres où chaque flamme de ces *jossticks* se consume, à l'ombre de Bouddha, pour leur assurer la félicité éternelle... Oseriez-vous répéter maintenant devant le Sage des Sages ce que vous venez de dire ?

Il fixa son regard sur la statuette d'or avant de répondre lentement et sans passion aucune :

— Nous n'avons pas les mêmes croyances, vous et moi.

— Vous êtes comme Martin! Vous ne croyez à rien!

— Lui est athée, c'est sûr... Mais moi je crois en mon Dieu, qui est celui des chrétiens et, s'il était là à la place de votre Dieu à vous, je redirais la même chose : votre fille est morte...

La femme jaune poussa alors un cri qui sembla venir du fond de ses entrailles. S'arrachant à l'étreinte des bras secourables qui la soutenaient encore, elle s'approcha des *jossticks* sur lesquels elle souffla de toutes ses forces en hurlant dans un étrange soliloque :

— Mes ancêtres m'ont tous abandonnée... Bouddha aussi... Je ne suis plus sa fille chérie... Je ne suis plus rien!

Quand tous les *jossticks* furent éteints, elle s'écroula, inerte, sur le sol.

Son visiteur s'agenouilla et commença à lui tapoter vigoureusement les mains et le visage pour la ranimer. Très lentement la vie revint en elle et lorsque ses yeux s'entrouvrirent, elle murmura :

— Je savais que j'étais maudite...

L'homme, toujours penchée sur elle, dit avec douceur :

— Non, Ngô Thi Maï Khanh... C'est la fatalité seule qui s'est abattue sur vous et qui n'a pas cessé de vous poursuivre depuis le soir où vous avez rencontré votre amant à Cholon... C'est ce jour-là qu'il fallait fuir, mais il faut croire que Bouddha ne l'a pas voulu! Tous, tant que nous sommes, n'avons été mis sur terre que pour souffrir et payer le plus souvent des fautes qui dépassent notre entendement... Comme son père, Siao n'est plus : vous restez seule... Ferez-vous à l'avenir le bien ou le mal? Vous l'ignorez tout autant que moi... L'unique chose qui vous reste, et que vous n'avez pas le droit d'assassiner cette nuit, c'est votre admirable croyance dans l'éternité de l'Etre Supérieur qui régit nos moindres actes. Il vous accueillera un jour dans cet autre monde auquel vous avez droit et où vous retrouverez tous ceux que vous avez aimés.

Les yeux de braise le regardaient avec surprise; ils avaient l'air de se demander comment il était possible qu'un homme pareil pût avoir ces paroles apaisantes. A demi soulevée, soutenue par les bras qui étaient venus une nouvelle fois à son aide, elle demanda faiblement :

— Pourquoi cette femme a-t-elle fait cela?

— Pourquoi?... Allez savoir ce qui se passe dans le cerveau d'une démente!

— Mais pourquoi lui avez-vous confié mon enfant?

Il mit un temps avant d'avouer :

— Nous espérions sincèrement que cela la guérirait de

la blessure que vous lui avez faite en lui prenant son fils... Nous nous sommes trompés... Il faut croire qu'une blessure faite à une mère est inguérissable.

— Où est maintenant cette femme ?

— Vous ne pourrez plus la tuer... Et ça ne servirait à rien ! A l'heure actuelle elle a dû être emmenée dans un asile d'où elle ne sortira plus jamais.

— Mais elle pourrait recommencer ?

— Non. Elle s'estime vengée après douze années. Sa folie est rassasiée : elle n'en veut plus à personne.

— Même pas à moi ?

— Même pas à vous...

— Et Siao... où est-elle ?

— Croyez-vous que vous soyez en état de la revoir ?

— Non, je ne veux pas. Cela non plus ne servirait à rien.

Après avoir réfléchi pendant quelques secondes, il dit :

— Peut-être avez-vous raison ? Il va cependant falloir remplir certaines formalités... Siao était bouddhiste comme vous ?

— Elle n'avait pas la même confiance que moi en Bouddha et c'est elle qui était dans le vrai... J'aimerais que son corps soit rapatrié au Vietnam et qu'elle soit enterrée dans le cimetière français d'Hanoï auprès de son père... Pensez-vous que ce soit possible ?

— Je vous promets que ce sera fait.

— Si je demande cela, c'est parce que je sais que là-bas des amis fidèles continuent à fleurir la tombe de Pierre.

— C'est vous qui le leur aviez demandé, il y a douze ans après sa mort ?

— Oui.

— Comme vous l'avez aimé !

Elle resta muette. Respectant son silence, il attendit

avant de dire comme quelqu'un qui ne sait vraiment plus quelle phrase trouver :

— Je ne peux pas vous laisser ainsi... J'attendrai pour partir que M. Ki Ho soit rentré.

— Je ne veux plus jamais le voir... Ni lui ni personne ici! Vous lui ferez savoir que je lui donne la *Lampe de Jade* ainsi que cet appartement : la seule chose qui l'ait jamais intéressé, c'est l'argent... C'est pour l'argent qu'il nous a abandonnées autrefois, ma mère et moi, et qu'il est venu chercher fortune en France.

— J'ai toujours pensé que c'était un personnage peu recommandable!

— Il est égoïste, comme beaucoup d'hommes... Pierre aussi l'a été...

Ce fut lui qui demeura silencieux. Il ne trouvait rien à répondre.

— Emmenez-moi, colonel! dit-elle suppliante.

— Moi? Où cela?

— N'avez-vous pas dit tout à l'heure qu'il serait préférable de m'arrêter pendant quelque temps pour me protéger de mes ennemis? Maintenant j'ai peur de tout le monde!

— Oui... C'est la seule solution.

Il l'aida à se relever. Une dernière fois elle eut un regard vers la statuette du Dieu, dont le sourire de béatitude n'était plus éclairé par les reflets des petites lumières, et qui semblait satisfait de se cacher dans l'ombre. Ils quittèrent le temple où continuait à flotter une odeur d'encens.

Dans le vestibule il demanda :

— Voulez-vous emporter quelques vêtements ou affaires personnelles?

— Je n'emporte que ce collier et ma plaque de jade : c'est le seul cadeau que Pierre m'ait jamais fait! Il l'avait acheté chez un bijoutier chinois de Cholon... Pour le reste, dès que M. Ki Ho saura que je suis arrêtée, il me fera parvenir ce dont je pourrais avoir besoin.

— Savez-vous, Ngô Thi Maï Khanh, que même si nous vous avons toujours considérée comme l'une de nos plus redoutables adversaires, nous n'avons jamais cessé de penser que vous étiez une Dame ?

Elle se dirigea vers la porte sans même regarder une dernière fois les panneaux de laque sur lesquels elle avait cru qu'était racontée son histoire...

Un mois plus tard, Serge Martin se trouvait à nouveau dans le cabinet de travail de « la vieille chouette ».

— Alors, demanda ce dernier, êtes-vous bien dans cet hôtel dont je vous ai indiqué l'adresse ?

— Je m'y ennuie !

— Regretteriez-vous l'appartement de la rue Vaneau ?

— Non. Et je n'ai aucune envie d'y remettre les pieds ! Il fait partie de ces lieux que je déteste parce qu'ils donnent l'impression que la mort s'y est installée en permanence.

— Nous avons fait apposer les scellés : il n'y avait que cela à faire puisque sa locataire est toujours vivante.

— Comment va-t-elle ?

— Le Dr Mariel m'a dit, il y a quelques jours, que ce n'était guère brillant ! Contrairement aux années précédentes, cette fois elle n'a pas retrouvée sa tête... Et pourtant la période habituelle de crise est largement passée ! Pauvre créature !

— Il est à souhaiter pour elle qu'elle demeure dans cet état... S'il lui arrivait un jour de retrouver assez de lucidité pour réaliser ce qu'elle a fait, ce serait elle qui se tuerait ! Et Siao ?

— Nous avons rencontré un large esprit de compréhension auprès des autorités de Hanoï... Le corps est parti avant-hier en avion, via Moscou. L'inhumation aura lieu là-bas lundi prochain : elle sera enterrée à côté de son père. Selon une demande formulée par sa mère, la dalle funéraire ne portera pas de nom de famille, mais simplement le prénom SIAO accompagné des deux dates...

— Et Mme Phu, où en est-elle ?

— Elle supporte le régime pénitentiaire avec un cran extraordinaire.

— Cela ne me surprend guère.

— Je suis allé la voir plusieurs fois déjà.

— Vous a-t-elle parlé de moi ?

— Jamais !

— Serais-je déjà sorti définitivement de ses souvenirs, elle qui m'a pourtant dit un soir, à la *Lampe de Jade,* que j'étais un personnage inoubliable ?

— Quel cabot vous faites, Serge Martin !

— C'est normal : n'étais-je pas un comédien avant d'entrer dans vos Services ?

— Un très mauvais acteur, m'a-t-on dit !

— Il faut croire qu'avant d'avoir la chance de vous rencontrer, colonel, je n'avais pas encore trouvé de rôle à ma mesure ?

— Et maintenant ?

— Comme vous le voyez : je végète... Dans l'attente d'un nouvel engagement peut-être ?

— Sincèrement, vous voudriez remettre ça ?

— Je crois bien que oui... Je vous l'ai dit : je m'ennuie ! Et la vie de Paris ne me convient pas ! Je n'arrive pas à m'acclimater au climat de la Métropole !

— Sans doute parce que vous êtes resté trop longtemps là-bas ?

— C'est possible... Quand je suis revenu, vous avez exigé, pour les obligations du travail, que je me transforme en vieux colonial endurci... Si c'était nécessaire physiquement, ce ne l'était pas moralement! Voilà plus d'un demi-siècle que je suis cet homme... C'est pourquoi vous devez me charger d'une nouvelle mission loin d'ici.

— Ça veut dire en Extrême-Orient, ça?

— Je préfère les secteurs que je connais. Je ne dis pas que, si vous n'aviez à me proposer que l'Afrique, je n'irais pas, mais je refuserais les deux Amériques.

— Voyez-vous ça! On fait maintenant la fine bouche... Apprenez, mon cher, que, quelles que soient l'estime et l'amitié que j'ai pour vous, vous irez là où je déciderai de vous envoyer, à moins que vous n'ayez l'intention formelle de prendre une retraite à laquelle vous avez incontestablement droit... Seulement je trouve que ça ne vous va pas, la retraite! Vous êtes de la même race que moi : celle de ceux qui ne dételIent que parce qu'ils sont fourbus. Ce qui est loin d'être votre cas!

— Sincèrement, vous me trouvez encore fringant?

— A tel point que vous pouvez même encore plaire à de très jeunes femmes! Ne venez-vous pas d'en faire l'expérience au cours de vos rendez-vous de Marnes-la-Coquette?

— Soyez gentil, patron! Ne me parlez plus de celle dont j'ai été, en effet, le vieux confident et qui n'est plus... J'ai toujours beaucoup de peine

— Je le sais. C'est même la principale raison pour laquelle je vais essayer de vous changer les idées tout en me conformant à vos aspirations... Vous allez repartir d'ici quelques jours pour cet Extrême-Orient dont vous ne pouvez plus vous passer : il y a là-bas plusieurs missions intéressantes qui vous attendent mais il est cependant exclu de vous faire retourner en Chine... Ce serait dangereux : vous y êtes « brûlé » définitivement! Par contre, vous pouvez très bien continuer à opérer dans les pays limitrophes tels que l'Inde, le Népal, le Pakistan, la Birmanie, la Thaïlande, le Laos, Formose, la Corée et le Japon... Ce qui vous réserve encore un champ d'action assez vaste.

— Et le Vietnam?

— Pas pour le moment. Attendons un peu...

— C'est égal : la Chine va me manquer!

— C'est bien parce que je le sens aussi que je vais vous accorder la faveur de la revoir de tout près sans y pénétrer... Sans que nous en ayons l'air ici, nous tenons à vous, bon ami! C'est pourquoi je vous donne dès maintenant l'interdiction formelle de franchir la frontière de la Chine s'il vous arrivait de la côtoyer prochainement... Vous m'avez bien compris?

— Qu'est-ce que vous mijotez encore?

— Pour retourner vers les régions qui ont pris pour toujours votre cœur, vous serez évidemment dans l'obligation d'effectuer un voyage qui vous rapprochera de la Chine... Une fois là-bas, arrivé en un certain point, vous recevrez des instructions complémentaires qui vous orienteront vers l'un ou l'autre des pays que je viens d'énumérer. Tout dépendra de la tournure que vont prendre les événements... Mais, après tout, connaissant vos goûts, cela doit vous indifférer complètement — la Chine étant mise à part — de vous retrouver à Bangkok, à Singapour ou à Tokyo! La seule chose qui compte pour vous, c'est d'être là-bas... Nous sommes bien d'accord?

— Nous le sommes. Alors quel va être mon premier point de chute?

— Il se trouvera, comme je viens de vous le laisser entendre, à l'une des frontières de la Chine.

— Vous n'allez tout de même pas me dire que ce sera Hong-Kong?

— Vous ne tenez donc pas à revoir ce cher major Benjafield?

— Que je n'y tienne pas est exagéré... Je l'aime bien, le major, et je crois qu'il me rend cette amitié... Seulement Hong-Kong! Je connais ça par cœur!

— Je vais donc même vous éviter d'y passer comme vous l'avez fait en venant... Vous irez directement à Macao.

— Quoi? C'est une plaisanterie?

— C'est un ordre. De Paris vous rejoindrez en avion Lisbonne où vous prendrez un appareil portugais qui vous déposera, après diverses escales, à l'aéroport de Macao.

— On ne veut donc plus de moi sur les lignes anglaises?

— Il n'est peut-être pas nécessaire de tenir nos amis anglais au courant de tous vos déplacements? D'autant plus que vous ne ferez pas ce voyage seul...

— Vous me faites la gentillesse de me donner un compagnon?

— Une compagne, mon cher! Ngô Thi Maï Khanh...

— Qu'est-ce que ça veut dire?

— Cela signifie que nous la renvoyons à la Chine selon sa propre demande et après un accord que nous venons de conclure avec Pékin... Il est inutile, je pense, que je vous décrive l'autobus de Canton? Quand vous serez à Macao, vous attendrez, en compagnie de votre tendre amie, son arrivée qui continue à avoir lieu tous les jours vers midi... Et de cet autobus descendra — comme vous l'avez fait vous-même — perdu dans le flot quotidien de miséreux, d'aveugles et de boiteux, un homme qui sera spécialement escorté par un officier de la Garde Rouge comme Ngô Thi Maï Khanh le sera par vous... Bien entendu vous ne serez ni en officier ni en vieux colonial... Je crois savoir que vous n'auriez pas détesté, à un certain moment faire partie de l'étonnante compagnie fondée par Ignace de Loyola ? Eh bien, je vais me faire une joie de vous offrir cette satisfaction passagère... Vous ne serez plus en clergyman protestant, mais sous la soutane d'un père jésuite portugais : le révérend père Rodriguez dont voici les papiers, la carte nationale d'identité et le passeport établi à ce nom par nos amis de Lisbonne. Regardez bien la photographie qui se trouve sur la première page : vous ne trouvez pas qu'elle vous ressemble étrangement ?

Après avoir pris le document, Serge Martin demanda :

— Comment diable êtes-vous arrivé à réaliser un pareil truquage ?

— Nos spécialistes valent largement ceux du major Benjafield.

— Je vois...

— Mon révérend père, il ne vous reste plus maintenant qu'à oublier les personnages que vous avez incarnés avec brio jusqu'à ce jour, pour tenter de ressembler le plus possible à cette photographie... Ce ne doit pas être bien sorcier pour vous ?

— La soutane, ça aide...

— N'est-ce pas ? Car il serait tout à fait déplorable que l'officier rouge, qui escortera l'homme descendant de l'autobus, reconnût dans ce religieux très dévoué, servant lui-même de chaperon à la belle Ngô Thi Maï Khanh, un certain agent français ayant opéré à Shangaï quelques mois plus tôt, sous le nom de Tsi Hao, en qualité de cuisinier d'une cantine populaire et dont le signalement avait été transmis à Pékin par l'intermédiaire d'un « diplomate » de La Haye! Je vous crois assez fort pour qu'au moment de la rencontre aucun rapprochement ne puisse être fait avec un personnage « brûlé » que nous avons volontairement « liquidé », vous et moi?

— J'essaierai de faire de mon mieux...

— Chez vous « le mieux » est toujours une réussite! Et venons-en enfin à l'identité de l'homme que Pékin va nous restituer, ce jour-là, en échange d'une ex-Madame Phu... Vous le connaissez bien, cet homme... Il a même été l'un de vos élèves dans le métier... Malheureusement, tout en étant très doué, il n'a pas su faire preuve, ces derniers temps, de ces qualités de prudence et de dissimulation qui semblent innées en vous! Autrement dit, il s'est fait « chiper » à Shanghaï... Ce qui nous a beaucoup gênés pendant quelques semaines puisque c'est lui que nous avions envoyé là-bas pour vous remplacer de toute urgence!

— Et je le connais?

— Vous ne connaissez que lui : Klein...

— Mais c'est de la folie de l'avoir fait entrer en Chine! Il ne possède pas suffisamment la langue! Il en ignore surtout les mille et une subtilités! Qu'il sache se débrouiller mieux que moi en russe — et il l'a prouvé quand il jouait en U.R.S.S. le camarade-colonel Feyguine! — c'est certain. Il parle couramment aussi le vietnamien, le cambodgien et le japonais... Mais le chinois, ce n'est pas le cas!

— Nous devions agir vite et nous n'avions personne d'autre sous la main à ce moment-là... J'ai hésité pendant huit jours et, finalement, j'ai pensé qu'on pouvait courir le risque avec cinquante pour cent de chances de succès.

Au début de son séjour, ça n'a pas trop mal marché, et puis il s'est fait repérer...

— Quel idiot! Je vous jure que, quand je l'aurai récupéré, je lui dirai deux mots!

— Vous lui direz simplement qu'il a beaucoup de chance, ce bon Klein, que nous tenions tant à lui! Vous comprenez maintenant pourquoi il faut que ce soit vous, et vous seul, qui accompagniez jusqu'à l'autobus de Canton, dans lequel elle montera, celle que nous avons arrêtée ici et que nous échangerons contre lui?

— Puis-je savoir comment se sont passées « les conversations » avec Pékin pour aboutir à un tel échange?

— Très simplement. Dès que nous avons arrêté, en plein accord avec elle, Mme Phu, les réactions d'en face n'ont pas été longues à venir : ce qui m'a prouvé que soit Ki Ho, soit plutôt Li, soit surtout le pédicure, avait informé les chefs du S.R. chinois de ce qui se passait. La patronne de la *Lampe de Jade* ayant été emprisonnée le même jour que toute la bande de Marly, cela prouvait qu'elle avait été également « dénoncée » par un tiers : cela l'innocentait aux yeux de Pékin. C'était exactement ce que nous voulions. Mais les gens de Pékin savent exercer des représailles rapides : six jours plus tard — pas un de plus! — j'étais informé par l'un de mes agents, opérant à Pékin même, que Klein venait de se faire prendre à Shanghaï... Je répondis aussitôt à cet agent — très bien placé là-bas dans les milieux dirigeants parce qu'il est lui-même citoyen chinois — de ne rien faire et d'attendre... Je fus bien inspiré car, une semaine après, ce même agent me fit savoir que Pékin ne tenait pas tellement à garder Klein — qu'ils doivent, entre nous, considérer comme un gibier de second ordre!... Ah, s'ils vous avaient tenu, vous, c'eût été une autre affaire! — et serait disposé à nous le restituer à condition que nous libérions Mme Phu et que nous la réexpédions à l'une des frontières de Chine où s'opérerait l'échange. Je suis donc allé voir « notre » prisonnière pour lui expliquer ce qui se passait...

— La réaction a été?

— Immédiate!... « Je suis d'accord pour rentrer en Chine », m'a-t-elle dit sans aucune hésitation. J'ai même eu l'impression qu'une telle solution la soulageait. Je lui objectais qu'il me paraissait assez dangereux pour elle de retourner se mettre dans les griffes de ses grands patrons. Sa réponse fut : « Je serai beaucoup plus en sûreté dans mon pays qu'ici et que n'importe où dans le monde occidental... N'oubliez pas, colonel, que des truands, spécialisés dans le trafic des stupéfiants, ont été arrêtés et qu'une grosse quantité de marchandise, valant très cher, a été saisie... Tôt ou tard il y aura des règlements de comptes... Et je suis sûre que ce gang, finissant par savoir que c'est moi qui ai parlé, ne me manquera pas! Il y a, certes, un certain risque pour moi à retourner en Chine, mais il me paraît moins grand puisque je suis censée là-bas n'être qu'une victime. »

— Savez-vous que c'est très bien raisonné?

— Oui et non. Car, la connaissant comme vous et moi, une Ngô Thi Maï Khanh ne se fait pas trop d'illusions sur le sort qui lui sera réservé chez elle... Seulement elle a un orgueil incommensurable ajouté à un grand courage! Je lui ai quand même proposé de la garder encore quelque temps en prison et de l'en faire sortir un jour en secret pour l'envoyer aux U.S.A. où elle serait quand même plus en sûreté qu'ici.

— Ce qui vous aurait contraint d'abandonner ce maladroit de Klein à son destin!

— Non. J'aurais monnayé autrement la libération de Klein... Et, si cela n'avait pas été possible, peut-être même aurais-je pris le risque suprême de vous renvoyer en Chine, malgré les très lourdes hypothèques qui y pèsent sur votre personne, pour que vous le délivriez et nous le rameniez... Oui, mon vieux, vous êtes le seul homme au monde que je crois capable de réussir un pareil coup!

— Ce qui semblerait prouver que votre opinion sur moi ne s'est pas trop dévaluée?

— Elle n'a fait que se renforcer depuis que j'ai vu comment vous venez d'opérer ici. Mais, heureusement, il n'est pas nécessaire d'en venir à pareille extrémité puisque Ngô Thi Maï Khanh s'est montrée obstinément décidée à partir.

— Ne pensez-vous pas que, une fois à l'abri des frontières chinoises, elle va recommencer à se battre contre nous en s'attaquant à tout le réseau que nous avons organisé là-bas pour le démanteler complètement? N'oubliez pas ce que je vous ai dit et redit sur elle : c'est une vipère... Et nous n'avons pas écrasé sa tête qui est toujours lucide!

— Nous n'avions pas le droit de le faire, après la parole donnée... Et sérieusement continuez-vous à penser qu'elle est vraiment une vipère? J'en arrive à croire qu'elle serait plutôt une victime!

— Même après l'assassinat de Lao-Kaï et la tentative manquée de justesse sur la personne de la mère de Pierre?

— Martin, vous avez la rancune tenace!

— J'ai juré à Ngô Thi Maï Khanh d'oublier, en échange des renseignements qu'elle m'a donnés, l'affaire de Lao-Kaï : ceci signifie que la vengeance que j'aurais dû normalement exercer sur elle est éteinte pour toujours, mais nul ne peut m'empêcher de conserver pour moi, indéracinable dans mon cœur, le souvenir de la mort de mon meilleur ami!

Il y eut un silence pendant lequel « la vieille chouette » observa son vis-à-vis avant de lui dire sur un ton grave :

— Si cette femme retourne dans son pays, c'est avant tout parce qu'elle a la conviction que son Dieu l'a définitivement abandonnée et qu'il ne l'a fait que parce qu'elle a transgressé un jour sa loi en faisant assassiner « le protecteur » qu'il lui avait choisi... Elle ne se sent plus « la fille chérie » de Bouddha; le sentiment religieux est mort dans son âme : c'est là son véritable drame! Il ne lui reste plus maintenant qu'un sentiment profond — le dernier puisqu'elle a tout perdu — le seul auquel elle puisse se raccrocher désespérément : l'amour de son pays. Nous devons le respecter parce qu'il est noble! Qu'elle redevienne notre pire ennemie là-bas, comme elle le sera de tout le monde occidental, c'est certain... C'est même normal. C'est seulement dans cette action qu'elle pourra retrouver une sorte d'équilibre... Je dirais presque une compensation à tout ce qu'elle vient d'endurer. Et c'est, de loin, la raison la plus vraie pour laquelle je ne veux pas que vous-même vous franchissiez à nouveau les frontières de la Chine!

— Parce que vous êtes convaincu que, si je le faisais, elle aurait cette fois ma peau?

— Oui, Serge Martin! Comme vous, Ngô Thi Maï Khanh est une grande joueuse... Elle sait qu'une partie serrée se déroule entre vous, et en trois phases : la première manche qu'elle a gagnée à Lao-Kaï, la seconde que vous venez de remporter à Paris, la belle enfin qui n'est pas encore jouée! A vous d'en tirer vos conclusions...

Et c'est pourquoi vous serez pour elle le plus attentif, et surtout le plus discret des compagnons pendant le voyage que vous allez faire ensemble. Il ne me reste plus qu'à vous dire ces mots que j'avais refusé de prononcer ici même quand s'amorçait la seconde manche : bonne chance !

Le voyage n'avait été entravé par aucun incident de route. Après de longues heures de vol et de nombreuses escales, l'avion avait atterri normalement à Macao. Parmi les passagers, qui se présentèrent au contrôle de l'aéroport, se trouvait un religieux de haute silhouette, portant la soutane noire, qui accompagnait une femme de race jaune, vêtue de blanc. Bien qu'ils se fussent trouvés côte à côte pendant tout le voyage, dans les pullmans de l'avion, ils ne s'étaient que très peu parlé, le religieux restant absorbé dans la lecture de son bréviaire et la femme paraissant rêver à des visions lointaines...

Dès que l'un et l'autre eurent franchi la barrière de contrôle, un autre religieux, qui attendait dans la foule l'arrivée de l'avion, s'avança vers celui qui était à la droite de la femme :

— Le père Miguel Rodriguez ? demanda-t-il en portugais.

— Lui-même, très révérend père...

Le voyageur venait de reconnaître le supérieur de la Mission, le révérend père Cattaneo. Après avoir incliné la tête devant la femme sans lui parler, ce dernier dit à son confrère en désignant le parking des voitures :

— La jeep vous attend. Je vous la laisse et rentrerai à pied à la Mission qui n'est pas loin. Vous avez juste le temps : il est 11 heures, l'autobus sera là dans une heure...

Le père Rodriguez et sa compagne se dirigèrent vers la voiture. Ils y prirent place, lui au volant, elle à sa droite.

La jeep démarra pour traverser la ville en remontant vers le nord. Elle passa ainsi, dans la rue centrale encombrée de sa foule gluante, d'abord devant la bâtisse bétonnée triste qui servait de maison de jeux, puis devant le camp de réfugiés chinois où brûlaient, dans les huttes précaires, les *jossticks* plantés devant les petites statuettes de Bouddha et qui purifiaient tout, emportant dans l'odeur d'encens celle des souvenirs et de la misère.

Enfin la voiture s'arrêta devant la haute porte, datant du XVIIIe siècle, qui, elle, semblait vouloir défier le temps. Les deux voyageurs descendirent pour passer à pied sous la porte et se retrouvèrent, de l'autre côté, face à une route qui s'enfonçait, à perte de vue, dans l'immensité du paysage sans visage. Tous deux s'immobilisèrent et attendirent, silencieux, un peu à l'écart du groupe de policiers, de religieuses et de coolies portant des brancards qui, eux, stationnaient peut-être là depuis l'aube.

Soudain une poussière jaunâtre s'éleva à l'horizon et un point noir, qui grossit lentement, apparut sur la route. Il se rapprocha dans un bruit de ferraille alternant avec les détonations d'un moteur. Arrivé à deux cents mètres de la porte de la « Cité du Saint Nom de Dieu », l'autobus de Canton stoppa. Immédiatement surgirent des bas-côtés de la route des soldats en kaki, portant sur les écussons de leurs vareuses l'étoile rouge. Et presque aussitôt le flot de misérables et d'infirmes descendit du véhicule pour s'aligner sur la route.

Ce fut le moment que le religieux choisit pour dire à voix basse et en français à la femme :

— Je crois qu'il est temps maintenant que nous nous disions au revoir... Après nous ne pourrons plus parler.

— Je vous remercie, répondit-elle, de m'avoir accompagnée jusqu'à cette frontière... Vous vous souvenez que nous nous étions déjà quittés, il y a douze années, à une autre frontière, celle de Lao-Kaï?

— Comment pourrais-je l'oublier?

— Ce jour-là vous m'aviez demandé, avant que nous ne nous séparions, si j'accepterais de vous aider un jour?

— Vous m'avez dit alors que vous ne me donneriez votre réponse que lorsque nous nous rencontrerions en Chine... C'est à Paris qu'a eu lieu, finalement, cette rencontre... Et vous m'avez aidé, je le reconnais!

— Parce que vous m'y avez forcée, Serge Martin! Mais je vous jure — non pas devant le Dieu auquel je ne crois plus, ni sur les mânes de mes ancêtres qui m'ont abandonnée, ni sur la mémoire de ceux que j'ai aimés — que je ne vous aiderai plus jamais!

— Je le crois bien volontiers, Ngô Thi Maï Khanh.

— Et je vous conseille de ne plus jamais essayer de rentrer dans mon pays!

— Je ne puis rien promettre. C'est pourquoi je ne vous ai pas dit « adieu » tout à l'heure, mais « au revoir »...

La file misérable de loqueteux s'était mise en marche, poussée par les soldats du monde rouge, pour se rapprocher de la porte de délivrance. A quelques pas derrière elle, suivait un homme assez grand en bleu de chauffe, à la droite duquel marchait un officier. Le religieux n'avait pas besoin de jumelles pour reconnaître la silhouette de celui qui avait droit à une escorte spéciale. Il dit simplement à la femme :

— Venez...

Et ils s'avancèrent. Après avoir croisé sans s'arrêter la cohorte de malades et d'estropiés, qui paraissaient n'avoir même plus la force de les regarder au passage, le religieux et la femme se trouvèrent en présence de l'officier de la République populaire et de l'otage qu'il rendait au monde capitaliste. Dans le silence le plus absolu, sans qu'aucune parole fût échangée, l'homme en bleu de chauffe vint se ranger à côté du religieux alors que la femme rejoignait l'officier. Les quatre personnages se séparèrent, comme s'ils venaient d'interpréter une étrange figure de quadrille en changeant de partenaire : le religieux et l'homme en bleu de chauffe se dirigèrent vers la porte de Macao alors que l'officier et la femme rejoignaient l'autobus qui avait terminé sa manœuvre pour repartir dans la direction de Canton.

Au moment où le religieux et son compagnon atteignaient la porte antique, le véhicule redémarra. Se retournant, ils l'aperçurent qui commençait à s'éloigner dans son fracas habituel, au milieu d'un nuage de poussière. Ils restèrent là, comme pétrifiés, jusqu'à ce qu'il eût disparu. Alors seulement le faux homme de Dieu dit au faux Chinois :

— Le plus étonnant dans toute cette affaire serait qu'elle et moi nous nous retrouvions quand même un jour!

Et lorsqu'ils furent assis dans la jeep qui redescendait lentement vers le port, il reprit :

— Il ne me déplaît pas, Klein, de vous voir ainsi déguisé en fils du Céleste Empire...

Je pense, Serge Martin, que vous devez être assez satisfait également d'avoir endossé la soutane des bons pères?

Un sourire effleura ses lèvres minces pendant qu'il répondait :

— Elle ne me va pas tellement mal! Quant à vous, votre

silhouette n'est pas assez accentuée... Ce n'est pas une réussite! Ça ne m'étonne plus que vous vous soyez fait prendre!

— Que voulez-vous, mon révérend père, tout le monde n'a pas la classe d'un mandarin...

MOORE Catherine L.
415** Shambleau
533** Jirel de Joiry

OTTUM Bob
568** Pardon, vous n'avez pas vu ma planète ?

RAYER Francis G.
424** Le lendemain de la machine

SADOUL Jacques
532** Les meilleurs récits de « Astounding Stories »
551** Les meilleurs récits de « Amazing Stories »
579** Les meilleurs récits de « Weird Tales » — T. 1
580** Les meilleurs récits de « Weird Tales » — T. 2
617** Les meilleurs récits de « Planet stories » (oct. 75)

SCHACHNER Nat
504** L'homme dissocié

SILVERBERG Robert
495** L'homme dans le labyrinthe
585** Les ailes de la nuit

SIMAK Clifford D.
373** Demain les chiens
500** Dans le torrent des siècles
609** Le pêcheur

STURGEON Theodore
355** Les plus qu'humains
369** Cristal qui songe
407** Killdozer - Le viol cosmique

TOLKIEN J.R.R.
486** Bilbo le Hobbit

UNIVERS 01
598*

UNIVERS 02
614*

UNIVERS 03
629* (décembre 1975)

VAN VOGT A.E.
362** Le monde des Ã
381** A la poursuite des Slans
392** La faune de l'espace
397** Les joueurs du Ã
418** L'empire de l'atome
419** Le sorcier de Linn
439** Les armureries d'Isher
440** Les fabricants d'armes
463** Le livre de Ptath
475** La guerre contre le Rull
496** Destination Univers
515** Ténèbres sur Diamondia
529** Créateurs d'univers
588** Des lendemains qui scintillent

VEILLOT Claude
558** Misandra

VONNEGUT Kurt Jr.
470** Abattoir 5
556** Le berceau du chat

ZELAZNY Roger
509* L'île des morts

ÉDITIONS J'AI LU

31, rue de Tournon, 75006-Paris

Exclusivité de vente en librairie FLAMMARION

IMPRIMÉ EN FRANCE PAR BRODARD ET TAUPIN
7, bd Romain-Rolland - Montrouge.
Usine de La Flèche, le 10-09-1975.
1035-5 - Dépôt légal 3e trimestre 1975.